HEYNE <

Das Buch

Sie ist Ende fünfzig, Autorin zweier mäßig erfolgreicher Romane und Literaturprofessorin an einem kleinen College an der amerikanischen Ostküste. Seit dreißig Jahren ist sie mit John verheiratet, der am selben College unterrichtet, und war immer stolz darauf, ihr eigenes Geld zu verdienen und eine offene Ehe zu führen – denn das bedeutete für sie Emanzipation: intellektuell, finanziell und emotional unabhängig zu sein.

Als John seine Entlassung befürchten muss, weil eine der Studentinnen, mit denen er im Laufe der Jahre eine Affäre hatte, ein Verfahren gegen ihn angestrengt hat, gerät das Wertesystem der Ich-Erzählerin jedoch ins Wanken. Ihre Studentinnen und sogar ihre Tochter Sidney fordern sie auf, sich von John zu trennen, und die Collegeleitung will sie beurlauben. In dieser angespannten Situation trifft sie Vladimir Vladinski – zwanzig Jahre jünger als sie, gefeierter Romanautor, der neue Shooting-Star an ihrem Lehrstuhl und verheiratet mit einer so brillanten wie psychisch labilen Frau. Sie entwickelt eine Obsession für Vladimir und schmiedet einen Plan, um ihn zu verführen; ein Plan, der für niemanden in diesem verworrenen Beziehungsgeflecht ohne Folgen bleibt.

Die Autorin

Julia May Jonas wurde in Galveston geboren und hat an der Columbia University Literarisches Schreiben studiert. Sie ist Dramatikerin und unterrichtet Schauspiel am Skidmore College in Saratoga Springs, New York. *Vladimir* ist ihr erster Roman. Jonas lebt mit ihrer Familie in New York.

Julia May Jonas

Vladimir

ROMAN

Aus dem Amerikanischen
von Eva Bonné

WILHELM HEYNE VERLAG
MÜNCHEN

Die Originalausgabe VLADIMIR
erschien erstmals 2022 bei Avid Reader Press, New York.

Seite 7: Sophokles. Werke in einem Band. Aus dem Griechischen
übertragen, eingeleitet und erläutert von Rudolf Schottländer,
Berlin und Weimar 1966, S. 273.

Seite 287: D. H. Lawrence: Lady Chatterley. Hamburg 1987, S. 5.
(Ohne Übersetzernennung)

S. 323: John Webster: Die Herzogin von Malfi. Aus dem Englischen
übertragen von Elisabeth Plessen, Hamburg 1985, S. 230.

Penguin Random House Verlagsgruppe FSC® N001967

Vollständige Taschenbuchausgabe 06/2023

Umschlaggestaltung: SERIFA, Christian Otto
Umschlagabbildung: © Peter Hujar/The Peter Hujar Archive
Satz: Leingärtner, Nabburg
Druck und Bindung: GGP Media GmbH, Pößneck
Printed in Germany
ISBN: 978-3-453-42751-8

www.heyne.de

Für Adam

Laßt, laßt mich mir selber, so gut ihr's meint!
Dies Leid ist unheilbar, das weiß die Welt.

Sophokles, *Elektra*

Prolog

Als Kind habe ich alte Männer geliebt, und ich merkte, sie liebten mich auch. Sie liebten, wie eifrig ich versuchte, ihnen zu gefallen und wie sehr ich mir wünschte, dass sie Gutes von mir dachten. Sie zwinkerten mir zu und fanden mich altklug. Ich begegnete ihnen in der Kirche und bei Familientreffen, sie waren die Freunde der Eltern meiner Freundinnen. Sie waren die Ehemänner meiner Ballettlehrerin, Mathelehrerin, Geschichtslehrerin.

Ihre Anerkennung machte mich glücklich. Wenn ich an meine Kindheit zurückdenke, sehe ich ein Mädchen im weißen Kleid mit blauer Schleife vor mir. *Girls in white dresses* – ein Lied, geschrieben von einem alten Mann. Ich habe so ein Kleid nie besessen, aber ich erinnere mich, es getragen zu haben, besonders, wenn ich mit alten Männern sprach. Ich erinnere mich an das Gefühl, ein klassisches kleines Mädchen zu sein, an meine Überzeugung, ich wäre die Tugend in Person. Aus meinen Augen leuchteten Tugend und Intelligenz, und die Männer bemerkten das, selbst die ältesten und übellaunigsten.

Bis heute mag ich alles, was alte Männer gerne mögen. Jazz, Folk, Blues und virtuoses Gitarrenspiel. Lange, gut recherchierte Geschichtsbücher. Die Existentialisten und kraftstrotzende Prosa. Liederlichkeit und lustige, brutale Verbrecher. Gefühlsbetonten Rock 'n' Roll. Niedertracht. Ich mag volksnahe Geschichten vom Leben in der Stadt und vom Leben auf dem Land und auch politische Anekdoten. Ich mag schlaue Witze, Gespräche darüber, wie sie funktionieren, idiomatische Ausdrücke, Kartenspiele und Kriegsgeschichten.

Aber was ich an den alten Männern am meisten liebe und was mich auf den Gedanken bringt, ich könnte selbst einer sein und nicht eine alternde weiße Frau Ende fünfzig (eine Identität, die in der Öffentlichkeit zur Schau zu stellen mir meistens peinlich ist), ist die Tatsache, dass alte Männer aus Begierde bestehen. Sie sind ein einziges Bedürfnis. Sie haben Lust auf Essen, Boote, Urlaub und Unterhaltung. Sie wollen stimuliert werden. Sie wollen schlafen. Sie lassen sich vom Begehren leiten, daraus besteht ihre ganze Welt. Der alte Mann, den ich im Sinn habe (und vielleicht spreche ich von einem ganz bestimmten Typus, dem ich in meiner Jugend begegnet bin und der sich in mein Denken eingeschrieben hat), kennt keine Welt oder kann sich keine vorstellen, die nicht komplett und absolut vom Prinzip des Wollens und Bekommens beherrscht wird. Und natürlich sehnt er sich nach der Hingabe einer Sexualpartnerin, und sei es nur in der Vorstellung, im blauen Licht eines Fernsehschirms.

Während ich dies schreibe, schaue ich auf Vladimirs wohlgeformten, bronzefarbenen, gegen die Stuhllehne gesunkenen Kopf. Seine Stirn ist ausladend – man könnte sie auch vorspringend nennen –, das Licht fällt auf die straff gespannte Haut über den maskulin wulstigen Stirnbeinen. Er ist vierzig und gehört zu der Sorte Mann, deren Gesicht erst schmaler wird und dann weich. Das graublonde Haar erinnert an zerzaustes Heu, noch ist es üppig, doch jetzt schon droht es, in späteren Jahren schütter zu werden und auszufallen. Er schläft im Sitzen, die Härchen auf seinem linken Arm (der, der nicht festgebunden ist) schimmern in der Spätnachmittagssonne. Beim Anblick dieser im Licht erglühenden Körperbehaarung steigt ein Schluchzer in mir auf. Ich streiche mit den Fingern über die fedrig weichen Haare, so leicht wie ein winziges, zurückhaltendes Insekt.

Der Stuhl ist schwer, gotischer Stil, aus dunklem Kiefernholz gefertigt und glatt von der Abnutzung. Er stand in einem Trödelladen, und davor in einer pleitegegangenen Bierhalle an der Route 9. Ins Holz sind schwarz klebrige Namen und Initialen eingeritzt, manche paarweise in einem Herz, andere mit Datum. Wenn ich auf der Suche nach einer Eingebung bin, konzentriere ich mich auf einzelne Kerben: J. S. + R. B. 1987. Ich denke mir Namen zu den Initialen aus, Jehan Soon und Robert Black zum Beispiel – ein schwules Pärchen, das aus New York City hergezogen ist, um dem Grauen der AIDS-Krise zu entkommen. Beide sind Architekten, Jehan, Sohn koreanischer Einwanderer, ist in Flushing, Queens, zur Welt gekommen und aufgewachsen, Robert Black ist der Nachfahre einer Mayflower-Familie, ein, Achtung: Wortwitz, blaublütiges schwarzes Schaf. Sie kaufen eine großzügige Holzvilla im viktorianischen Stil und richten sie zwanghaft stilbewusst mit antiken Möbeln und Kuriositäten ein, wie man sie nur in der Zeit vor dem

Internet finden konnte, bevor jeder den Wert von allem kannte, vom Eames Chair bis hin zu kitschigen Porzellanfiguren aus den Sechzigerjahren. Eines Abends gehen sie in der neuen Stadt spazieren und entdecken die Bierhalle. Es ist ein warmer Frühlingsabend, sie setzen sich, sehr romantisch, unter die mit Blüten schwer beladenen Bäume vor dem Gebäude. Es regnet Blütenblätter. Jehan hat einen Schwips und will kuscheln, doch Robert, der sich in Upstate New York fürchtet, besonders vor den großen Gruppen bulliger Männer, die vielleicht nicht gerade Mitglieder der Hells Angels, aber in Sachen Erscheinungsbild durchaus von ihnen inspiriert sind, stößt ihn weg. Sie streiten sich heftig und gehen wütend nach Hause. Jehan fühlt sich gedemütigt, Robert fühlt sich hilflos. Viel später, als sie sich längst wieder vertragen haben, geht Robert allein zur Bierhalle und schnitzt ihre Initialen in einen Stuhl, und am ersten Jahrestag ihres Umzugs in die neue Stadt bringt er Jehan dazu, auf dem Stuhl zu sitzen. Er zeigt ihm die Schnitzerei.

Und dann gehen sie spontan in Flammen auf.

Zum Beispiel.

Vladimir schnarcht leise, ein sanftes, tröstliches Schnurren. Das Geräusch ist süß und gleichmäßig. Lebte ich mit ihm zusammen, wäre ich seine kleine Frau, ich würde mich an ihn klammern und von seinem Schnarchen einschläfern lassen wie von Meeresrauschen.

Ich könnte die Hütte aufräumen – die Limetten von unseren Drinks liegen zerquetscht auf dem Küchentresen, die Schuhe im Vorraum zeigen in alle Himmelsrichtungen. Ich könnte etwas schreiben, an meinem Buch arbeiten, aber eigentlich möchte ich nur hier sitzen und beobachten, wie das Licht über ihn hinwegkriecht. Ich werde mir des Augenblicks als eines perfekten Beispiels für meinen Schwellenzustand bewusst. Noch lebe ich in einer Realität, in der Vlad nicht aufgewacht ist. Ich wünschte, meine Studierenden mit ihrer postadoleszenten Vorliebe für Stilmittel wären jetzt hier. Ich bin mir sicher, auch sie könnten es spüren. Die Un-verortet-heit und die Zeit-frei-heit des Hier und Jetzt. Den pulsierenden Moment zwischen vielen anderen Momenten.

1

Obwohl ich Vladimir bereits gesehen hatte und ihn hatte sprechen hören – im Postgraduiertenseminar, beim Bewerbungslunch und auf der Klausurtagung des Fachbereichs –, hatte ich bis zum Herbstsemester keine Gelegenheit gehabt, mehr als ein paar Worte mit ihm zu wechseln. Ich hatte ihn im Frühjahr kennengelernt, als er seine Vollzeitstelle als Juniorprofessor antrat und ich zu allen Dozententreffen zu spät kam und früher ging, um mit niemandem reden zu müssen. Ich hielt es kaum aus, neben Florence zu sitzen, nicht mal mit drei Plätzen Abstand; Wutblitze schossen mir aus der Vagina in Arme und Beine. Immer schon ist der Ausgangspunkt meiner Wut meine Vagina gewesen; es wundert mich, dass das Phänomen in der Literatur kaum erwähnt wird.

An einem Abend Anfang September, in der ersten Semesterwoche, war er bei mir zu Hause, und da unterhielten wir uns zum ersten Mal richtig. Ich saß gerade im Wohnzimmer unseres Hauses, genoss die kühle Brise, trank Mineralwasser – ich habe eine Regel, derzufolge ich, wenn ich allein bin, Alkohol erst ab einundzwanzig Uhr trinken darf, eine praktische Taktik, mein Gewicht zu kontrollieren – und las ein Buch über die Geschichte der Hexen in Amerika, als es an der Tür klingelte. Seit die Vorwürfe gegen meinen Mann laut geworden waren, konnte ich keine Romane mehr lesen. Normalerweise las ich in den Sommermonaten viel und mit Begeisterung, und immer fand ich ein paar neue Kurzgeschichten oder einen Romanauszug, den ich später in meinen Seminaren durchnehmen konnte. Für meine Studierenden und für mich war es wichtig, mit der Stimme der Gegenwart in Verbindung zu bleiben. Aber in dem Sommer hatte ich das Gefühl, mein Blick könnte sich nicht auf die gedruckten Wörter fokussieren. Die fiktiven Welten, die Konstruiert-heit und Abgekupfert-heit der Texte, die vielen Figuren – all das erschien mir wie eine dürftige, kümmerliche Opfergabe. Ich brauchte Daten, Fakten, Zahlen und Statistiken. Waffen. Dies ist unsere Welt, und das ist darin passiert. In meinem Einführungsseminar las ich normalerweise einen Abschnitt aus der *Poetik* laut vor. Aristoteles erläutert darin den Unterschied zwischen Poesie und Geschichtsschreibung und warum die kunstvolle und theoretische Poesie in der Darstellung des Menschlichen überlegen ist. Dieses Jahr habe ich den Teil ausfallen lassen. Genau genommen habe ich dieses Jahr die komplette Einführung ausfallen lassen, meine ganze lange, mit viel Vorlauf zusammengestellte und eingeübte Litanei aus Anspielungen und Zitaten, die meine Studierenden ebenso einschüchtern wie motivieren soll. Stattdessen habe ich sie gebeten, über sich und ihre Erfahrungen zu sprechen. Ich würde gern behaupten, meine Entscheidung habe etwas mit dem Wunsch zu tun, sie kennenzulernen, aber so war es nicht. In meinen Seminarnotizen steht: »Lass sie reden! (Sie interessieren sich ohnehin nur für die eigenen Gedanken.)«

Ich hörte sein Auto in der Einfahrt und dann seine Schritte, als er über das Grundstück lief und sich fragte, welche Tür die richtige sei. In unserer kleinen Stadt ist es allgemein Sitte, ein Haus über die hintere Veranda zu betreten, von der man, solange das Gebäude nicht kernsaniert wurde, in die Küche gelangt. Sie stammt noch aus der Zeit, als Hausangestellte üblich waren und die Hausarbeiten an sich noch keine Zurschaustellung von Vorlieben, Kompetenzen und gutem Geschmack.

Doch Vladimir war neu in der Stadt und klingelte am Vordereingang. Den kleinen, kalten Flur nutzten wir eigentlich nur als Durchgang zum Obergeschoss. Ich öffnete die Tür, er stand im Rampenlicht des Eingangsbereichs und schob sich schnell die Hand in die Hosentasche, als hätte er sich gerade das Haar geordnet. Er wirkte verlegen. Ich erinnerte mich, wie ich mich als junge Mutter Mitte dreißig mit jungen Vätern darüber unterhalten hatte, auf welche Grundschule ihre Kinder gingen oder ob sie mit Karate anfangen würden; an meinen Schauder des Entzückens, wenn sie sich unbewusst in die Haare fassten oder die Kleidung zurechtzupften. Eine nervöse kleine Verbeugung vor der Macht der Anziehung, die ich damals besaß.

In der anderen Hand hielt er eine Flasche Rotwein, unter dem Arm klemmte ein Buch. Nachdem ich die Tür geöffnet hatte, lagerte er beides um und schob sich den Wein unter den Arm wie eine Geige in der Spielpause. Er trug eine Häkelkrawatte mit gravierter Klemme über einem karierten Hemd, dessen Ärmel aufgerollt waren, dazu eine gut geschnittene Hose und hochwertige Lederschuhe mit dicker weißer Sohle. Ganz eindeutig war er aus der Stadt hierherverpflanzt worden; kein heterosexueller Mann, der lange genug hier gelebt hatte, würde so aussehen. Selbst mein eitler Ehemann mit seiner Vorliebe für teure irische Strickpullover hatte die Detailverliebtheit und die leichte Ironie des urbanen Stils vergessen. Er trug, woran er glaubte, und hatte jenes Gespür für Kostümierung und Selbstdarstellung verloren, das gut gekleidete Stadtmenschen ganz intuitiv besitzen. Dieses anhaltende Gefühl, ständig unter Beobachtung zu stehen.

Vladimir hielt mir das schmale Buch entgegen, flaschengrün mit einem Titel in Sans Serif. »Ich wollte sagen, ich wäre gerade in der Nähe gewesen, aber das stimmt nicht, ich komme von der Uni … Ich wollte … John und ich haben uns heute unterhalten, und ich wollte ihm und natürlich auch Ihnen, *Ihnen*, das hier bringen.«

»Und das«, fügte er hinzu und hob die Weinflasche in die Höhe. »Ich würde mir niemals einbilden, mein Buch allein wäre Anlass genug für einen Besuch.«

Ich ignorierte den Wein und nahm die Haltung der zugeneigten Matrone ein, wie ich sie meinen Studierenden und überhaupt jungen Menschen gegenüber immer häufiger an den Tag legte. Ich ließ, wie es so schön heißt, meinen mütterlichen Charme spielen. »*unmaßgebliche allgemeingültigkeit*, von Vladimir Vladinski«, las ich. »Ihr Buch. Wie aufregend. Bitte, kommen Sie doch herein.«

Nach einem kurzen Gerangel mit der Tür, bei dem sich seine Krawatte kurz am Knauf verfing, folgte er mir ins Wohnzimmer. Als ich durch den Flur vorausging, griff ich nach meinem Paschminaschal und legte ihn mir um den Hals. Ich ziehe es vor, meinen Hals zu bedecken.

»John ist leider nicht da, aber kann ich Ihnen einen Drink anbieten? Wo Sie schon nicht in der Nähe waren?«

Er willigte ein, warf dabei aber einen Blick auf die Uhr. Die Geste sollte mir signalisieren, dass seine Zeit begrenzt war.

»Kommen Sie, wir gehen in die Küche. Möchten Sie einen Wein oder lieber ein Bier oder einen Martini?«

Ich bin von Natur aus eine geschäftige Gastgeberin, und im Gegensatz zu vielen Leuten mag ich geschäftige Gastgeberinnen sehr. Wenn ich Besuch habe, bin ich die meiste Zeit in Bewegung, räume auf, koche Kaffee oder wische Oberflächen ab. Meine Mutter hielt nur still, wenn sie las, tippte, Schecks ausschrieb oder schlief, und ich habe diese Eigenschaft geerbt. Wenn ich bei einer Person zu Besuch bin, deren Aufmerksamkeit geteilt ist, weil sie vor meinen Augen die Hausarbeit erledigt, einen Koffer packt oder den Boden wischt, entspanne ich mich sofort. Immer schon mochte ich das Gefühl, einfach nur irgendwo herumzuhängen, und Gastgeber, die mir zu viel Aufmerksamkeit schenken, machen mich nervös.

Damals in der Stadt, als Lehrbeauftragte kurz vor der Dissertation, hatte ich eine flüchtige Affäre mit einem jungen Mann, der sich immer sehr langsam bewegte und intensiven, langen Blickkontakt suchte. Er saß in meinem Seminar über »Frauen in der Literatur«, und wenn er sich zu Woolf, Eliot oder Aphra Behn äußerte, ruhte sein durchdringender Blick so hartnäckig auf mir, dass ich nicht wusste, wie ich mich verhalten sollte. Anfangs fand ich es lustig, irgendwie liebenswert. Je mehr Zeit wir im selben Raum verbrachten, desto süchtiger wurde ich nach diesem

Blickkontakt, und manchmal blinzelte ich während des Gesprächs bewusst langsam und verschaffte mir damit das Gefühl, aus dem warmen Bad seiner Augenaufmerksamkeit zu steigen und dann wieder darin abzutauchen. Als wir den Flirt später durch Beischlaf besiegelten, stellte ich (obwohl es mich kaum hätte überraschen dürfen) entsetzt fest, dass er die Kommunikation während des Liebesakts nicht aufrechterhielt, sondern sich schielend in sich selbst zurückzog wie jeder Einundzwanzigjährige. (Bevor Sie jetzt entsetzt sind: Ich war selbst erst achtundzwanzig.) Nachdem die Affäre beendet war, empfand ich seine langen Blicke erst als lästig, dann machten sie mich rasend, und zuletzt fand ich ihn einfach nur noch kuhäugig und stumpf. All diese Phasen musste meine Wahrnehmung durchlaufen. Ich glaube, er ist jetzt in der »freien Wirtschaft« und Republikaner.

»Na ja, also, ein Martini, warum nicht«, sagte Vladimir und klang von meinem Vorschlag angenehm überrascht.

»Ich mache sie mit Wodka, nur damit Sie Bescheid wissen. Ich mixe Kleinstadt-Martinis. Dreckig und süffig, mit einem großen Schuss Olivenlake und Wermut.«

Er versicherte mir, das sei in Ordnung, wundervoll, genau so möge er sie am liebsten. Ich öffnete den Unterschrank, stellte mich auf die Kante und angelte zwei Gläser aus dem Regal. Ich bin eine kleine Frau. Die anatomischen Tatsachen stehen anscheinend im Widerspruch zu meiner Persönlichkeit. Mein ganzes Leben lang haben die Leute sich, wenn sie von meiner Körpergröße erfuhren, darüber gewundert, dass ich nur eins sechzig groß bin. Die meisten schätzen mich auf mindestens eins achtundsechzig oder eins siebzig. Wenn ich mich auf Fotos sehe, staune ich, wie klein ich neben meinem Mann wirke und wie weit meine Kleidung, in der ich zu versinken scheine. In meiner Vorstellung sind wir gleich groß.

Ich holte zwei Gläser vom Regal und hatte das Gefühl, Vladimir wäre dicht hinter mir, und tatsächlich, als ich mich umdrehte und ihm die Gläser reichen wollte, drückte ich sie ihm praktisch an die Brust.

»Sorry«, sagten wir wie aus einem Mund.

»Verhext«, sagte ich.

Ich mixte die Martinis und führte ihn dann ins Wohnzimmer. Er nahm mir gegenüber auf dem Zweiersofa Platz und machte es sich auf eine anziehende, maskuline Weise gemütlich, indem er die weit gespreizten Beine so übereinanderschlug, dass der Fuß des einen auf dem Knie des anderen zu liegen kam. Er erzählte, er habe eine kleine Tochter, drei Jahre alt (Philomena, aber sie nannten sie Phee), und dass seine Frau (im Fachbereich galt sie als faszinierende Gestalt, sie werde als Gastdozentin einen Kurs über autofiktionales Schreiben leiten) mit dem Umzug in die Kleinstadt nicht gut zurechtkam. Er fragte, wo mein Mann sei, und wirkte ziemlich überrascht, als ich sagte, John sei mit einer ehemaligen studentischen Hilfskraft etwas trinken gegangen.

»Mit einer Frau?«

Ich erklärte, dass es sich um einen jungen Mann handele, und er war beruhigt.

Mein Ehemann John leitet unseren kleinen Fachbereich für Englische Literatur an unserem kleinen College in Upstate New York. Wir haben weniger als zweitausendzweihundert Studierende. Zu Beginn des Frühlingssemesters im Januar war bei der Verwaltung eine von über dreihundert Leuten unterschriebene Petition eingegangen, die seine Entlassung forderte. Angehängt waren eidesstattliche Erklärungen von sieben Frauen unterschiedlichen Alters, ehemaligen Studentinnen des College, die während Johns achtundzwanzigjähriger Lehrtätigkeit sexuellen Kontakt zu ihm gehabt hatten. Wohlgemerkt nicht in den vergangenen fünf Jahren; nicht seit Beziehungen zwischen Lehrkräften und Studierenden ausdrücklich verboten sind. Früher hätte man diese Kontakte einvernehmlich genannt, was sie auch waren, zudem hatte John mein stillschweigendes Einverständnis gehabt. Doch heutzutage haben junge Frauen in romantischen Beziehungen offensichtlich keinen Handlungsspielraum mehr. Heutzutage hat mein Mann seine Macht missbraucht, ungeachtet der Tatsache, dass sie ihn überhaupt nur wegen seiner Macht begehrt hatten. Wie immer es in meiner Ehe gerade aussehen mag, beim Gedanken daran gerät mein Blut in Wallung. Meine Wut richtet sich weniger gegen die Vorwürfe an sich als vielmehr gegen die mangelnde Selbstachtung dieser Frauen, ihr fehlendes Selbstbewusstsein und ihr Unvermögen, sich selbst nicht als kleine, vom Wind einer fremden Welt herumgewirbelte Blätter zu sehen, sondern als starke, sexuelle Wesen voller Neugier auf ein bisschen Gefahr, auf einen kleinen Regelbruch, auf ein bisschen Spaß. Angesichts der weitverbreiteten, höchst fragwürdigen und populistischen Tendenz, auf Moral als ästhetischer Kategorie zu beharren, empfinde ich, eine Frau, diese nachträgliche Prüderie als Beleidigung. Es deprimiert mich, dass die Begegnung mit meinem Mann ihnen Schuldgefühle verursacht und bewirkt hat, dass sie sich ausgenutzt fühlen. Ich möchte sie alle zu einem Slut Walk einladen und ihnen zeigen, dass es, wenn sie traurig sind, wahrscheinlich nicht am Sex liegt, sondern wohl eher daran, dass sie zu viel Zeit im Internet verbringen und sich zu oft fragen, wie andere über sie denken.

Vladimir Vladinski, der junge neue Kollege, der sich, so stellte ich mir vor, während seiner Professur, sollte er eine bekommen (bestimmt, in Anbetracht seiner Schlagfertigkeit, seines literarischen Rufs, seiner Jugend und seines ungetrübten Ehrgeizes), bis zum Fachbereichsleiter hocharbeiten würde, sah sich im Wohnzimmer um. Ich folgte seinem Blick zu einem riesengroßen Poster von Buñuels *Belle de Jour,* erstanden auf einem Fundraiser des Film-Forums, das seinen Lagerbestand an Postern verkaufte, und zu einer Serie gerahmter Drucke aus den Häusern großer amerikanischer Schriftsteller. Wir hatten sie nach einer abenteuerlichen Überlandfahrt mit unserer Tochter Sidney, damals acht, zusammengestellt und auf der Karte die Heimatstädte der wichtigsten Romanautorinnen und -autoren markiert, von Hemingway über Faulkner und O'Connor bis hin zu Morrison, Wright, Cather und Didion in Los Angeles. An der Wand zu seiner Linken hingen aufgezogene Broschüren aus dem Babel-Museum, dem Dostojewski-Museum, dem Tolstoi-Museum und dem Turgenjew-Museum, Andenken an unsere Russlandreise. Auf der Ablage unter dem Kaffeetisch stapelten sich Programmhefte der Theateraufführungen, die wir bei unseren jährlichen einwöchigen Besuchen in New York gesehen hatten. Fast eine ganze Wand war Darstellungen von Don Quijote gewidmet, dazwischen hing eine Karte von Spanien, auf der seine Reise mit angepinnten Bierdeckeln aus Cafés der jeweiligen Stadt markiert war. In einem Schrein in der Ecke lagen Mitbringsel von unseren Fernreisen, darunter eine authentische Shite-Maske aus dem japanischen Nō-Theater, einige kleinere Statuen von einem Markt in Nigeria, geschnitzte Buchstützen aus Norwegen, eine antike schwedische Kaffeekanne, eine indische Sitar und ein marokkanischer Wandteppich.

»Ihre Einrichtung ist fantastisch«, sagte er, nahm einen Flyer aus Frida Kahlos Haus in Mexiko City in die Hand und drehte ihn um.

»Nun ja, sie dokumentiert verstrichene Zeit und gesehene Dinge.« Vorsichtig stellte ich meinen Martini auf dem antiken Standascher ab, den wir als Beistelltisch verwendeten. »Manchmal erscheint es mir wie ein erfülltes Leben. Manchmal will ich alles verbrennen und Minimalistin werden.«

Er schüttelte den Kopf. »Aber das ist doch die beste Sorte von Krimskrams … Hier sieht es aus wie in einem Museum … kein Müll aus dem Billigladen, keine Kunststoffbehälter, keine Fernbedienungen.«

»Die sind versteckt. Ich habe eine Tüte, in der ich Tüten sammle. Aber will man wirklich ständig mit so viel Kultur leben? Es ist ein bisschen anstrengend, immerzu von Höchstleistungen umgeben zu sein«, sagte ich.

»Das glaube ich Ihnen nicht. Wenn Sie es anstrengend fänden, könnten Sie in der akademischen Welt nicht überleben«, sagte er. Zu meinem Entzücken war er auf ein Wortgefecht aus.

»Nun, wer sagt, ich könnte das?« Ich zog die Augenbrauen hoch und setzte ein schiefes Lächeln auf, was hoffentlich aussah wie eine wissende Verneigung vor der menschlichen Komödie.

Er trank einen großen Schluck und verschüttete dabei ein paar Tropfen auf seine Chinos, genau auf die Stelle zwischen seinen übergeschlagenen Beinen, wo der Stoff sich spannte wie ein Trampolin. »Ein Wunder, dass er hinausdarf.«

Er sah zum Fenster, eine schwarze Spiegelfläche, dahinter der Abend. Von dort, wo wir saßen, konnten wir den jeweils anderen darin sehen, aber nicht uns selbst. Ohne es zu wollen, sahen wir einander in die Augen. Wir lächelten beide, schüchtern und mit zusammengekniffenen Lippen. Er wendete den Blick ab.

An unzähligen Abenden danach war es sein Bild in der schwarzen Fensterscheibe, das mich verfolgte und wärmte. Der über die Kissen ausgestreckte Arm, das hochgerutschte Hosenbein, unter dem eine gestreifte Socke zum Vorschein kam, der leicht geneigte Kopf, der gesenkte Blick, wie bei einer Bühnenschauspielerin aus längst vergangenen Zeiten, die verschämt einen Blumenstrauß betrachtet.

Normalerweise sprach ich nicht offen über meine Ehe und manchmal frage ich mich, warum ich ausgerechnet gegenüber Vladimir Vladinski, dem experimentellen Romanautor und Juniorprofessor für Literatur an unserem kleinen College, so aufgeschlossen war. Kein Wunder, sage ich mir dann sofort. Ich wollte Nähe, intime Nähe von dem Moment an, als ich ihn mit übergeschlagenen Beinen im Fenster gespiegelt sah. Es war, als hätte sich mir eine ganz neue Welt eröffnet, und wenn schon nicht eine Welt, dann ein bodenloser Abgrund. Das anhaltende, berauschende Delirium des freien Falls.

Und so gab ich alles preis. Dass mein Mann und ich eine stillschweigende Übereinkunft getroffen hatten, verheiratet, aber sexuell freizügig zu sein. Keine Fragen, keine Erklärungen, lediglich beiläufige Kommentare oder ein Nicken. Wir diskutierten nie darüber, gütiger Himmel, wer hätte Zeit für so etwas? Das wäre peinlich, kleinlich und ehrlich gesagt nicht unser Stil. Ich genoss die Vorstellung seiner Männlichkeit und den Freiraum, den seine Affären mir verschafften. Ich war Literaturprofessorin, Sidneys Mutter und Autorin. Einen Mann, der meine Aufmerksamkeit wollte, konnte ich nicht gebrauchen. Ich wollte meiden, und ich wollte gemieden werden. Was das Alter der Frauen anging, war mir meine eigene Collegeerfahrung noch zu nah, um dagegen zu protestieren. Während meiner Studienzeit hatte ich ein überwältigendes Verlangen nach meinen Dozenten empfunden. Egal, ob sie männlich oder weiblich waren, schön oder hässlich, brillant oder durchschnittlich – ich begehrte sie alle aus tiefstem Herzen. Ich begehrte sie, weil sie meinem Glauben nach die Macht hatten, mich über mich selbst aufzuklären. Hätte ich damals nur einen Hauch von Chuzpe gehabt oder auch nur von Selbstbewusstsein, wäre ich direkt in ihr Büro marschiert und hätte mich ihnen an den Hals geworfen. Was ich nicht getan hatte. Aber wenn einer von ihnen gepfiffen hätte, wäre ich gesprungen.

Und mein Mann war schwach. Er wollte begehrt werden, er lebte davon, es war seine Sonne und sein Wasser und sein Sauerstoff. Jedes Jahr strömte eine neue, frische Gruppe junger, feuriger Frauen herein, und ihre Haut wurde jedes Jahr strahlender und schöner, vor allem im Vergleich zu unserer, die umso fahler und trockener wurde, je länger wir hier in Upstate New York lebten, wo es von Oktober bis Juni kalt war.

In meinen Zwanzigern und Dreißigern hatte auch ich Affären gehabt. Die bereits erwähnte mit dem Studenten (er sollte der einzige Student bleiben – schon im Alter von achtundzwanzig Jahren war ich mir meines alternden Körpers bewusst und verglich mich mit den jüngeren, geschmeidigeren Frauen, mit denen mein Geliebter höchstwahrscheinlich geschlafen hatte) und weitere mit Männern aus der Gegend: mit Thomas, dem Handwerker, der unser Bad im Obergeschoss renoviert hatte; mit Robert, Professor am Fachbereich Wirtschaftswissenschaften, und Boris, einem Maler, der ein paar Orte weiter wohnte und mich in seinem Atelier empfing, einer umgebauten Scheune (filmreif).

Mit Ende dreißig machte ich den Fehler, mich auf einen Kollegen aus unserem Fachbereich einzulassen. Es endete ungut, mit Tränen, Drohungen, auf die Gabel geknallten Telefonhörern und verletzten Gefühlen. Meine Tochter war neun und wurde sich der Welt, die sie umgab, zunehmend bewusster. Es war kompliziert und aufreibend. Ich entschied mich für die Abstinenz, für einen Rückzug vom Spielfeld. Ich würde mich ganz auf meine Arbeit, mein Zuhause und mein Schreiben konzentrieren. Die Ablenkung durch den Kollegen, so spannend sie auch gewesen war, gab mir das Gefühl, lächerlich und würdelos zu sein, verzweifelt, schwach und bedürftig. Von nun an würde ich nach Würde, Eleganz und Gelehrtheit streben. Ich sagte mich von Lust und

Verlangen los. Ich schrieb mehrere Aufsätze über Form und Struktur. Ich veröffentlichte meinen zweiten Roman.

Nachdem ich Vlad das alles erzählt hatte, verzog er gequält das Gesicht. Wahrscheinlich hatte er erwartet, dass ich die Unschuld meines Mannes verteidigen und von einer Schmutzkampagne gegen ihn und seinen guten Ruf sprechen würde. Dass das College alle alten weißen Männer loswerden wolle und so weiter. Er trank den Martini in wenigen Minuten aus.

Er lutschte auf einem Olivenkern herum und stellte mir eine Frage: »Dann wussten Sie also, dass Ihr Mann vielzählige Affären mit Studentinnen hatte?«

Ich machte große Augen. Auf keinen Fall sollte es aussehen, als rollte ich sie. »Vielzählige Affären. Was für ein alberner Ausdruck. Er hat sie gevögelt und sie ihn. Er war scharf auf ihre schimmernde Haut, und sie bekamen von seiner Bewunderung nasse Höschen. Sie wollten es so, und er konnte nicht anders.«

Er wand sich. Spießer. »Er konnte nicht anders? Wohl kaum. Ich glaube nicht, dass man in so was einfach reinrutscht.«

»In eine Affäre?«, fragte ich. »In den Kontrollverlust?«

»In beides. Es gibt da immer einen Teil in uns, der nachlässig wird. Man muss so etwas nicht tun, wenn man nicht will.«

Er war jetzt errötet und verstört. Er erinnerte mich an einen Prediger im Neuengland des neunzehnten Jahrhunderts – an einen transzendentalistischen Unitarier mit strikten Prinzipien. Er sah aus wie ein Veganer. Das gefiel mir. Ich mochte seine arrogante Wut.

Ich faltete die Hände im Schoß. »Ich fürchte, ich habe Sie verärgert.«

»Das macht nichts.« Er sah aus wie ein überforderter Teenager. (Das ist unfair!) »Deswegen sollte man niemanden bewundern. Am Ende wird man nur enttäuscht.«

»Sie können meinen Mann bewundern, auch ohne sein Verhalten gutzuheißen«, sagte ich. Als wäre es an dir, hier irgendwas gutzuheißen, dachte ich.

»Ich wünschte, das könnte ich. Vielleicht wäre es möglich. Sorry. Ich habe kaum was gegessen, bevor ich den hier getrunken habe.«

Wir wechselten das Thema und unterhielten uns über den neuen, nicht üblen Roman eines bekannten Schriftstellers und ein New Yorker Theaterstück, das wir beide gesehen hatten, wobei wir uns fragten, ob es sich um die feministische Nacherzählung eines Klassikers handelte oder um patriarchale Zuhälterei. Ich drängte ihm etwas Käse und Brot auf, und Wasser. Wir sprachen über den Unterschied zwischen den Studierenden im ersten und zweiten Jahr (die im ersten waren Nieten, die im zweiten mit Leidenschaft dabei). Ich strengte mein Gedächtnis an und zählte ihm die Freizeiteinrichtungen in der Umgebung auf, die man mit einer Dreijährigen besuchen konnte.

Wir trennten uns in absoluter Finsternis. Ich versicherte ihm noch einmal, wie sehr ich mich darauf freute, sein Buch zu lesen. Beim Abschied wirkte er ein bisschen unkonzentriert, er sagte, er würde »liebend gern« erfahren, wie wir es fänden, besonders ich. Nachdem er sein Auto aus der Einfahrt zurückgesetzt hatte, ging ich hinters Haus und nahm in einem breiten Holzliegestuhl neben dem Pool Platz.

Ich legte den Kopf in den Nacken und betrachtete den Sternenhimmel. Obwohl ich seit zwanzig Jahren nicht geraucht hatte, sehnte ich mich nach einer Zigarette. Eine wachsende Aufregung und Wildheit kroch durch mein Nervensystem, eine kribbelnde Bewusstheit, die in den Knochen saß und nach außen strahlte. Ich stellte mir vor, wie Vladimir Vladinski mir mit großen, rauen Händen die Haare aus dem Gesicht strich. Am Ende des Grundstücks, hinter dem Maschendrahtzaun, der den Garten begrenzt, reflektierten die Augen einer streunenden Katze oder eines Fuchses das Terrassenlicht. Sie glühten wie die Augen eines Dämons.

2

In der darauffolgenden Woche las ich sein Buch. Ich ging in die Bibliothek auf dem Campus und setzte mich in einem der gläsernen Alkoven des Ruhebereichs in einen Lehnsessel. Das Bibliothekspersonal hatte Bilder von den Brontës und von Jane Austen mit an die Lippen gelegtem Zeigefinger ausgedruckt und an die Kopfseiten der Regalreihen geklebt. Pssst! Von meinem Platz im Alkoven aus sah ich vier Stockwerke auf den Rasen hinunter. Es war acht Uhr morgens, schläfrige Studierende in Jogginghose oder Pyjama schleppten sich zu den ersten Veranstaltungen des Tages. Ein paar Jogger trabten mit erhabener Miene vorbei; die Joggerinnen sahen aus, als wollten sie sich selbst bestrafen. Einige Studentinnen waren sorgsam gekleidet und aufwendig geschminkt, ihr Blick schoss hin und her, um zu sehen, ob sie jemand anschaute. Ein paar fehlgeleitete junge BWL-Studenten trugen schlecht sitzende Anzüge, weil sie irgendwelche vagen Botschaften über Kleider internalisiert hatten, die Leute machen.

Ich wollte nicht in meinem Büro sitzen, wo ich jederzeit von Kollegen oder Studierenden hätte gestört werden können. Normalerweise pflegte ich zu den jungen Leuten ein gutes Verhältnis, denn unser College ist eine lernorientierte Einrichtung, keine Forschungsstätte, und vor der Sache mit John hatte ich mich gern mit ihnen unterhalten und mir von ihren Leidenschaften und Träumen erzählen lassen. Ich teilte gern Lebensweisheiten aus, so, wie ich gern mein Wissen über Essays oder Bücher austeilte, und mir gefiel, dass sich einige wenige von ihnen, mutiger als ich es in meinem Leben einer Autoritätsperson gegenüber je gewesen war, auf das Sofa gegenüber von meinem Schreibtisch fallen ließen und mich zur Augenzeugin ihrer quälenden Orientierungslosigkeit machten.

Doch längere Texte las ich am liebsten in der Bibliothek. Selbst mit achtundfünfzig, selbst in diesem College, an dem ich seit fast dreißig Jahren unterrichte, empfinde ich beim Betreten der Bücherei immer noch einen Nervenkitzel. Immer noch spüre ich das Potenzial junger Menschen, die darauf hinarbeiten, *etwas* aus sich zu machen; die Anstrengung, der rastlose Geist, die Neugier auf die Person, die man einmal sein wird, sind zwischen den Lesetischen und Bücherregalen als leichtes Vibrieren wahrnehmbar. Mich hier hineinzubegeben finde ich unendlich belebender, als allein in einem abgeschlossenen Raum zu sitzen. Hier habe ich das Gefühl, Teil des Projekts Wissen zu sein. In meinem Büro teile ich nur aus, was ich ohnehin schon weiß. In meinem Büro bin ich das College, nicht Teil des Collegelebens. In der Bibliothek bin ich mittendrin. Ich höre das Wummern in den Hirnen und Herzen der Studierenden, unzensiert vom Szenario des Seminarraums. In der Bibliothek sitze ich im Wirbel ihres Lebens. Ich erfahre von ihren romantischen Verstrickungen, ihrem Groll und Hass und ihren

Obsessionen, und alles pulsiert in einer Frequenz, in der ich nie wieder fühlen werde. Ich werde nie wieder lieben, wie sie lieben, oder hassen, wie sie hassen. Ich werde nie wieder wollen, was sie wollen, nicht mit dieser starken und unerschütterlichen Bestimmung.

Unser Gespräch hatte mich so beeindruckt, dass ich beschloss, mir mit Vlads Buch ein paar Tage Zeit zu lassen. Nicht, dass es ihn überhaupt interessierte; aber für mich war das untypisch. Normalerweise war ich für die Ängste einer Person, die ein Manuskript eingesendet hat, so empfänglich, dass ich alles unverzüglich las. Ich erinnere mich, wie dringend ich von anderen hatte hören wollen, wie sie meine ersten Schreibversuche fanden, und wie viel Anstoß ich nahm, wenn ich den Eindruck bekam, jemand hätte auf den von mir eingesendeten Text nicht schnell genug reagiert. Ich hatte oft mit dem schriftstellerischen Nachwuchs zu tun (neben den Literaturseminaren unterrichtete ich jedes Frühjahr einen Kurs in Kreativem Schreiben), und falls ich wegen zu viel Arbeit oder wegen meiner Verpflichtungen als Fakultätsmitglied einmal nicht dazu kam, etwas sofort zu lesen, gab ich den Betroffenen gleich Bescheid und sagte ihnen, wann ich mich melden würde. Aber nun merkte ich, dass ich Vlad diesen Gefallen nicht tun konnte.

Und natürlich lag der Fall hier anders. Vladimirs Buch war bereits erschienen, in einem großen Verlag. Es existierte in der Welt und war auf meine Gedanken und mein Feedback nicht angewiesen, war jetzt schon unempfänglich dafür. Wir hatten die Rezensionen und die Lobeshymnen gelesen, wir hatten es kurz nach Erscheinen auf den Bestenlisten gesehen. Die *Times* berichtete nicht darüber, wohl aber die

Washington Post; es wurde in der Buchkolumne des *New Yorker* erwähnt und bei *Booklist* und *Kirkus* hervorragend bewertet. Als die ersten Vorwürfe gegen John laut wurden, bat man ihn, das Personalkomitee zu verlassen. Ich hätte bleiben können, doch ich reichte meinen Rücktritt ein. Ich wusste, welche Worte durch den Raum geschossen wären, sobald ich die Tür hinter mir geschlossen hätte, ich wusste, dass meine Anwesenheit eine Belastung gewesen wäre, denn sie hätten dann nicht mehr offen über ihre Pläne sprechen können, jemanden einzustellen, der den Ruf des Fachbereichs niemals auf diese Weise beflecken würde. Ich war mir sicher, dass sie keinesfalls einen weißen, heterosexuellen Mann einstellen würden; doch das College war es nicht gewohnt, Bewerbungen von Leuten mit Vladimirs Renommee zu erhalten. Sein erster Roman hatte sich nicht sonderlich gut verkauft, doch in der Literaturbranche für einigen Wirbel gesorgt. Er hätte sich an einem weniger provinziellen College bewerben können und dennoch gute Chancen gehabt. Und das Bewerbungsgespräch, in dessen Verlauf er angeblich (wie gesagt, ich war nicht zugegen) einige erschreckende private Einblicke gab (von denen ich bereits gehört hatte), war anscheinend extrem überzeugend gewesen.

Womit ich nur sagen will, dass ich sein Buch, bevor er zu Besuch kam, aus Trotz und bewusster Ignoranz nicht gelesen hatte. Und wenn er es an dem Abend nicht vorbeigebracht und wenn ich nicht seinen Blick in der dunklen Fensterscheibe aufgefangen hätte; wenn er nicht in liebenswerter und offener Verlegenheit die Augen niedergeschlagen hätte, wäre es vielleicht nie dazu gekommen.

Ich las den ganzen Vormittag, und dann hetzte ich zu

meinem Seminar um halb zwölf. Eigentlich hatte ich mir unterwegs einen Kaffee holen wollen, was ich aber vergaß, und als ich den Seminarraum erreichte, mit Verspätung und leicht verwirrt, war ich so in Gedanken, dass ich die Studierenden erst einmal nach ihrem Befinden fragen und mich, während sie antworteten, an das Thema der heutigen Sitzung erinnern musste. Zum Glück reden meine Studierenden über nichts lieber als ihr seelisches Wohlbefinden, sodass meine Zeitschinderei auf bereitwillig dargebotene Schilderungen von Meditationen, Seelsorgestunden auf dem Campus, Zeitmanagement und ADHS traf und ich mich in Ruhe sortieren konnte.

Nach dem Unterricht schlenderte ich zu meinem Büro und traf dort auf Edwina, eine besonders anhängliche Studentin, die mich um zwei Empfehlungsschreiben bat. Edwina wollte im Sommer an gleich zwei Programmen teilnehmen. Einem Praktikum in einer Schwarzen, von Frauen geführten Produktionsfirma, deren letzter Spielfilm in Cannes die Goldene Palme gewonnen hatte, und einem Semiotik-Sommerkurs an der Brown. Sie wolle Filmproduzentin werden, erklärte sie, aber eine, die allseits respektiert würde und einen kulturellen Wandel anstoße. Letzten Sommer habe sie wieder einmal ein Praktikum in einer Produktionsfirma gemacht, und da sei diese Frau gewesen, eine Produzentin mit einem Harvard-Abschluss in klassischer Philologie. Wann immer sie den Raum verlassen habe, habe sich ehrfürchtiges Getuschel erhoben, und ihr akademischer Titel sei erwähnt worden. Edwina wollte sein wie sie: eine Wolkenschieberin, eine Wettergöttin, eine Naturgewalt und gleichzeitig ein verehrter Geist mit beeindruckendem Universitätsdiplom.

Ich erklärte mich bereit, die Briefe zu schreiben (in der Tat halte ich jeden, der um ein Empfehlungsscheiben gebeten wird und sich weigert, für ein Monster, und obwohl ich der egoistischste Mensch bin, den ich kenne, stelle ich sie bereitwillig aus; und nein, ich lasse mir von der bittstellenden Person keinen Entwurf vorlegen, sondern formuliere alles selbst), gab ihr schnell noch ein paar gute Ratschläge und scheuchte sie hinaus. Ich konnte sehen, dass sie enttäuscht war und gern noch länger mit mir gesprochen hätte. Ich mochte sie wirklich gern, ich ließ mir gern erzählen, was sie gerade las, ich gab ihr Tipps und hörte mir den neuesten Klatsch über ihre Seminare, ihre Mitstudierenden und die anderen Lehrkräfte an, aber diesmal konnte ich ihr keine Aufmerksamkeit schenken. Ich dachte nur noch an Vladimirs Buch. Ich zwang mich, nicht dort in meinem Büro weiterzulesen, das wäre zu demütigend gewesen, aber ich dachte darüber nach und versuchte, mich an den Wortlaut einzelner Passagen zu erinnern.

Als ich in der Bibliothek saß und las, überflutete mich eine Welle aus aufrichtiger Bewunderung und rasender Eifersucht. Das Buch war lustig, klar, hellwach, lebendig. Die Prosa war knapp, ohne dass die Erzählstimme der präzisen Wortwahl zum Opfer gefallen wäre. Sie klang wie das Leben selbst und ging gleichzeitig darüber hinaus. Er war ein wahrhaft großer Autor, und obwohl sein Buch, ein epigrammatischer Schlüsselroman, ihm möglicherweise nicht über Nacht zu Ruhm verhelfen würde, hatte ich bei der Lektüre keine Zweifel mehr, dass er alles bekommen würde – den Bestseller, die Interviews, die Kolumnen, Artikel nicht nur über seine Bücher, sondern auch über seine

Einrichtung, sein Sportprogramm, sein Arbeitszimmer, seine Ernährung, seine Arbeitsmethode, seine Schlafgewohnheiten und seine politische Haltung.

Nur zu Ihrer Information: Ich habe zwei Romane veröffentlicht, den letzten im Alter von dreiundvierzig Jahren. Seitdem habe ich hauptsächlich literarische Fachtexte in akademischen Zeitschriften publiziert; wenn es besonders eng wurde auch Buchkritiken für unsere Lokalzeitung. Mein erster Roman galt als vielversprechend, der zweite als Katastrophe. Der erste war meinem Gefühl nach eine große Lüge, der zweite bedeutete mir etwas, wurde aber rundweg als solipsistisch abgetan. Seither, während der vergangenen fünfzehn Jahre, habe ich versucht, das Wichtige und das Wahrhaftige in ein Gleichgewicht zu bringen. Was endlos viele Fehlstarts bedeutete, lange Recherchen, die ich letztendlich aufgab, und Tage, an denen ich um fünf Uhr morgens aufgewacht bin, für eine klare Erzählstimme gebetet habe und natürlich enttäuscht wurde. Ich habe erlebt, wie das Schreiben über Weiblichkeit, insbesondere über Mutterschaft (Thema meines zweiten Romans), binnen der letzten zehn Jahre einen Aufschwung erfuhr und plötzlich gelobt und beachtet wurde. Ich glaube nicht, dass ich meiner Zeit voraus war; ich glaube, ich war einfach nur weniger kompromisslos als die nachkommende Autorinnengeneration. Die neuen jungen Mütter schreiben mit Wucht, Witz und Humor. Sie erfüllen die Ich-Perspektive mit Leidenschaft. Sie schrecken nicht davor zurück, die existenziellen Banalitäten der Mutterschaft zu benennen – das Mittagessen an der Raststätte, die körperliche Erschöpfung, die hässlichen, peinlichen Spielzeuge, Lebensmittel und Spiele, die unglamourösen Urlaube und Kompromisse, die das falsche Totem der Selbstachtung wie eine Lawine unter sich begraben. Wahrscheinlich war ich einfach nur zu schüchtern gewesen, diese Banalität unverblümt anzusprechen. Mein zweites Buch handelte von drei Frauen. Eine macht Karriere, eine wird Mutter, eine ist Künstlerin. Wir lernen jede in ihrer Welt kennen, der ein ganzes Kapitel gewidmet ist. Dann beginnen die Erzählstränge, sich zu kreuzen. Im Laufe des Romans wird klar, dass es sich um ein und dieselbe Frau handelt. Die Reaktionen der Kritik, einige von Männern, die meisten von Frauen, liefen hinaus auf *wen interessiert's?* Ich möchte nicht sagen, ich sei unterschätzt worden, denn das glaube ich nicht. Zur selben Zeit räumte Alice Munro mit ihren sanften, weisen Geschichten über die weibliche Erfahrung jeden Preis ab. Sei ihr gegönnt! Margaret Atwood schrieb aufregende Bücher, die praktisch in einer Gebärmutter spielten. Toll gemacht! Da waren noch andere – Lorrie Moore, Joy Williams, Joyce Carol Oates, Barbara Kingsolver. Die Liste derer, die wie ich über die weibliche Erfahrung geschrieben haben, ist lang. Nein, mein Text war einfach nicht *genug* – nicht laut genug, nicht kraftvoll genug, nicht realistisch genug, nicht poetisch genug, nicht witzig genug, nicht fantasievoll genug, nicht gut genug.

Als Doktorandin aß ich einmal mit einem Schriftsteller zu Mittag, der als Gastdozent an meinem College unterrichtete. Zu der Zeit war ich ziemlich durcheinander, eine aufgedunsene, kettenrauchende Siebenundzwanzigjährige mit gelben Zähnen und geschmacklosen Klamotten, dennoch hatte ich die Einladung als Flirtversuch aufgefasst. Was sie vielleicht auch war – wenn ich heute meine Studentinnen betrachte, selbst die chaotischsten, schmuddeligsten, diejenigen, die schon morgens um neun Pepsi One trinken, sehe ich nichts als die Schönheit der Jugend. Die Schönheit ihrer drallen, halb ausgeformten Körper, ihrer wie von innen leuchtenden Haut. Das Mittagessen sollte mir eine Gelegenheit bieten, den Schriftsteller zur Vereinbarkeit von künstlerischer und akademischer Tätigkeit zu befragen. Ich war für Englische Literatur eingeschrieben, und das Mittagessen hatte sich so ergeben, weil ich in einem seiner Seminare gesessen und erwähnt hatte, selbst schreiben zu wollen; weil er einst denselben Weg gegangen war, hatte er seinen Rat angeboten. Er schlug ein Restaurant vor, das mir wie der Inbegriff der Eleganz erschien – nicht übertrieben schick, nicht angestrengt hip, einfach nur klassisch und kultiviert –, die Sorte Restaurant, auf die ich nie gekommen wäre. John und ich waren verlobt und würden Ende des Jahres heiraten. Während des Mittagessens mit dem Gastdozenten (den ich damals für eine Karriere bewunderte, die mir heute eher wie eine fortlaufende Serie aus Fehlschlägen und Kränkungen vorkommt) ergab sich ein Moment, in dem er nach meiner Hand greifen wollte und ich sie wegzog wie von einer heißen Herdplatte.

Bis heute weiß ich nicht, ob er es wirklich auf meine Hand abgesehen oder ich die Geste missverstanden hatte. Möglicherweise wollte er nur nach dem Salzstreuer greifen. Die Szene ist mir vor allem deshalb im Gedächtnis geblieben, weil sie zeigt, wie verschüchtert ich war (mein Gott, bist du eine Memme, schrie Sidney bei einem ihrer pubertären Amokläufe). Ich hatte den Gastdozenten begehrt und ausgeklügelte Fantasien davon entwickelt, wie wir uns auf dem dunklen Flur begegnen oder er allein im Seminarraum auf seinem Platz sitzt und ich rittlings auf seinem Schoß. Aber als er seine Hand auf meine legte, war ich so scheu und gehemmt wie eine Heldin aus einem Edith-Wharton-Roman. Ein Strudel aus Angst und moralischen Bedenken schoss in mir hoch, ich riss meine Hand zurück und legte sie mir in den Schoß. Wir unterhielten uns weiter, als wäre nichts passiert (was, wie gesagt, gut möglich war). Ich erinnere mich an eine seiner Äußerungen über das Schreiben, die mich in ihrer Abgedroschenheit sehr verärgerte. Ich hatte ihn gefragt, vermutlich ziemlich gestelzt, ob er beim Schreiben ein Credo befolge, irgendein übergeordnetes Prinzip, und er antwortete: »Ich schreibe nur, wenn ich etwas zu sagen habe.«

Diese nichtssagende Äußerung machte mich unglaublich wütend. Wie banal und pathetisch! Aber meine Wut ging tiefer – ich spürte die Wut der Beschämten. Ich war eine junge Frau aus der Arbeiterklasse, die trotz der Scheidung ihrer Eltern und einer leidvollen Jugend an einer anständigen Universität studiert hatte. Das akademische Umfeld war wie eine Energiequelle für mich, ich hatte es sogar bis in ein renommiertes Graduiertenprogramm geschafft und dort meinen zukünftigen Ehemann kennengelernt. Aber ich würde niemals etwas zu sagen haben. Theoretisch wusste ich, dass immer und überall etwas passierte, dass ich mich nur hinsetzen und genau beobachten müsste, um eine erzählenswerte Story zu finden. Doch mir war nicht klar, dass viele Autoren erst während des Schreibens entdecken, was sie eigentlich sagen wollen. Nach diesem Mittagessen ging ich dem Gastdozenten aus dem Weg. Er rief noch ein paarmal an, um sich zu einer Kurzgeschichte zu äußern, die ich ihm geschickt hatte, aber ich meldete mich nie zurück. Viele Jahre später traf ich ihn bei einer Konferenz wieder. Wir warteten zusammen auf den Aufzug. Ich sagte Hallo, aber er ignorierte mich demonstrativ, die ganze Woche lang. Es war schon fast zum Lachen.

Als ich über Vladimirs Buch nachdachte, wurde mir plötzlich klar, dass ich es hier mit jemandem zu tun hatte, der aus welchem Grund auch immer etwas zu sagen hatte. Ich recherchierte seinen Werdegang. Er war der Sohn russischer Einwanderer, natürlich, und in Florida aufgewachsen. Er hatte ein Ivy-League-College besucht, sich freiwillig zum Friedenskorps gemeldet und wie sein großes Vorbild Norman Rush eine Weile in Afrika gelebt. Nach seiner Rückkehr war er in ein anerkanntes MFA-Programm aufgenommen worden. Danach waren die Dinge ins Stocken geraten, vermutlich hatte er es nicht geschafft, seine Abschlussarbeit als Buch zu verkaufen. Er heiratete Cynthia, eine Kommilitonin aus dem MFA-Programm, und arbeitete an verschiedenen New Yorker Colleges als Juniorprofessor. Irgendwann erschienen seine Texte in Literaturzeitschriften, er schloss den ersten Buchvertrag ab. Zu dem Zeitpunkt war er achtunddreißig, nun war er vierzig. Cynthia hat unterdessen ein noch unvollendetes Memoir an HarperCollins verkauft. Mit zweiunddreißig.

Vom Fenster meines Büros aus sah ich ein junges Mädchen mit hinter dem Rücken verschränkten Händen an einem Baumstamm lehnen. Sie war eine Studienanfängerin – im Herbst hatte ich sie bei der Vollversammlung des Fachbereichs kennengelernt. Sie hatte eine Figur, wie Frauen sie nur bis achtzehn oder neunzehn haben – bleistiftdünne Beine, rundliche Hüften, flacher Bauch, unfassbar schmale Taille und darüber riesige Brüste. In spätestens einem Jahr würde ihr Körper sich trotz aller Gegenmaßnahmen an Po und Taille verbreitern, um die Last der Rundungen tragen zu können. Anscheinend hatte sie irgendwann aufgehört, sich die Haare zu blondieren, die ihr bis an die Taille reichten und zur Hälfte gelb, zur Hälfte kastanienbraun waren. Sie trug eine runde Sonnenbrille, ultrakurze Shorts und ein abgeschnittenes Sweatshirt, das ihren eingefallenen Bauch entblößte. Wenn ich mich richtig erinnerte, hatte sie schlechte Haut, was ich von meinem Fensterplatz aus aber nicht überprüfen konnte. Ein dünner, hässlicher Student aus einem höheren Semester stand vor ihr und legte ihr versuchsweise eine Hand an die Hüfte. Er war ganz offensichtlich kopflos vor Verlangen und sehr darum bemüht, sich seine Aufregung nicht anmerken zu lassen. Mit zwei Fingern seiner freien Hand hielt er eine Flasche Grüntee von SoBe. Die Haltung des Mädchens signalisierte Eifer und Abwehr zugleich; anscheinend besiegte ihr Verlangen nach Bewunderung gerade den lauernden Verdacht, der unansehnliche Junge könnte nur aufgrund des Missverhältnisses bezüglich ihres jeweiligen Alters so entschlossen vorgehen. Er beugte sich vor und küsste sie mit merkwürdig geöffnetem Mund. Selbst aus fünfzehn Meter Entfernung konnte ich sehen, wie mühselig die Aktion war, eine mahlende Bewegung, die keinem von beiden Spaß machte.

Vladimir war acht Jahre älter als seine Frau.

Nun ja.

Der Altersunterschied hätte mich nicht weiter stören sollen; ich war fünf Jahre jünger als mein Mann. Acht Jahre sind eigentlich kein großer Abstand. Und doch zucken viele Frauen zusammen, wenn ein Mann aus ihrem Bekanntenkreis sich um eine attraktive jüngere Frau bemüht, selbst wenn alle Beteiligten erwachsen sind und kein Abhängigkeitsverhältnis besteht. Wir wissen, die jüngere Frau fühlt sich möglicherweise wie eine Auserwählte, der ältere Mann wie ein Glückspilz. Wir wissen, dass die jüngere Frau für den älteren Mann eine Verheißung bedeutet, und er wiederum flößt ihr Ehrfurcht vor seiner Erfahrung ein.

Noch etwas kam hinzu. Obwohl ich mir noch nicht eingestehen konnte, wie sehr ich mich von Vladimir angezogen fühlte oder dass ich mich mit Cynthia Tong in Konkurrenz setzte, seiner aus China eingewanderten, viel gelobten, stilsicheren Frau, die selbst in flachen Schuhen nicht kurzbeinig aussah, sondern anmutig, die vermutlich mühelos schlank blieb, hochtalentiert war und deren Buchvertrag auf ihrer traumatischen Vergangenheit basierte, über die in unserem Fachbereich Gerüchte kursierten, versetzte mir der Gedanke an mein eigenes Alter einen Stich. Mit meinen achtundfünfzig Jahren hatte ich den Zeitpunkt verpasst, mich als Schriftstellerin zu etablieren. Penelope Fitzgerald hatte im selben Alter ihren ersten Roman veröffentlicht, aber mir fiel keine zweite ernst zu nehmende Autorin ein, deren Karriere so spät begonnen hatte. Wann immer ich von jemandem hörte, der angeblich schon älter war, als er mit dem Schreiben anfing, schlug ich sein Geburtsjahr nach und stellte fest, dass er um Jahrzehnte jünger war als ich. Ja, ich hatte zwei Romane veröffentlicht, aber das war beinahe zwanzig Jahre her, außerdem war es nicht so, als hätte irgendjemand sie gefeiert oder ausgezeichnet oder als wartete die Öffentlichkeit auf mein nächstes Werk. Im Gegenteil, meine Romane hatten sich so schlecht verkauft, dass eine weitere Veröffentlichung einem Debüt gleichkäme. Und falls ich mich anstrengte und doch noch den »Durchbruch« schaffte, würde ich danach höchstens noch ein oder zwei gute Bücher schreiben. Mein Name, an dem mir vielleicht gar nicht so viel lag, würde die Zeit nicht überdauern.

Falls Sie jetzt glauben, ich hätte mich während der letzten achtundfünfzig Jahre nicht weiterentwickelt und wie ein naives Dummchen darauf gehofft, berühmt zu werden, möchte ich anmerken, dass sich der Wunsch, mir einen Namen zu machen, erst vor Kurzem wieder geregt hat. Mein Ehrgeiz schwillt phasenweise an und wieder ab. Nach meinem zweiten Roman war ich jahrelang zufrieden damit, nur für mich selbst zu schreiben und mich auszuprobieren. Ich führte ein Wahrheitstagebuch und notierte kleine Alltagsbeobachtungen und neue Metaphern in einer Kladde. Ich übte schreiben, wie andere Leute Klavier üben: Ich wollte mich darin versenken und davon fortgetragen werden, und ob ich jemals ein Publikum finden würde oder nicht, war mir egal. Jahrelang hatte ich meinen Frieden. Ich las viel und gern, ließ mich von jüngeren Stimmen überraschen und begeistern. Ich wollte eine Bewunderin sein. Als Sidney älter wurde, wollte ich ihr vorleben, wie man andere bewundert. Ich fürchtete, dass sie später zu leiden hätte, wenn sie nicht lernte, mit ihrem Leben zufrieden zu sein und der Welt gegenüber eine achtungsvolle Haltung einzunehmen.

Wenn ich genauer über meinen unterdrückten Ehrgeiz nachdenke, muss ich zu meiner Schande gestehen, dass ich auch John zuliebe zufrieden und genügsam sein wollte. Er hatte das Schreiben aufgegeben, bevor wir uns kennenlernten, doch auf die Veröffentlichung meines ersten Romans reagierte er mit einem Nervenzusammenbruch, und bei einem Streit um die Planung einer kleinen Lesereise anlässlich des zweiten haute er mir sogar eine runter (nur dieses einzige Mal, in sehr betrunkenem Zustand).

Aber nun, da Sidney nicht bloß ausgezogen, sondern berufstätig war, als Rechtsanwältin in einer gemeinnützigen Organisation gute, sinnvolle und manchmal ehrenhafte Arbeit leistete, mit einer Frau zusammenlebte und immer mehr zu einem unabhängigen Menschen wurde, der mich beobachtete und bewertete; nun, da John als perverser Lüstling am Pranger stand, sah ich das Thema Ehrgeiz aus einer neuen Perspektive.

Der Junge und das Mädchen draußen am Baumstamm küssten sich immer noch. Er war jetzt dabei, das Becken nach vorn und nach oben zu schieben, seine mageren Pobacken in der engen Jeans spannten sich sichtbar an und entspannten sich wieder. Das Mädchen hielt einen Arm unbeholfen von sich gestreckt, als wollte sie auf sich aufmerksam machen und gerettet werden oder als wüsste sie nicht, wohin damit.

»Was tust du da?«, hörte ich und drehte mich um. Mein Mann stand in der Tür, eine Sporttasche über der Schulter. Er trug lachsfarbene Shorts, die seine schlaksigen Waden zeigten (seine langen, schlanken Beine und die schmalen Hüften sind das Beste an ihm), und ein Oberhemd, das über dem Bauch leicht spannte. Er kam an den Schreibtisch, setzte sich auf die Kante und beugte sich weit vor, um denselben Blick zu haben wie ich. Er roch nach John, so gut wie immer, nach Aftershave, Seife, Teebaumöl und Kaffee. In der Hinsicht hatte ich Glück gehabt. Außer während der Schwangerschaft, als ich ihn absolut abstoßend fand, hatte ich seinen Körpergeruch immer anziehend und beruhigend gefunden. »Igitt«, sagte er, als er das Pärchen unter dem Baum sah.

Ich zuckte lächelnd die Achseln und warf einen flüchtigen Blick auf den Computermonitor, um mich zu vergewissern, dass ich alle Fenster weggeklickt oder minimiert hatte, die mit Vladimir und seinem Buch zu tun hatten.

Nach den öffentlichen Anschuldigungen war John suspendiert worden. Bis zu einem noch nicht festgelegten Datum im Oktober, wenn die Anhörung vor dem Antidiskriminierungskomitee stattfinden würde, durfte er nicht unterrichten und keinen Kontakt zu den Studierenden haben. Sein Büro hatte man ihm gelassen, ebenso seine Zugangsrechte zur Bibliothek (die er nie besuchte) und zum campuseigenen Fitnessstudio (dort war er täglich), außerdem saß er immer noch im Haushaltsausschuss. Sie brauchten ihn, er hatte sechs Jahre lang den Vorsitz geführt; niemand außer ihm durchschaute das komplizierte System, nach dem das Geld im Fachbereich verteilt wurde, niemand wusste, wie man einen Finanzplan entwarf, den das Sekretariat des Dekans durchwinkte.

Unabhängig von dem Skandal, pflegten John und ich daheim schon seit Jahren einen eher distanzierten Umgang miteinander. Wir lebten eigentlich nicht mehr zusammen, sondern teilten uns ein Haus, waren eher eine Wohngemeinschaft als ein Paar. Es war wie von selbst passiert, als hätten wir uns in einem Labyrinth immer wieder für unterschiedliche Abzweigungen entschieden und dann festgestellt, dass wir unabsichtlich an entgegengesetzten Enden des Königreichs gelandet waren. Weil John schnarchte, schlief ich im Gästezimmer. Die meisten Abende verbrachten wir getrennt; ich ging zum Sport, traf mich mit Freundinnen auf einen Drink oder fuhr nach Albany, um mir einen anspruchsvollen Kinofilm anzusehen oder in einen Pub zu gehen, wo es einmal pro Woche Livemusik gab und sich die Künstler aus der Gegend trafen. Falls wir beide zu Hause waren, verschwand ich entweder in mein Arbeitszimmer, arbeitete im Garten oder legte mich, wenn es warm genug war, zum Lesen an den Pool. Manchmal sahen wir uns zusammen einen Film an, wobei ich im Sessel saß, nicht neben ihm auf dem Sofa. Ich schob es auf meinen Rücken.

Seit Sidney vor zehn Jahren ausgezogen war, um aufs College zu gehen, kochte ich nicht mehr, es sei denn, wir erwarteten Gäste oder mich packte ein besonderes Bedürfnis. Das Ende des Kochens war für uns beide eine Erleichterung gewesen. Mich nervte dieses ewige Ticken im Hinterkopf, das täglich pünktlich zur Mittagszeit einsetzte – »was gibt es heute zum Abendessen?« –, und John nervte, dass es mich nervte. Nachdem John und ich Sidney am Wellesley College abgesetzt hatten, wieder nach Hause gefahren waren und ich vierundzwanzig Stunden lang in Tränen aufgelöst im Bett gelegen hatte, verkündete ich das Ende meiner kulinarischen Laufbahn. Stattdessen stockte ich die Vorräte in Kühlschrank und Kammer auf: Brathühnchen, Eier,

Gemüse, Würstchen, Salami, Linsen, Oliven, Räucherlachs, Weißfisch, Obst, Joghurt, Käse, Getreide, Brot und Nüsse, Salate aus dem Deli – alles, was lecker ist und sich schnell zubereiten lässt. Was bedeutete, dass wir aufhörten, miteinander zu essen. Morgens setzten wir uns mit dem Frühstück auf die Terrasse, später dann nahm ich meine morgendlichen Schreibübungen wieder auf und begann, oben im Arbeitszimmer zu essen. Um sechs Uhr abends sahen wir uns zum Cocktail wieder, bis ich vor ein paar Jahren merkte, dass ich mein Idealgewicht nur halten kann, wenn ich meinen täglichen Alkoholkonsum einschränke.

Auf Reisen waren wir (immer noch) ein gutes Team, und natürlich sahen wir uns bei der Arbeit. Unsere Büros lagen auf derselben Etage des kleinen Fachbereichs, die Strecke dazwischen ließ sich mit weniger als zehn großen Schritten zurücklegen. Und dort am Arbeitsplatz, wo wir vorgeben konnten, in keiner privaten Beziehung zu stehen, spürte ich, wie die Abneigung gegen ihn, die ich zu Hause so hartnäckig spürte, von mir abfiel. Hier kämpften wir gegen einen gemeinsamen Feind, hier konnte ich Johns Verbündete sein. Es war wie in unseren ersten Jahren: Wenn wir damals emotional aus dem Gleichschritt geraten oder wütend und einander fremd waren, brauchten wir nur seine Eltern zu besuchen. Nach acht Stunden mit seinem Vater, der herumbrüllte wie ein Marineoffizier, und seiner dissoziativ gestörten, glasig dreinschauenden Mutter fielen wir einander in die Arme, waren wieder vereint und dankbar für das, was wir miteinander sein konnten.

Er drückte die Stirn an meinen Hinterkopf und rieb sich an meinen Haaren. Ich schob ihn weg. Ganz offensichtlich war er heute unruhig und auf der Suche nach Gesellschaft. »Was willst du?«, fragte ich. Er sah mich schuldbewusst an. Das ganze Drama hatte seine Bedürftigkeit zutage gefördert, in letzter Zeit verfiel er immer öfter in die Rolle des alten, niedlichen Hundes, der etwas angestellt hat und nun voller Reue die Nähe seines Frauchens sucht. Ich spielte den Part der verärgerten Hundebesitzerin, die den Hund wegschiebt, wohl wissend, dass er immer zurückkommen wird. Wir beide benahmen uns schlecht, ein gefährliches Muster. John war kein gutmütiger Idiot und würde sich nicht damit zufriedengeben, Tag für Tag anzukriechen und immer wieder abgewiesen zu werden. Irgendwann würde er feststellen, dass man ihn zu oft schlecht behandelt hatte, und mit voller Kraft zubeißen.

Was ich während seines abendlichen Besuchs zu Vladimir gesagt hatte, entsprach der Wahrheit. Ich hatte von den Affären gewusst, von ihrer Existenz. Ich wusste, dass John mit Studentinnen schlief. Einzelne Details, die nun bekannt wurden und verstörender waren, als ich zugeben wollte, kannte ich jedoch nicht. Beispielsweise liegen 1183 Textnachrichten vor, die der damals fünfundfünfzigjährige John und die damals zweiundzwanzigjährige Frannie Thompson einander geschickt haben. Allein die Vorstellung, wie mein Mann mit seinen dicken Daumen eine um die andere Nachricht an eine junge Frau in sein Handy tippt, die, soweit mir bekannt war, den Elan einer aufs Land verpflanzten Großstädterin, glänzendes Haar und absolut keinen Humor hatte, ist absolut unwürdig. Wenn ich daran denke, wie begeistert er von seinen eigenen geistreichen Bemerkungen gewesen sein muss, und an die vielen Stunden, in denen er zitternd vor Aufregung dieses Gerät liebkost hat, statt irgendetwas Sinnvolles zu tun, erscheint mir das alles einfach nur grotesk.

Außerdem hatte ich nicht erwartet, in die Auseinandersetzung hineingezogen zu werden. Dass sich das Blatt irgendwann wenden und sein Verhalten dann als inakzeptabel gelten würde, hatte sich schon angekündigt, als wir noch Doktoranden waren. Immer schon hatte es Gerüchte gegeben, und regelmäßig offenbarte mir irgendeine neue Kollegin im Suff selbstgefällig, sie wisse um einen Fehltritt, und dann war es an mir, sie über unser Arrangement aufzuklären. Aber weil er sich für Frauen an der Uni und für Frauen in der Literatur starkmachte und am College alle möglichen Initiativen für soziale Gerechtigkeit und mehr Diversität unterstützte; weil sein Einsatz in der Tat nicht nur vorbildlich, sondern bewundernswert war, hatte ich als seine Ehefrau und noch mehr als seine Kollegin beschlossen, die Augen davor zu verschließen, so wie der Rest des College. Die betreffenden Frauen waren volljährig. Die Gerüchte waren Gerüchte und fertig. So läuft das an der Uni. Ich war eine beliebte Dozentin, für meine Seminare gab es lange Wartelisten. Ich war gut in Form und modisch gekleidet und wurde bis Mitte vierzig regelmäßig für eine Studentin gehalten. Ich hatte einen anderen Nachnamen als John. Außerhalb des Fachbereichs wusste kaum jemand, dass wir verheiratet waren.

Doch als die Welle aus Anschuldigungen und die Petition über uns hereinbrachen, schien plötzlich jeder zu wissen, dass ich die Frau des in Ungnade gefallenen Fachbereichsleiters war. Gegen Ende des Frühjahrssemesters betraten fünf junge Studentinnen aus meinem Seminar über Literaturverfilmungen mein Büro, kichernd vor Selbstherrlichkeit und angestachelt von einem Enthusiasmus, in den sie sich wohl bei einem zuvor stattgefundenen konspirativen Treffen hineingesteigert hatten. Ich bat sie herein. Sie tauschten verschwörerische Blicke, bis Kacee, die ein Babydollkleid mit Blumenmuster, eine Spitzenstrumpfhose und eine japanische Anime-Frisur trug – zwei auf dem Kopf aufgedrehte Haarknoten –, eine junge Frau, die sich während der Vorlesung eine Kulikappe unter die volle Unterlippe klemmte und sich »versehentlich« das Top herunterzog, bis man mindestens eine Brustwarze sehen konnte, eine junge Frau, die nach jeder Wortmeldung des einzigen attraktiven Studenten im Raum zu laut lachte, vortrat.

»Wir wollten, äh, mit Ihnen reden«, sagte sie.

»Okay«, sagte ich. Sie gingen mir auf die Nerven. Dieser nervtötende Haufen. Im Vieraugengespräch bin ich meistens in der Lage, Geduld und Toleranz aufzubringen, selbst für die Nervensägen. Ich weiß nicht, was Jugendlichen passieren muss, damit sie sich zu erträglichen, netten, selbstbewussten und wissbegierigen Studierenden entwickeln, und was, damit sie zum lästigen Gegenteil davon werden. Ich kann stolz von mir behaupten, zwischen den beiden Gruppen nie unterschieden zu haben. Ich kann verstehen, dass meine Studierenden ein großes Bedürfnis haben, gesehen zu werden, und ich versuche, ihm gerecht zu werden und über ihre Ticks und Versprecher, ihre Anspruchshaltung, ihre Unsicherheit oder ihr übertriebenes Selbstbewusstsein hinwegzusehen. Ich bin in der Lage, ihren Entwicklungsstand zu berücksichtigen und dementsprechend auf sie einzugehen. Ich weiß, dass sie selbst noch gar nicht ganz erfassen können, wie sie sich der Welt präsentieren.

Doch auch wenn ich nervige Studierende ertrage, solange sie einzeln auftreten, und die wissbegierigen manchmal sogar ganz nett finde, sind sie als Gruppe für mich nicht auszuhalten. Sie werden übermütig und vergessen ihr gutes Benehmen. Das Gespräch mit der von Manic Pixie Kacee angeführten Gruppe würde also schmerzhaft werden.

»Wir, äh, wir wollten nur sagen …«

Becca, ein hochgewachsenes Mädchen, das seinen Gefühlen mit einer Ernsthaftigkeit begegnete, als handelte es sich dabei um eine Krebserkrankung, und einen weiten Rolli über einem weiten Kleid über einer weiten Hose trug (Scherzfrage: Wie zieht man einer Hippiebraut die Hose aus? Antwort: Man fängt mit dem Rock an), trat vor.

»Na ja, also, wir wollten sagen, Sie müssen nicht, also es ist nicht so, dass Sie hier die loyale, schweigende Ehefrau spielen müssen.«

Ich holte Luft, eine weiß glühende Wut durchfuhr meine Unterarme bis hinauf zu den Ellenbogen.

»Also, weil Sie sind eine tolle und geniale Frau. Wir finden, Sie sind echt heiß.« Ich konnte sehen, wie stolz sie auf ihre Einschätzung meiner Person als heiß waren, auf ihre Fähigkeit, eine ältere Frau als heiß wahrzunehmen. »Und, also, wie gesagt, was er uns antut, ist echt unfair.«

»Ihnen?«, fragte ich.

»Uns Frauen«, sagte sie.

»Ach so«, sagte ich. »Nicht Ihnen persönlich.«

Kacee meldete sich zu Wort.

»Wir wollten einfach nur mal fragen, wann Sie ihn endlich rausschmeißen.«

»Denn das sollten Sie!«, rief eine von hinten.

Vorsicht, Vorsicht, Vorsicht, sagte ich mir. Sei vorsichtig. Wir Lehrkräfte sprachen ständig darüber. Heutzutage musste man vorsichtig sein. Das ist gut, sagten wir uns, ist doch gut, alle sollen sich sicher fühlen. Gleichzeitig fragten wir uns, worauf wir unsere Studierenden mit unserer Rücksichtnahme eigentlich vorbereiteten; denn die Welt da draußen würde ihnen weniger Rücksicht entgegenbringen. Aber vielleicht ja doch, sagten wir uns. Wenn diese jungen Leute später die Welt bevölkerten und das Geistesleben prägten, hätte die Welt vielleicht gar keine andere Wahl mehr, als rücksichtsvoll zu sein. Und das wäre eine gute Entwicklung. Viele Leute sagten, die junge Generation sei verweichlicht, aber wir wussten es besser. Wir wussten, wie stark sie war – viel stärker als wir, zudem mit besseren Waffen und einer effektiveren Taktik ausgestattet. Sie hatte uns mit ihrer Sanftheit in die Knie gezwungen, mit der ständigen Bitte um Rücksichtnahme auf ihre Gefühle, mit ihrem Vorhaben zu ändern, was wir für unveränderlich gehalten hatten; sei es, sich für eine Collegeproduktion von *Die Bakchen* vor dem Nachwuchsregisseur nackt auszuziehen, in großer Literatur Rassismen zu ignorieren oder für weniger Geld zu arbeiten als die anderen. Die jungen Leute hatten verändert, woran wir uns die Zähne ausgebissen hatten, und nun bestand unsere Verteidigung darin, sie verweichlicht zu nennen. Doch sie hatten Gott, eine Community und das Internet auf ihrer Seite. Vielleicht würden sie es tatsächlich schaffen, eine lebenswertere Welt zu gestalten. Sie wollten keine Tabus brechen, anders als jene, die zehn oder zwanzig Jahre vor mir geboren worden waren, anders als meine Generation, die es zumindest im Kleinen versucht hatte. Nein, sie gingen subtiler und konsequenter vor. Vielleicht war es nötig. Also sagte ich mir: Vorsicht. Nicht aufregen, nicht persönlich werden, einfach nur freundlich, freundlich, freundlich bleiben.

Nervös standen die Mädchen vor mir und warteten auf eine Antwort. Ich generierte Herzenswärme in meiner Brust und ließ sie in mein Gesicht fließen. Ich formte ein Lächeln aus dieser Herzenswärme, das sich in meinen Augen widerspiegelte.

»Zunächst einmal möchte ich mich für Ihren Besuch bedanken. Ich bin doppelt geschmeichelt. Weil Sie mich als heiß betrachten und weil Sie so fürsorglich sind. Von so leidenschaftlichen und emphatischen jungen Frauen wie Ihnen umgeben zu sein schenkt mir Hoffnung für die Zukunft.

Setzen Sie sich doch …« Ich deutete auf das Sofa, sie verteilten sich auf der Sitzfläche und den Armlehnen.

»Wir alle leben und arbeiten innerhalb bestimmter Strukturen und Institutionen«, erklärte ich. »Das ist nun einmal so. Ich lebe und arbeite in sexistischen, rassistischen, homophoben und transphoben Strukturen. Um die Institutionen zu verstehen, müssen wir uns klarmachen, dass wir alle, ob wir uns dessen bewusst sind oder nicht, Sexismus, Rassismus, Homophobie und Transphobie praktizieren, selbst als Frau, selbst als Person of Color, als homo- oder transsexuelle Person. Ich gebe also zu, dass meine Bereitschaft, bei meinem Mann zu bleiben – nicht unbedingt seine Taten gutzuheißen, sondern einfach nur unsere Beziehung aufrechtzuerhalten –, möglicherweise das Resultat meines internalisierten Sexismus ist. Wie könnte es auch anders sein.«

»Okay«, sagte Kacee, zwischen deren geöffneten Lippen sich ein Spuckefaden zeigte.

»Nichtsdestoweniger und, ich kann es nur wiederholen, in tiefer Dankbarkeit für die Fürsorge, die Sie mir zukommen lassen, leben mein Mann und ich schon länger zusammen, als Sie auf der Welt sind. Und im Laufe dieser langen Zeit sind wir zu Übereinkünften, Arrangements und Kompromissen gelangt. Wir haben uns vielen Herausforderungen gestellt, und nun kommt eine weitere auf uns zu. Eine, die ebenso öffentlich wie privat ist. Sie werden sicher verstehen, dass ich Sie um *Ihr* Verständnis bitte und um die Privatsphäre, die ich als heiße und geniale Professorin brauche, um zu entscheiden, wie ich mit meiner seit dreißig Jahren andauernden Ehe umgehen soll. Mir diesen Gefallen zu erweisen wäre eine durch und durch feministische Geste.«

Zehn Minuten später verabschiedete ich sie mit einem Winken und Luftküsschen. Sie strahlten, ich machte die Tür zu.

Arschlöcher.

Aber ihr Eindringen hatte mich aufgeschreckt. Ich bin generell zurückhaltend mit persönlichen Informationen, vor allem im Umgang mit meinen Studierenden, aber nun hatten sie mir das Gefühl vermittelt, exponiert zu sein. Obwohl ich die Vorwürfe gegen John immer noch für lächerlich und absurd hielt, muss ich leider zugeben, dass meine Unsicherheit nun meine Überzeugung überstieg. Ich vermied es, zusammen mit ihm auf dem Campus gesehen zu werden. Körperliche Zuneigungsbekundungen im Büro hatte ich ohnehin nie ausstehen können.

»Runter von meinem Schreibtisch«, sagte ich, und er wich zurück, richtete sich auf und sagte, als hätte *ich* mich unprofessionell verhalten:

»Hast du Florence' Mail über die Wortwahl bei der Formulierung der Fachbereichsziele gelesen?«

»Nein«, sagte ich.

»Oder Tamillas Antwort?«

»Nein«, sagte ich.

»Die von André?«

»Nein«, sagte ich.

»Hast du heute überhaupt schon mal in dein Postfach geguckt?«

»Nein«, sagte ich. »Ich habe Unterricht vorbereitet, und dann habe ich unterrichtet, und danach musste ich was recherchieren.« Er und ich hatten lange Diskussionen über die Erreichbarkeit der Lehrkräfte geführt. Er beantwortete jede Anfrage sofort. Ich nicht.

»Na ja, könntest du dich bitte drum kümmern? Dein diplomatisches Geschick ist gefragt.«

»Klar«, sagte ich.

»Es sei denn, du kommst mit zum Training?« Er schwenkte die Sporttasche.

In vergangenen Jahren hatten wir die Mittagspause von eins bis halb drei meistens im Fitnessstudio verbracht: Cardio auf dem Crosstrainer, anschließend ein Workout mit Gewichten. Das Programm hatte uns ein Trainer zusammengestellt, nachdem wir auf einer Spendengala ein paar

Stunden im Fitnessstudio gewonnen hatten. Es gibt das japanische Wort *nakama*, das meistens mit *Freund* übersetzt wird, das aber eigentlich, wie mir ein japanischer Kollege einmal erklärte, »einander nahestehende Leute, die zusammen etwas unternehmen« bedeutet. Wir waren sehr angetan von dieser Vorstellung und unterhielten uns oft darüber, über Kameradschaft in der Ehe: Man unternimmt gemeinsam etwas, ohne sich notwendigerweise darüber zu verbinden, man leistet einander einfach Gesellschaft. Genau das waren unsere Abstecher ins Fitnessstudio, unsere gut organisierten Reisen, unser Versuch, kulturelle Verantwortung zu übernehmen.

»Nein danke«, sagte ich. Ich hatte mich inzwischen beim Y in der Innenstadt angemeldet. John wusste ganz genau, dass ich mich nicht mehr damit wohlfühlte, in Leggings zwischen Studierenden herumzulaufen, zu keuchen und zu schwitzen und mich vor ihren Augen zu bücken.

Er nickte. Offenbar war er fest entschlossen, meine Strenge lustig zu finden. Im Türrahmen blieb er noch einmal stehen.

»Weißt du, in letzter Zeit hatten wir kaum noch Gäste.«

»Ja, das stimmt.«

»Ja, und deswegen wollte ich Vladimir fragen, ob er mit seiner Frau und seiner Tochter vorbeikommen und noch mal im Pool schwimmen will, bevor es zu kalt dafür wird. Sie kennen hier niemanden. Sie wohnen draußen an der Route 29 in einem schäbigen Apartment. Ich wollte einfach nur wissen, ob du Lust drauf hast oder ob ich sie für einen Abend einladen soll, wenn du nicht da bist.«

Ich wusste nicht, welches Spiel er spielte, falls es überhaupt ein Spiel war. Ich hatte beiläufig erwähnt, Vladimir sei wegen seines Buches vorbeigekommen, aber ich wusste nicht, inwieweit John spürte, wie sehr die Begegnung mich elektrisiert hatte. Allein die Vorstellung eines gemeinsamen Nachmittags bereitete mir ein Hochgefühl. Der Gedanke, Vladimir Vladinski in meinem Garten zu sehen, selbst in Begleitung von Frau und Kind, wo er sich peinlich berührt das Hemd auszieht und sein weicher Bauchansatz und die hastig gekaufte Badehose zum Vorschein kommen; ihm eine kondenswassernasse Bierdose zu reichen oder, besser noch, ein Bier zu servieren, während er sich im Liegestuhl fläzt; die Vorstellung, wie er unschlüssig auf dem Sprungbrett wippt oder seine Tochter in die Höhe stemmt, er in einer ganz banalen, alltäglichen Situation, wie er zinkhaltige Sonnencreme in seinem Gesicht verteilt oder wegen seiner nassen Füße auf der Schwelle zögert, erfüllte mich mit großer Sehnsucht. Eine schnelle Folge von Bildern blitzte auf, eines zärtlicher und intimer als das andere.

»Es wäre sehr nett von uns, sie einzuladen«, sagte ich in der Hoffnung, John würde meiner Stimme nichts anmerken. »Aber du solltest das bald machen. Noch dieses Wochenende, sonst wird es zu kalt. Am Samstag soll das Wetter angeblich gut werden.«

»Meinetwegen«, sagte er. Vielleicht war er misstrauisch geworden, oder er freute sich einfach nur, dass ich so schnell eingewilligt hatte.

»Aber vorher musst du den Garten in Ordnung bringen«, sagte ich.

»Mein Gott«, sagte er. »Okay. Schreib mir eine Liste.«

»Die Tonne für den Kompost muss weg.«

»Schreib mir eine Liste«, wiederholte er. »Ich werde tun, was ich kann.«

»Sonst werde ich jemanden damit beauftragen.«

»Nein, ich kümmere mich darum. Ich hätte wissen müssen, dass ich am Ende für dich arbeiten muss.« Aber er war zufrieden, das hörte ich.

»Gib Cynthia meine Nummer, dann können wir uns wegen des Essens absprechen.«

Er nickte. Er sagte meinen Namen, ich sah ihn an. »Ich vermisse dich«, sagte er, und dann drehte er sich zum Gehen um.

In der Tür kam ihm Aaron entgegen, unser ernster, schlaksiger Assistent. Er wollte mir die Kopien bringen, um die ich ihn gebeten hatte. Als er meinen Mann sah, senkte er den Kopf und legte den Papierstapel unter unverständlichem Murmeln auf meinen Schreibtisch. Ich bedankte mich und erkundigte mich nach seinem Befinden. Ich mochte ihn. Er war ein Student im höheren Fachsemester und schrieb lange, verschnörkelte Gedichte über die Kosmologie künstlicher Fantasiesphären. Er gab keine Antwort und ging wortlos hinaus, das Kinn an die Brust gedrückt und schwer durch die Nase atmend, als hätte er John und mich halb nackt bei irgendeinem anrüchigen Akt erwischt.

3

Vladimir sagte für den Samstag zu, und dann schrieb er mir eine SMS und fragte, ob sie etwas mitbringen sollten. Ich war beschämt. John hatte ihm garantiert gesagt, Cynthia könne sich wegen des Essens bei mir melden, aber nun hatte Vladimir geantwortet, weil die beiden im Gegensatz zu John und mir nicht in überkommenen Geschlechterrollen verharrten. Ich fragte zurück, ob es irgendetwas gebe, was sie nicht äßen. Nein, antwortete er, was eine Erleichterung war, denn ein paar bange Stunden lang hatte ich befürchtet, er könnte etwas schreiben wie *wir sind Vegetarier*, und dann hätte ich irgendwie Zeit finden und Rezepte ausprobieren müssen. Ich sagte ihm, sie könnten gern etwas Süßes mitbringen. Alles andere hätten wir im Haus, wir würden grillen, falls er damit einverstanden sei, und ob es in Ordnung sei, wenn wir seiner Tochter Limonade anböten? Falls sie Schwimmflügel brauche, könnten wir uns welche ausleihen, und was wolle Cynthia trinken? Er sagte Ja zur Limonade und Nein zu den Schwimmflügeln und dass Cynthia keinen Alkohol trinke, aber nichts dagegen habe, wenn andere welchen tränken. Dann schickte er noch eine SMS hinterher:

Cynthia möchte wissen, ob wir unsere eigenen Handtücher mitbringen sollen?

Ich stellte mir die häuslichen Verhandlungen vor, die dieser Textnachricht vorausgegangen waren. Wie die beiden irgendwo sitzen, während ihre Tochter mit dem Löffel auf den Tisch schlägt. Ich stellte mir vor, wie Vladimir sagt: »Ich glaube nicht, dass das nötig ist«, und wie Cynthia, die vernünftige Cynthia, ihrer Tochter den Löffel aus der Hand nimmt und sagt: »Frag sie einfach, bitte«, worauf er etwas entgegnet wie: »Warum schreibst du ihr nicht selbst?«, und sie antwortet: »Weil du derjenige bist, der die Kommunikation übernommen hat«; darauf er so etwas wie: »Aber eigentlich hättest du sie anschreiben sollen«, und wie sie ihre Tochter auf den Arm nimmt, die Augenbrauen hochzieht und sagt: »Frag sie einfach. Mir zuliebe«, und wie er ihr dann droht: »Na gut, aber ich werde dazusagen, dass die Frage von dir kommt.«

Aber vielleicht war es auch ganz anders. Vielleicht waren sie sich vollkommen einig. Vielleicht hatte sie gefragt: »Meinst du, wir müssen Handtücher mitbringen?«, und er hatte gesagt: »Ich kläre das ab.« Sie war diejenige, die es überhaupt bedacht hatte, und er wollte sich nicht mit fremden Federn schmücken.

Ich schrieb zurück: »Nein, wir haben genug! Freue mich auf Sie.« Für die Interpunktion brauchte ich ein paar Sekunden länger, weil ich das Ausrufezeichen mehrfach vom *Sie* zum *genug* und wieder zurück verschob.

Bis zum Freitag hatte ich Vladimirs Buch gelesen und jede Rezension, die sich im Internet finden ließ (einschließlich der schmerzhaften und beleidigenden auf Amazon und Goodreads). Wie bei den meisten Büchern, die vom Ton leben, war das letzte Drittel nicht ganz so fesselnd wie der Anfang, doch das Schlusskapitel und vor allem der letzte Absatz waren meisterhaft und so ergreifend, dass ich mit Tränen in den Augen in der Bibliothek saß und mir wünschte, ich könnte den Kopf auf den Tisch legen und laut aufheulen. Einer der Campusausgänge führt zu einem weitverzweigten Netz aus Wanderwegen; ich wankte aus der Bibliothek, lief los und achtete bewusst auf die unterschiedlichen Wurzelstrukturen zu meinen Füßen, bis der Zauber des Buches allmählich nachließ wie ein nachmittäglicher Schwips, der sich in den Pflichten des frühen Abends auflöst.

Am Tag vor ihrer Ankunft bebte ich vor freudiger Erwartung. Ich fand Auszüge aus Cynthia Tongs Memoir als Vorabdruck in *Prairie Schooner* und *The Kenyon Review*, las sie aber nicht. Nach dem letzten Freitagsseminar ging ich – wie ferngesteuert und mit dem deutlichen Gefühl, mich lächerlich zu machen – für eine Anti-Cellulite-Massage ins örtliche Spa, wo ich mir außerdem Selbstbräuner auf die Beine sprühen ließ, eine langwierige, dumme und unangenehme Prozedur, für die ich mich selbst verachtete. Die Frau, die mir die Beine massierte, machte mir unmissverständlich klar, dass sie gegen meine Cellulite nichts ausrichten könne. Ich wartete eine halbe Stunde in einer dunklen Kabine, meldete mich erneut am Empfang und erfuhr, dass ich für die Sprühbräune hier falsch war. Ich musste eine weitere halbe Stunde warten, weil die Kosmetikerin inzwischen eine andere Kundin bediente, und wurde dann von ihr zurechtgewiesen, weil ich mich rasiert hatte, statt Kaltwachsstreifen zu verwenden.

Warum ich diese Termine gebucht hatte, verstand ich selbst nicht. Eigentlich konnte ich sie mir nicht leisten (als ich die Rechnung sah, zweihundertsiebzehn Dollar ohne Trinkgeld, wurde mir kurz übel), und normalerweise gönne ich mir solche Behandlungen nie. Ich glaubte eigentlich nicht daran, danach verführerischer auszusehen, es war eher so, dass ich um meinen Körper herum einen Schutzschild brauchte, einen Schutzschild aus Gepflegtheit, Verschönerung und körperlicher Würde. Was mir jedoch gründlich misslang. Die Bräune erwies sich als dunkles Orange, meine Cellulite war unverändert. Ich bereute zutiefst, eine so verrückte Summe ausgegeben zu haben, und beschloss, am nächsten Tag eine Hose zu tragen und nicht ins Wasser zu gehen.

Nach der Behandlung fuhr ich in die Stadt und verbrachte fast zwei Stunden in verschiedenen Supermärkten, bis ich alle Zutaten und Getränke für den nächsten Tag beisammenhatte. Als John nach Hause kam, stand ich in der Küche und rührte eine Lake an, in die ich Winterrettich und Karotten einlegen würde.

»Was ist das alles?« Er nahm das Zitronengras in die Hand und roch daran.

»Das ist für morgen. Ich mache Bun Bo Xao«, sagte ich und nahm ihm das Zitronengras weg. »Eine Art vietnamesischer Nudelsalat.«

»Ich dachte, wir grillen.«

»Tun wir auch. Zu dem Rezept gehört gegrilltes Steak.«

»Das ist nicht Grillen. Beim Grillen gibt es Burger, Hotdogs und Würstchen.«

»Jetzt ist September, so was können wir doch mittlerweile

alle nicht mehr sehen. Das hier ist herrlich erfrischend und sehr aromatisch, außerdem ist es ein gutes Kinderessen, die Kleine kann etwas von den Nudeln haben, WÜRDEST DU BITTE DIE JALEPEÑOS WIEDER HINLEGEN?«

»Meine Güte«, sagte er und warf mir eine Schote gegen die Brust. »Kommt mir ziemlich aufwendig vor.«

»Ja, weil jetzt gerade alle Zutaten offen rumliegen. Eigentlich ist es kein bisschen aufwendig.«

»Willst du sie einschüchtern? Oder eher beeindrucken?«

»Ich will gar nichts ... DIE IST FÜR DIE KLEINE«, rief ich, als er die Limonade aus dem Kühlschrank nahm und sich ein Glas einschenkte. »Kannst du bitte einfach gehen? Bitte?«

»Ich habe mich um den Kompost gekümmert.«

»Danke.«

»Weißt du, die kommen nur zum Schwimmen rüber, wir richten nicht ihre Hochzeit aus.«

»Aber es macht mir Spaß. Ich koche gern. Bitte.«

»Kann ich ein Bier haben?« Er hielt ein Sechserpack hoch, das ich bei einer örtlichen Brauerei gekauft hatte. Ein freundlicher Verkäufer mit Vollbart, in Regenbogenfarben lackierten Fingernägeln und strahlendem Lächeln hatte mir die Sorte empfohlen.

»Natürlich«, sagte ich. Er wollte mich auf die Wange küssen, aber ich zuckte zurück. »Tut mir leid«, sagte er. »War kurz wie in alten Zeiten.«

Er lungerte noch eine Weile in der Küche herum und sah mich an. Ich merkte, dass er einen theatralischen Moment hatte, aber mir war nicht danach. Er fuhr mit dem Finger über ein gerahmtes Foto, das ihn, Sidney und mich auf einem verschneiten Berggipfel zeigte.

»Habe ich dir erzählt, dass ich heute mit Sidney gesprochen habe?«, fragte er.

»Nein.«

»Sie war ziemlich aufgelöst.«

»Sie ist sauer auf uns.«

»Nein, nicht auf uns. Sicher geht es um irgendwas anderes.«

»Oh«, sagte ich und betrachtete den Kolibri aus geschmolzenen Glasperlen in einem Metallrahmen, den sie mithilfe eines Bausatzes »gebastelt« hatte. Sie hatte ihn mir zum Muttertag geschenkt, als sie zehn war. In der hinteren Ecke des Backofens klebte noch immer ein kleiner Klumpen aus geschmolzenem Glas, dem mit keinem Reinigungsmittel beizukommen war.

Nach den Anschuldigungen gegen John war ich zur Adressatin von Sidneys ganzer Empörung geworden. Natürlich hatte sie nichts von den Affären gewusst, denn eine unserer Regeln lautete, dass Sidney nie davon erfahren durfte. Wir wollten sie nicht verwirren, wobei ich mich manchmal frage, ob das Wissen um unser Arrangement die romantische Vorstellung von uns als Paar, der sie bis heute anhing, ein wenig abgemildert hätte und sie so jetzt vielleicht toleranter, nachsichtiger, realistischer und verständnisvoller wäre. Bei unserem letzten Telefonat hatte sie mich eine Komplizin und Mitwisserin genannt und mich mit den Deutschen verglichen, die bei der Machtergreifung und Herrschaft der Nazis geschwiegen hatten.

Aber ich konnte jetzt nicht an Sidney denken, und ich wollte es auch gar nicht. Ich blieb lange auf, bereitete Rohkostplatten vor und putzte das ganze Haus (obwohl ich vermutete, dass sie nur vom Pool zum Gästebad gehen würden und wieder zurück). Ich trank ein Glas Wasser nach dem anderen, als könnte die Flüssigkeit meine Molekularstruktur ausgleichen, die Fältchen um meinen Mund glätten und die Tränensäcke auflösen. Wenn ich am Spiegel vorbeikam, versuchte ich, nicht hineinzusehen. Ich ging ins Gästezimmer, wo ich vor Johns neugierigen Blicken sicher war, und probierte mehrere Outfits an. Am Ende entschied ich mich für ein Surfertop mit hohem Kragen und eine Haremshose aus fließendem Stoff. Ich würde nicht ins Wasser gehen, aber Kleidung tragen, die den Anschein erweckte, als plante ich es noch oder als hätte ich es bereits hinter mir. Anschließend ärgerte ich mich über meine Einfalt, setzte mich hin und zwang mich, einige Artikel aus dem neuen *New York Review of Books* zu lesen, und vor dem Schlafengehen gönnte ich mir einen Drink. Ich schlief unruhig und ärgerte mich noch mehr, weil ich mir vorstellte, wie ich ohne ausreichend Schlaf am nächsten Tag aussehen würde; die gegen mich selbst gerichtete Wut machte es mir praktisch unmöglich einzuschlafen.

Vladimir und seine Tochter trafen vierzig Minuten nach der vereinbarten Uhrzeit ein, und ohne Cynthia. Mit müden Augen erzählte er mir, sie habe Migräne, und es tue ihr sehr leid, nicht dabei sein zu können. Nach der Begrüßung zeigte ich Vladimir und Phee den Pool, ließ sie allein und ging wieder ins Haus, um Teller, Schüsseln und Besteck zu holen und mich zu beruhigen.

Ganz offensichtlich hatten Vladimir und Cynthia gestritten, und sie hatte sich geweigert, ihn zu begleiten. Obwohl ich diesen Gedanken irgendwie aufregend fand und außerdem die Auszüge aus ihrem Memoir noch nicht gelesen hatte, war ich enttäuscht. Zum einen wollte ich die beiden zusammen erleben, weil ich neugierig darauf war, wie sie miteinander umgingen – albern und verspielt, ernst und liebevoll, nörgelig und distanziert, kollegial, respektvoll, sexuell aufgeladen oder neutral, bewundernd oder verächtlich? Zweitens stellte die Tochter ein Problem dar, weil er sich nun die ganze Zeit um sie kümmern musste, statt sich mit uns zu unterhalten. Und außerdem, und das war das Wichtigste, hatte ich sie ehrlich ins Herz schließen wollen, damit die hartnäckige Erinnerung an Vladimirs Gesicht im Schwarz der Fensterscheibe sich auflöste und ich endlich eine Frau aus Fleisch und Blut vor mir hatte, keine vage Vorstellung, sondern einen echten, bewundernswerten Menschen, die biblische Nächste, deren Mann ich nicht begehren wollte und sollte. Falls Sie jetzt glauben, ich hätte meine erschütternde, erdrückende Fixierung auf Vladimir (die ich damals nicht ganz durchschaute, später aber als Begehren identifizierte) genossen, möchte ich Ihnen das Gegenteil versichern. Ich stand unter Strom, war verletzt und beschämt. Mein Seelenfrieden, schon im Frühjahr gestört durch die Anschuldigungen, die Petition und Kacee mit ihrem *Schmeißen Sie ihn raus*, war endgültig gekentert. Ich trieb in einem Meer aus elektrischen Impulsen. Meine Nerven lagen blank. Und so hatte ich gebetet und gehofft, die Begegnung mit seiner Frau und der Nachmittag mit seiner Familie könnten mich erlösen.

Phee war ein ausgesprochen hübsches Kind mit Pausbacken, glänzenden Augen und rotbraunen, ungebändigten

Locken. Wenn man ein sprachbegabtes Kind hat, ist drei ein wunderbares Alter. Ich weiß das vor allem von den Gesprächen mit Sidney, die wir damals auf Video aufgenommen haben. Wie Sidney damals beantwortete auch Philomena jede Frage mit ernstem Eifer. *Ich gehe in die Vorschule, und meine Lehrerinnen sind Miss Maureen und Miss Nadia. Ich bin drei und ein Viertel Jahre alt. Tiere, die in der Nacht auf sind, heißen nachtaktiv, und Tiere, die am Tag auf sind, heißen tagaktiv.* Vladimirs Lippen kräuselten sich vor Stolz, als er ihr durch die Sätze half. Wir und unsere Wunderkinder. Obwohl Sidney natürlich in jeder Hinsicht wohlgeraten war, wünschte ich mir manchmal, ich hätte sie nicht so häufig für ihre Intelligenz gelobt und weniger Wert auf ihre Wortgewandtheit und ihre schulischen Erfolge gelegt. Heute weiß ich, wie sehr sie unter der Last der eigenen Außergewöhnlichkeit gelitten hat. Wieder und wieder musste sie den Erwartungen an ihr Potenzial gerecht werden.

Ich riet den beiden, schwimmen zu gehen, bevor die Tageshitze nachließ. Im September umfasst das tägliche Zeitfenster, in dem man von Wärme sprechen kann, höchstens noch drei Stunden. Vladimir steckte Philomena in eine kleine Rettungsweste, die an eine moderne Rüstung erinnerte, und setzte sie am flachen Ende des Pools, wo wir die Füße ins Wasser baumeln ließen, in einen Schwimmring, der aussah wie ein Donut. Er zog sein Hemd aus, stieg aufs Sprungbrett, machte eine Arschbombe ins Wasser und spritzte uns alle ab, auch Phee, die anfing zu weinen. Er eilte zu ihr, tröstete sie und drehte sie im Schwimmring um die eigene Achse, bis sie wieder lachte.

Vladimirs Körper war viel durchtrainierter als in meiner Vorstellung. Er hatte definierte Arme, seine behaarte Brust war straff, der flache Bauch muskulös. Es war so beeindruckend, dass sogar John sich einen spöttischen Kommentar nicht verkneifen konnte, »du bist so sexy, Vladimir«, woraufhin Vladimir einen überraschenden Sinn für Humor offenbarte und zwinkernd sagte: »Ich weiß.« Er erzählte uns, sein einziges Hobby neben dem Schreiben sei Sport. Wir unterhielten uns über Schriftsteller mit Tatendrang, Hemingway und Mailer beispielsweise, die etwas *getan* hatten, um ihr Schreiben zu befeuern. Vladimir sagte, er wünschte, er könne mehr wie sie sein, aber fürs Angeln oder Motorradfahren besitze er kein Talent. Er sei kein Schrauber, er sei nur ein russischer Streber, der in der Highschool das Gewichtheben für sich entdeckt und nie wieder aufgegeben habe. John erwähnte Cheever, Fitzgerald, Updike und Roth, alles Schriftsteller, die sich ausschließlich mit dem Schreiben beschäftigt hatten.

»Na ja, und mit Sex«, sagte ich, »die haben sich auch mit Sex beschäftigt oder waren sogar besessen davon.«

John zuckte die Schultern. »Sehr zeitaufwendig«, sagte er, und Vlad verdrehte nachsichtig die Augen, so beiläufig und wohlwollend, dass es mich verblüffte.

»Neulich abends waren Vlad und ich in der Stadt unterwegs. Am Dienstag«, sagte John, wie um eine Frage zu beantworten, die ich nicht gestellt hatte.

»Oh.« Dienstags ging ich immer zum Konzert und kam ziemlich spät nach Hause. John und ich meldeten uns nicht ausdrücklich ab, wenn wir das Haus verließen, aber ich war überrascht, dass er mir nichts davon erzählt hatte. Normalerweise hielt er mich immer auf dem Laufenden und sagte mir, was er tat und wohin er ging, ob ich es wissen wollte oder nicht.

»Wir haben uns unterhalten«, sagte John.

Er lag im Liegestuhl, sein Bauch hatte sichtlich mit dem Gummibund der Badehose zu kämpfen und spannte die Knopfleiste des Leinenhemds von unten auf. Er starrte in die Sonne, aber der angespannte Zug um seinen Mund verriet seine Selbstzufriedenheit. Wenn er es darauf anlegt, ist mein Mann ein fesselnder Erzähler. Offensichtlich hatte er seinen neuen Kollegen auf einen Drink eingeladen und ihn, wenn schon nicht auf seine Seite, so doch in eine urteilsfreie Zone gezogen. Ich sah ihn in seiner Lieblingsbar an einem Tisch sitzen, wo er Vlad Bier und Schnaps ausgab und ihn mit seinem Humor, seinen Anekdoten, Selbstgeißelungen und unerwarteten Geistesblitzen entwaffnete.

»Verstehe«, sagte ich. John grinste, Vlad tauchte an den Grund des Pools und machte einen Handstand. Seine Füße ragten in das Gesicht seiner Tochter, sie lachte und griff danach.

Im Laufe des Nachmittags fiel mir auf, dass Vladimir oft die Arme von sich streckte, eine Geste, die seinen Oberkörper vorteilhaft in Szene setzte. Kurz vor dem Essen stieg er aus dem Wasser und frottierte sich schamlos langsam den Unterleib, eine völlig unnötige Geste, die unsere Blicke auf seine Bauchmuskeln lenken sollte. Er flirtete mit uns, aber vielleicht flirtete er mit jedem. Er hängte sich das Handtuch um den Nacken und setzte sich mit nacktem Oberkörper an den Tisch. Ganz offensichtlich war er eitel, denn er fuhr sich regelmäßig mit den Händen durch die Haare, um die schüttere Stelle oben auf dem Kopf zu kaschieren. Als ich das Bun Bo Xao servierte (im Grunde ein sehr schlichtes Gericht aus Reisnudeln, Salat, Gurken, gehackten Erdnüssen, eingelegtem Rettich, Karotten, viel frischer Minze und Koriander mit würzig mariniertem Steak), häufte er vor allem Reisnudeln auf den Teller von Phee (die große Schwierigkeiten damit hatte und sie dermaßen herumwarf, dass ich noch Wochen später harte Nudelkringel auf meiner Terrasse und im Garten fand). Er selbst nahm nur eine winzige Portion.

Nach dem Essen kochte ich Kaffee. Wir setzten uns an den Pool und verrückten, dem Lauf der Sonne folgend, ab und zu unsere Stühle. Phee blieb im Wasser, unbeeindruckt vom eigenen Frösteln kreiste sie im Donut und war glücklich, und so konnten wir uns ungestört unterhalten. »Sie hat die inneren Ressourcen eines Zweitgeborenen«, sagte er, »so selbstgenügsam, wie sie ist, wirkt sie gar nicht wie ein Einzelkind.« Ich erinnerte mich daran, dass es früher für mich das größte Kompliment war, wenn die Leute sagten, Sidney verhalte sich gar nicht wie ein Einzelkind; obwohl Einzelkinder im Leben erwiesenermaßen erfolgreicher sind und in der Regel auch großzügiger und geselliger.

»Einzelkind«, sagte ich. »Heißt das, Sie wünschen sich keine weiteren Kinder mehr?«

»Ich schon. Ich war das jüngste von vier Geschwistern. Cynthia ist ein Einzelkind. Sie ist unsicher, ob sie noch eins will.«

Ich schaute zu, wie Phee mit den Fingern wackelte und ihnen etwas vorsang, als wären sie kleine, auf dem Wasser herumspringende Feen.

»Warum ist sie so?«

»Cynthia?«

»Nein, Phee.«

»Oh, das kann ich Ihnen sagen«, sagte er. »Sie ist so, weil meine Frau uns verlassen hat, als Phee knapp ein Jahr alt war. Nach ihrem Selbstmordversuch war Cynthia lange in der Klinik. Tagsüber hatte Phee ein Kindermädchen, nachts und an den Wochenenden hatte sie mich. Sechs Monate lang.«

Er sprach das Thema offensiv an – als schleppte er einen Rammbock mit sich herum, stets bereit, jede falsche Höflichkeit einzureißen wie das Tor einer Festung.

Wir alle wussten von Cynthia Tongs Selbstmordversuch. Bei seinem Bewerbungsgespräch hatte er dem Einstellungskomitee davon erzählt. Das war einer der Gründe, warum Vladimir Vladinski die Stelle schließlich bekam.

Er blieb, bis die Sonne unterging. Ich war froh, dass ich geputzt hatte, denn als es zum Schwimmen zu kalt wurde, gingen wir in Haus. John spielte Klavier, und wir sangen ein paar Folk- und Popsongs für Phee, die durchs Wohnzimmer tanzte und dabei mit einem zerfransten roten Tuch kuschelte, laut Vlad das Einzige, womit sie spielte. Danach setzte er sie vor den Fernseher, und wir tranken Gin Tonic auf der Terrasse und schauten auf das schwindende Licht am Himmel. Er fragte immer wieder, ob es wirklich in Ordnung sei, dass sie so lange blieben, und wir versicherten ihm, wie sehr wir uns über seinen Besuch freuten. Er wollte nicht gehen. Wahrscheinlich, so dachte ich, fühlte es sich für ihn an, wie frisch verliebt zu sein, sich gedankenlos im Bett zu räkeln und an einen neuen Menschen zu klammern, der einem traurige, bange Freuden schenkt, während ferne Pflichten warten und sich die Unannehmlichkeiten des Lebens aufstauen.

Hinterher machte ich mir Sorgen, wir könnten ihm an dem Nachmittag zu elternhaft erschienen sein. Es war zwar nicht so, dass John mir auf den Hintern geklapst oder mich umarmt und geküsst hätte, aber wir spielten Vlad einen Umgangston und eine Solidarität vor, die wir schon lange nicht mehr pflegten. Wir genossen es sehr. Wäre Vlads Frau mitgekommen, wären wir einfach nur zwei Paare gewesen, annähernd gleichaltrige Akademiker und Arbeitskollegen. Aber nun, da sie fehlte, hatten wir anscheinend die Rolle des illustren Mentorenpaares übernommen. Warum nicht, sagte ich mir immer wieder, was war daran verkehrt? John war dreiundsechzig und ich achtundfünfzig, und obwohl ich nicht *wirklich* alt genug war, um Vlads Mutter zu sein, war ich im Grunde alt genug, seine Mutter zu sein. Im Laufe des Abends flirtete er weiterhin mit uns beiden, er lachte laut und berührte mich immer wieder am Arm oder an der Schulter, so oft, dass er es irgendwann selbst bemerkte und sich dafür entschuldigte. Ich winkte ab und tat so, als hätte ich es nicht einmal bemerkt.

Ich lenkte das Gespräch auf intellektuelle und politische Fragen und erzwang damit eine Diskussion, wie ich sie mit meinen Studierenden geführt hätte. Wir sprachen über den Boom autofiktionaler Bücher und darüber, dass die meisten Studierenden im Fach Kreatives Schreiben gar keine Belletristik mehr schreiben wollten, sondern literarische Sachliteratur, vor allem in den Genres Autofiktion und Memoir. Ich erklärte, es liege daran, dass sie von sich selbst besessen seien und sich nicht mehr vorstellen könnten, außerhalb ihrer Sichtweise zu existieren. John sagte, es liege eher daran, dass sie zu große Angst hätten, Identitäten und Erfahrungen abzubilden, die nicht ihre eigenen seien. Vlad meinte, sie seien mit dem Internet aufgewachsen und gezwungen gewesen, sich als Avatar, Marke, Onlinepräsenz und Kunstfigur zu präsentieren, noch bevor sie überhaupt gewusst hätten, dass sie genau das täten. Wir sprachen über den zunehmenden Populismus im rechten wie im linken Spektrum. Wir sprachen darüber, wie anders das Collegeleben früher war – streng, aber freizügig, voller Drogen, Alkohol und Sex – und wie kastriert die Jugend von heute, die jeden Tag ihre Mutter anrief und die Freundschaft mehr schätzte als den Flirt, wobei wir die Antidiskriminierungsdiskussion weiträumig umschifften. Philomena trank so viel Limonade, dass sie sich auf Vlads Hemd erbrach. John lieh ihm ein Leinenhemd, die Sorte Hemd, in dem man im Sommer griechische Amphitheater besichtigt, ein Hemd, das an Vlads gebräuntem Körper herabhing und ihn aussehen ließ wie Jay Gatsby oder den Besitzer einer Jacht. Philomena war irgendwann auf dem Sofa eingeschlafen. Vlad nahm sie vorsichtig hoch und verabschiedete sich. Um ehrlich zu sein, sagte er, sei er einfach nur erleichtert, dass er sie heute nicht ins Bett bringen müsse. Er habe gehofft, sie würde auf dem Heimweg im Auto einschlafen, aber das sei noch besser.

Wir standen in der Haustür und sahen ihm nach. Als sein Auto aus der Einfahrt zurücksetzte, beugte John sich zu mir und raunte: »Bist du verliebt?« Ich verschwand fluchtartig im Haus. Er folgte mir in die Küche und half mir beim Aufräumen, aber als seine geschäftige Anwesenheit mir nach ein paar Minuten unerträglich wurde, schnauzte ich ihn an, er solle mich in Ruhe lassen.

»Was ist los mit dir?«, fragte er.

»Nichts«, sagte ich. Ich hatte an dem Nachmittag mehr Alkohol getrunken als üblich, und obwohl ich merkte, dass ich wütend auf ihn war, merkte ich auch, dass ich nicht in der Lage sein würde, die richtigen Worte zu finden und ihm zu erklären, warum. Er hakte unverdrossen nach und wurde immer aggressiver, bis ich ihm schließlich sagte, er solle sich verpissen, in meinen Augen sei er ein Sadist. Es war nicht das passende Wort, aber anders konnte ich nicht ausdrücken, dass er einen schönen, geradezu spirituellen Tag, die Sorte Tag, die man nie vergisst, grundlos und mit einer einzigen, grausamen, anzüglichen Bemerkung kaputt gemacht hatte. Daraufhin entleerte er, betrunkener als ich und außerdem impulsgetrieben und jähzornig, den vollen Recyclingsack, den er in der Hand hielt, auf den Küchenboden. Bierflaschen und Plastikbehälter kullerten über die Fliesen. Er sagte mir, ich sei eine unglückliche Frau, die einen Scheißdreck auf die schönen Dinge gebe, nicht aus eigener Überzeugung, sondern wegen des Urteils der anderen. Ich sagte ihm, das Urteil der anderen habe nichts damit zu tun, außerdem sei er hier derjenige, der auf die Dinge scheiße, er mache das, er allein, und dann dämpfte ich meine Stimme und sagte, so könne ich nicht weitermachen. Na prima, sagte er, während er flehende Gesten inszenierte, dann solle ich doch einfach die Scheidung einreichen, er bitte darum, und dann sammelte er theatralisch den Recyclingmüll auf und warf ihn zurück in den Beutel. Ich verfolgte das Schauspiel mit einem hässlichen Blick der Verachtung, dann lachte ich und sagte, keine Sorge, ich dächte längst darüber nach. Er hielt inne, schleuderte eine leere Blechdose rechts neben mir an die Wand und übergoss mich mit Schuldzuweisungen und Schimpfwörtern, so niederträchtig und abscheulich, dass ich sie an dieser Stelle nicht wiederholen kann. Ich kann nur sagen, dass ich mich danach fühlte, als hätte ich einen Sandsack im Bauch. Mein Kopf schmerzte vom Weinen, und meine Glieder waren so bleiern, dass ich nicht weiter aufräumen konnte. Ich schleppte mich mit letzter Kraft ins Bett und fiel in einen Schlaf, der sich so schwer anfühlte wie der Tod.

Am nächsten Morgen nahmen wir unser distanziertes Zusammenleben wieder auf, beide zerknirscht, aber immer noch verwundet von unserem alkoholisierten Streit. Ich schrieb Vladimir wegen seines Buches. Ich sagte ihm, dass ich es zutiefst bewunderte und dass ich ihn, sobald das Semester einmal »angelaufen« sei, gern zum Mittagessen einladen und darüber reden würde. Ich hatte sein Buch am Vortag nicht erwähnt, weil John es nicht gelesen hatte und ich weder Vladimir kränken noch John in Verlegenheit bringen wollte. Vladimir antwortete nicht, und je länger der Tag sich hinzog, desto unangenehmer wurde mir, was sich hier bei uns abgespielt hatte. In Gedanken ging ich den Tag immer wieder durch. War ich übereifrig, angespannt oder gar aufdringlich gewesen? War er verärgert wegen der

Limonade, hatte ich zu viel geredet? War ich ihm ins Wort gefallen? Ich war bekannt dafür, anderen ins Wort zu fallen, und hasste mich selbst dafür. Fand er, ich hätte weder seine Zeit noch seinen Respekt verdient? Aber nein, nein, ich durfte mich da nicht hineinsteigern, es war Sonntag, er hatte seine E-Mails nicht gelesen, niemand schrieb an einem Sonntag sofort zurück.

Gegen zwei Uhr nachmittags stellte ich das Handy auf stumm, warf es ins Handschuhfach und fuhr zu meiner Hütte am See, die eine Fahrstunde nordwestlich der Stadt lag und wo es keinen Empfang gab, es sei denn, man ging ins WLAN. Die letzten Feriengäste der Saison waren eine Woche zuvor abgereist, und ich musste die Gartenmöbel und die Kajaks unterstellen, bevor es zu kalt wurde. Ich hatte eine bescheidene Summe geerbt, als einer der kinderlosen Brüder meines Vaters gestorben war, und davon ein bescheidenes Grundstück mit direktem Zugang zu einem mittelgroßen See gekauft, auf dem keine Motorboote erlaubt waren. Ich ließ Bäume roden, neue Bäume pflanzen, den Boden ebnen, eine nicht winterfeste Blockhütte in Fertigbauweise und einen kleinen Steg errichten. Ich wollte einen Rückzugsort für mich allein, eine Schreibhütte für den Sommer, aber dann vermietete ich sie an Fremde. Anfangs, um Sidneys College zu finanzieren, dann ihr Jurastudium und jetzt, um ihr bei der Rückzahlung ihres Studienkredits zu helfen.

Ich bog in die Kiesauffahrt ein und wunderte mich darüber, dass der von mir beauftragte Reinigungsdienst offenbar noch nicht da gewesen war. Die Mülltonne war umgekippt, der Inhalt in der Einfahrt verteilt (normalerweise brachte der Reinigungsdienst ihn zur örtlichen Mülldeponie). Ich las zerdrückte Fast-Food-Verpackungen, Trinkbecher, zerknüllte Servietten und faulende Obstschalen vom Rasen auf. Drinnen war aufgeräumt, aber alle Oberflächen waren von einem klebrigen Film überzogen, und in den Räumen hing ein schimmeliger Geruch von feuchten Handtüchern und ungewaschenen Laken, die sich vor der Waschmaschine türmten. Auf dem Waschtisch entdeckte ich Zahnpastaflecken und die braunen Umrisse eines Make-up-Spenders. Zuletzt hatte ich an ein Ehepaar mit Kleinkind und Großmutter vermietet. Früher waren wir in derselben Konstellation verreist, mit Johns Mutter, bis Sidney acht Jahre alt wurde (alt genug, um in die Frick-Collection zu gehen) und so umgänglich, dass wir keinen Babysitter mehr brauchten. Das kleine Schlafzimmer, in dem vermutlich die Großmutter gewohnt hatte, roch nach Puder, das große, in dem wohl das Paar und die Tochter geschlafen hatten, roch nach Schweiß.

Bestimmt würde es noch viele Jahre dauern, bis meine Tochter ein Kind bekommen würde, falls überhaupt. Als sie noch sehr klein war und ich sie fragte, was sie später einmal werden wolle, sagte sie: »Eine Mom.« Wenn ich sie fragte, was sonst noch, sagte sie: »Babysitter.« Inzwischen arbeitete sie als Anwältin für eine gemeinnützige Organisation, die der Amerikanischen Bürgerrechtsunion glich, und bekreuzigte sich, sobald das Gespräch auf Kinder kam. Trotzdem dachte ich manchmal an das kleine Schlafzimmer und meine bevorstehende Abschiebung dorthin. Wenn ich mit John zusammenblieb, würden wir das große Schlafzimmer bekommen, aus Rücksicht auf unseren Status als

Mutter und Vater. Doch falls wir uns trennten, würde es für mich nur noch Liegen, Klappsofas und kleine Schlafzimmer geben. Mein Wert würde sich danach bemessen, wie hilfreich, nützlich und anspruchslos ich war. Ich würde geduldet werden, solange ich die Liegen, die Klappsofas und die kleinen Schlafzimmer zu schätzen wusste. Ich müsste mich für die Krumen aus Zeit, Aufmerksamkeit, Geld und Luxus, die mir zuteilwurden, dankbar zeigen. Ich würde dafür arbeiten müssen und frühmorgens das Baby betreuen oder spätabends, wenn alle anderen schliefen, den Abwasch machen. Ich konnte es mir nicht erlauben, wählerisch zu sein. Wählerische alte Frauen werden nicht in den Urlaub mitgenommen. Es sei denn, sie sind sehr reich, was ich nicht war.

Die Hütte bestand innen wie außen aus Holz, die äußeren Balken bildeten zugleich die Innenwände. Es gab einen großen Raum mit Küche in der einen Ecke und Esstisch in der anderen. Alles dazwischen diente als Wohnzimmer, von dem zwei Terrassentüren auf ein Holzdeck mit Blick auf den See hinausgingen. Durch einen schmalen Flur gelangte man zu den beiden Schlafzimmern, einem kleinen Bad, einer Nische mit Waschmaschine und Trockner und zwei Wandschränken. Ich schloss den einen Schrank auf, in dem ich die Reinigungsmittel aufbewahrte. Obwohl ich mich über den Müll auf dem Rasen geärgert hatte und genervt war, dass ich nun dem Reinigungsdienst hinterhertelefonieren und nachfragen musste, was los war, freute ich mich darauf, das Haus zu schrubben. Ich wollte mich abreagieren. Mit dem Mikrofaserstaubwedel fuhr ich über alle höher gelegenen Flächen, um den Staub herunterzuholen, dann putzte ich die Fenster, anschließend die restlichen Oberflächen und zuletzt die Böden. Von oben nach unten, so hatte meine Mutter es mir beigebracht, damit im letzten Arbeitsgang der gesammelte Schmutz verschwindet. Im Badezimmer polierte ich Waschtisch und Waschbecken, schrubbte die Dusche und die Toilette und ging dann auf die Knie, um den Boden zu wischen.

Ich nahm alle scharfen Saucen und die gesammelten Lieblingsdressings der Sommermieter aus den Seitenfächern des Kühlschranks und packte sie in eine große Kühlbox, die ich mit nach Hause nehmen würde. Ich wischte Reste von klebrigem Ahornsirup aus einer Schublade und fegte grüne Flocken, die nach verschüttetem gefrorenem Spinat aussahen, aus dem Gefrierschrank. In der hintersten Ecke lag ein einsames Eissandwich in der Geschmacksrichtung »S'more Flavour«. Ich biss hinein und spuckte es sofort wieder aus; es war zäh vom Gefrierbrand. Ich holte die fertigen Decken, Laken und Handtücher aus dem Trockner, faltete sie, stopfte sie in durchsichtige Plastiktüten und legte sie in einen großen Rubbermaid-Mülleimer, wo sie vor Schimmel, Mäusen und Motten geschützt waren.

Als ich gerade die Kajaks unter das Haus ziehen wollte, überkam mich ein Drang, den ich seit Jahren nicht mehr gespürt hatte, nicht in dieser Heftigkeit. Dieser Drang, eine Art Verlangen, fühlte sich fast wie ein Orgasmus an, als wäre man nur wenige Zentimeter von einem fremden Mund entfernt, den man gleich zum ersten Mal küssen würde. Es war der echte, wahrhaftige Drang zu schreiben; nicht dieses »Setz-dich-hin-und-zwing-dich-zum-Schreiben«-Gefühl, das eine Reihe von Tricks erfordert, um die Worte zum Fließen zu bringen, falls das überhaupt jemals gelingt, sondern das verzweifelte Verlangen, sich einen Stift zu schnappen und dabei zuzusehen, wie die Tinte über das Blatt fließt. Das starke Bedürfnis, etwas zu sagen.

Natürlich gab es in der Hütte wenig, worauf sich schreiben ließ. Weil ich keines der Bücher zerstören wollte, indem ich auf Rückseiten und Seitenränder kritzelte, durchstöberte ich alle Räume und erinnerte mich schließlich an eine Packung Post-its, die ich einmal in der Schublade mit dem Stabfeuerzeug für den Grill vergessen hatte. Ich fand einen einzigen Kuli und schabte die Spitze ein paar Sekunden lang über das Papier, bevor endlich wieder Tinte herauskam.

Ich schrieb bis zum Sonnenuntergang und füllte ein Post-it nach dem anderen, während eine fast sexuelle Energie in mir pochte. Ich hatte den Anfang einer Geschichte. Eine Geschichte über Unwahrscheinlichkeiten, über Zufälle, die auf Umstände treffen. Ein Märchen – oder wenigstens den Anfang davon –, in dem etwas, was man sich entgegen aller Wahrscheinlichkeiten erhofft hat, wahr wird. Die Stimme, in der ich schrieb, war neu und hemmungslos. Jahrelang hatte ich versucht, mein Schreiben abzukühlen, es zu drosseln und weiter zu drosseln, es zu neutralisieren, einzudämmen und jedes Wort zu schleifen, als wäre es ein Kristall – frisch, klar, scharfkantig. Dieses neue Schreiben war anders – es war wirr, unsortiert, leichtfüßig. Ich arbeitete mich nicht durch einen Gemütszustand, nicht durch meinen Dünkel. Ich erschuf keine Wörter, ich erschuf eine Welt.

Zu schreiben war so berauschend, dass ich zwischendurch sogar auf die Idee kam, eine Pause einzulegen und zu masturbieren, so übersättigt war ich von dem kreativen Saft, der, um eine abgedroschene Formulierung zu verwenden, durch meine Adern floss. Aber die schiere Mühelosigkeit, mit der ich schrieb, war zu kostbar. Ich konnte nicht aufhören. Ich wollte dieses energetische Kribbeln, das in mir pulsierte, irgendwie bewahren.

Oh, das alles geschah nur seinetwegen, er war der Grund, und ich wusste es. Er, sein Buch, sein Körper und die Art, wie er die Beine gespreizt und mich durch das schwarze Glas des Fensters angesehen hatte. Er, seine tragische Frau und seine traurige und dennoch triumphale Geschichte. Ich schrieb für ihn. Für ihn, der sich kein bisschen für mich interessierte; ich schrieb, um mich ihm zu erklären. Wenn ich ihn schon nicht haben konnte – vielleicht wollte ich ihn auch gar nicht –, wollte ich wenigstens, dass er mich sah. Wer ich war und was ich fühlte.

Ich schrieb, bis die Sonne untergegangen und alle Post-its aufgebraucht waren, und selbst dann musste ich mich losreißen. Ich musste Unterricht vorbereiten und vor der Besprechung am Montagmorgen die Formulierungen der Abteilungsziele durchgehen. Auf der Rückfahrt ließ ich das Radio ausgeschaltet und dachte über die nächsten fünf Schritte im Plot meiner Geschichte nach. Als ich nach Hause kam, saß John draußen. Ich setzte mich zu ihm und legte ihm eine Hand aufs Knie. Er rutschte an mich heran, ich legte den Kopf an seine Schulter. In der Nacht vögelten wir, zum ersten Mal seit einem Jahr und mit verzweifelter, apokalyptischer Heftigkeit. Mitten in der Nacht wachte ich auf und fand mich im, wie wir es nannten, Elternbett wieder. Ich zog ins Gästezimmer um. Ich fühlte mich so erschöpft und konfus, als hätte in der Nacht zuvor eine Schar von Geistern meinen Körper durchwandert.

4

Vladimir antwortete um fünf Uhr am nächsten Morgen. Wahrscheinlich stand er extra früh auf, um sich ungestört vorbereiten, schreiben und Mails beantworten zu können. Er sagte, er fühle sich geehrt, weil ich sein Buch so schnell gelesen hätte, und würde sehr gerne mit mir zu Mittag essen. Er nannte mir sogar ein Datum, den zwanzigsten Oktober. Bis dahin war es noch über einen Monat hin. Der Zwanzigste war der letzte Unterrichtstag vor der Studienwoche, einer viertägigen Pause mitten im Semester, in der keine Vorlesungen stattfanden und die Studierenden Zeit hatten, sich auf die Zwischenprüfungen vorzubereiten.

Er sagte, er bedaure sehr, mir keinen früheren Termin vorschlagen zu können, aber er und Cynthia seien immer noch dabei, sich einzuleben, an der Uni zurechtzufinden und die Kinderbetreuung zu organisieren; er wolle mir unbedingt ein Datum nennen, das er tatsächlich einhalten könne. Ich war dankbar für die Verzögerung. Nach Vladimirs Buch, seinem Besuch am Samstag, der Schreiborgie am Sonntag und dem ungeplanten und seltsamen Sex mit John hatte ich das Gefühl, nicht eine Woche hinter mir zu haben, sondern drei. Ich hatte mich selbst verloren und brauchte Zeit, mich wieder zu sammeln – als Dozentin, Kollegin, Schriftstellerin und Person, die mit beiden Beinen auf dem Boden stand. Weil ich in der Arbeit immer Trost gefunden hatte, nahm ich mir vor, mich bei unseren Fachbereichsinitiativen und Campusaktivitäten mehr einzubringen als in den vergangenen Wochen.

Ich war gerade in meinem Arbeitszimmer und suchte nach den Unterlagen zu meinem Seminar »Die Gothic Novel: von *Sturmhöhe* bis *Menschenkind*«, als John hereinkam, die Arme um meine Taille schlang und sein Gesicht an meinen Hals drückte. Ich machte mich steif und wich zurück.

»Wo stehen wir?«, fragte er. Sein Gesicht war eingefallen und gleichzeitig aufgedunsen, er hatte Hängebacken und ein Doppelkinn, das aus meiner Perspektive deutlich zu erkennen war. Im Tageslicht, das zum Fenster hereinkam, wirkten seine Zähne gelb und belegt.

Ich sagte ihm, das wisse ich nicht. »Sind wir Freunde?«, fragte er. Den Satz hatten wir aus einem Roman, den wir einmal zusammen gelesen hatten. »Sind wir Freunde?«, »Bist du mein Freund?« Vielleicht war es ein Kinderbuch. Wir sagten das auch zu Sidney: »Sind wir Freunde?«

»Keine Ahnung«, sagte ich. Ich spürte einen starken Impuls, all meinen Widerstand über Bord zu werfen, nicht, weil ich ihn begehrte, sondern, weil ich die kleinen, weichen Stellen in seinem Herzen kannte. Er war in Iowa aufgewachsen. Seine Mutter hatte ihn abgöttisch geliebt, sein Vater hatte ihn wegen seiner guten Noten und seiner Liebe zu Büchern als Weichei abgetan. In der Highschool war er von der geballten Maskulinität des Mittleren Westens herumgeschubst worden, von jungen Männern, die sich prügelten, auf die Jagd gingen und grölend ihre Ignoranz zur Schau stellten. Er hatte weder Football gespielt noch irgendeinen anderen Sport gemacht und war für die lebhaften, quirligen Frauen, in deren Nähe seine Sexualität sich entwickelt hatte, praktisch unsichtbar gewesen. Auf dem College dauerte es drei Jahre, bis er mutig genug war, überhaupt einmal ein Mädchen anzusprechen.

Und während dieser ganzen Zeit, in der er niemanden geküsst hatte, hatte er beobachtet. Er hatte beobachtet, wie unwiderstehlich die Kombination aus unverblümter Männlichkeit, Körperkraft und intellektueller Stärke auf jene Frauen wirkte, die er attraktiv fand. Dies war eine neue Art von Männlichkeit, anders als die, die er aus dem Mittleren Westen kannte. Diese Männer waren keine Football spielenden Idioten, die in Ermangelung einer echten Ausdrucksmöglichkeit losrannten und aufeinander einschlugen, sondern Lacrosse-Stars mit Rhodes-Stipendium, Rugbyspieler von der Juristischen Fakultät und Dichter, die sich mehrmals pro Woche zum Basketball trafen. Eigentlich war er nur ungern in Gesellschaft von Männern, selbst für Freundschaften zog er Frauen vor, aber nun machte er sich notgedrungen über Football, Basketball und Baseball schlau, damit er sich mit Männern anfreunden und austauschen konnte. Er beobachtete, dass Männer, die sich mit Männern umgaben, für Frauen attraktiver waren, vielleicht, weil diese ihnen ein geheimes Leben unterstellten. Oder das Ganze war noch tiefer gehend und hatte etwas mit dem Wunsch der Primaten nach Sicherheit zu tun. In seinem Zimmer machte er Hunderte von Klimmzügen, Liegestütz, Sit-ups und Kniebeugen, bis sein schlaffer, teigiger Körper eine schlanke Festigkeit angenommen hatte (er hatte nie Vladimirs Figur, aber er war groß und gepflegt, und als ich ihn kennenlernte, war sein Oberkörper einigermaßen muskulös). Und währenddessen lernte er – er überholte seine Kommilitonen und trieb sich unermüdlich weiter an, als könnte ihm nur der große Vorsprung vor den anderen eine Atempause verschaffen. Im letzten Studienjahr ging er an die Universität von Barcelona und verliebte sich in das träge goldene Licht, den Hang zum Philosophieren und die literarische Vergangenheit des Landes, von Cervantes über Lorca bis Marías.

Und auch in eine seiner Tutorinnen, eine kleine, langhaarige Spanierin, die mit Zigarettenspitze rauchte. Sie war Ende dreißig und er Anfang zwanzig. Sie hatte einen Sohn, der ebenfalls studierte. Ermutigt durch Spanien, seinen Ausländerstatus, die maurische Architektur und die Musik, die bis um drei Uhr morgens über die Plätze hallte, begann er, sie nach dem Unterricht abzupassen. Einmal gingen sie einen Kaffee trinken, und am darauffolgenden Tag lud sie ihn nach der Vorlesung, an die sich eine längere Siesta anschloss, in ihre Wohnung ein. Sie zeigte ihm, wie er mit ihren steifen Brustwarzen umgehen sollte und wie er den Orgasmus hinauszögern konnte, wenn er sich in ihr bewegte. Ihre Treffen wurden zu einem Ritual, das sie mit religiöser Regelmäßigkeit praktizierten, einmal in der Woche, nach dem Unterricht. Als er sich am Ende des Jahres von ihr verabschiedete, küsste sie ihn, kniff ihm in die Wangen wie einem kleinen Jungen und bedankte sich. Auf dem Rückflug brachte ihn der Gedanke, sie niemals wiederzusehen, immer wieder aufs Neue zum Weinen.

Die Affäre läutete das letzte Stadium seiner Entwicklung ein. Nach seiner Rückkehr vögelte er sich einmal quer durch den Fachbereich Vergleichende Literaturwissenschaft, und das mit einer Hingabe und Begeisterung, die man im modernen Sprachgebrauch als Sexsucht bezeichnen könnte (und dies wohl auch war). Er bestritt seinen Lebensunterhalt mit verschiedenen Gelegenheitsjobs und versuchte sich mehrere Jahre lang an Kurzgeschichten und Gedichten. Als ich ihn kennenlernte, erzählte er mir, wie er manchmal jahrelang irgendeiner Frau hinterhergelaufen, völlig von ihr angetan und besessen gewesen sei, bis er plötzlich genug von ihr gehabt und eine andere seine Aufmerksamkeit erregt habe. Dann eines Nachts hatte er einen Traum gehabt, in dem alle Frauen, auf die er sich je eingelassen hatte, auf einer großen Opernbühne standen. Sie baten ihn herauf, wurden zum Publikum und bewarfen ihn mit Rosen, die sich plötzlich in Blut verwandelten, und als er an sich hinuntersah, steckte er hüfttief in Scheiße.

Wie es im Buche steht, sagte ich damals zu ihm. Nach dem Traum gab er die Schriftstellerei auf, bewarb sich für einen Masterstudiengang in Vergleichender Literaturwissenschaft und schrieb anschließend eine Doktorarbeit über Cervantes. Als ich ihn kennenlernte, hatte er gerade seine Dissertation abgeschlossen, unterrichtete eine Einführung in die Essayistik, betreute als Tutor ein paar Graduiertenseminare und bewarb sich überall im Land auf Professuren. Ich schrieb an meiner Doktorarbeit in englischer und amerikanischer Literatur. Mein Schwerpunkt lag auf Frauenliteratur (längst nicht so *basic*, wie es heute für euch klingt, sage ich zu meinen Studierenden).

Die Wahrheit ist, dass wir uns ineinander verliebten. Unsere Herzen schlugen höher, sobald wir einander sahen. Die Aufrichtigkeit unserer frühen Liebe ist etwas, worauf ich immer wieder zurückkomme, um mich zu beruhigen. Wir haben stundenlang geredet, wir haben einander beim Durchqueren des Campus beobachtet und sind beim Anblick des jeweils anderen in Ekstase geraten. Wir waren überzeugt, es gäbe keinen besseren Menschen auf der ganzen Welt. Wir gönnten uns Entspannung, aber wir forderten einander auch heraus. Wir unterstützten einander und kamen gut miteinander aus. Als er mich kennenlernte, hatte ich mein Idealgewicht, ich besaß Kleidung, die mir ausgezeichnet stand, und trug das lange Haar zu einem seidigen, hohen Pferdeschwanz gebunden.

In den Fängen von Liebe, Alkohol und anderen Exzessen sowie dem Zeitdruck, den durchgearbeiteten Nächten und dem Stress der Dissertation (ich wollte so schnell wie möglich fertig werden, damit John und ich uns gemeinsam auf Stellen bewerben konnten), nahm ich im Laufe von zwei Jahren massiv zu und rauchte wie ein Schlot, und als wir schließlich heirateten, sah ich mit meinem konturlosen Gesicht, der unvorteilhaften Frisur und der fahlen, mit Ekzemen übersäten Haut aus wie eine kleine, dicke Kröte. John schien meinen Verfall kommentarlos hinzunehmen, aber in mir setzte sich ein brodelnder Selbsthass fest.

Meine Eitelkeit ist schon immer das Armseligste an mir gewesen. Ich verabscheue sie, dennoch setzt sie mir ebenso zu wie mein Bedürfnis nach Schlaf, Nahrung oder Atemluft. Ich bin in der Lage, lange Texte schnell zu lesen und scharfsinnig zu analysieren, präzise Exegese zu betreiben,

Artikel und Bücher über literarische Formen zu veröffentlichen, zwei Romane zu schreiben, ein Kind großzuziehen, meinen Studierenden eine Mentorin und Freundin zu sein und dabei ständig im Gefängnis meiner Eitelkeit festzusitzen. Wenn ich schon keine Frau sein kann, die mühelos schön ist, wäre ich doch zu gern eine jener Frauen, die – egal, ob anmutig oder plump – ungezwungen durchs Leben gehen und mit ihrer äußeren Erscheinung ihren Frieden gemacht haben. Dieser Frieden war mir nie vergönnt, immer schon habe ich mich mit meinem Aussehen herumgequält. Ich glaube, meine Mutter hat mich oft für meine Schönheit gelobt (obwohl ich, wenn ich mir heute alte Fotos ansehe, einsehen muss, dass ich bestenfalls süß, aber niemals schön war). Als ich ein gewisses Alter erreicht hatte, war sie besorgt wegen meines Appetits und versuchte, mich zu kontrollieren, was damit endete, dass ich Lebensmittel in meinem Schrank hortete und, wenn sie einmal nicht da war, alles aß, was ich in die Finger bekam. Sie beharrte auf meiner Schönheit, selbst als ich sie enttäuschte, weil ich, statt in die Höhe zu schießen und zu erblühen, klein blieb, mit fettigem Haar und aufgedunsenem Gesicht. Als ich jung war, habe ich viel und wahllos gelesen, ich habe unzählige Frauenzeitschriften verschlungen und »Tipps« aufgeschnappt, die mich bis heute verfolgen. Bis zu diesem Tag spanne ich an jeder roten Ampel den Po an, wippe auf dem Vorderfuß, wenn ich im Supermarkt anstehe, nehme die obere Brotscheibe von meinem Sandwich und zerreiße Fotos, die mich in einem ungünstigen Licht zeigen. Mein tägliches Glücksgefühl hängt von einer Zahl auf der Waage ab, so schwachsinnig ich das auch finde.

So viel dazu, dass ich John nach unserer Heirat, als die Fotos entwickelt waren und ich mich gezwungenermaßen mit meinem konturlosen, von Fleisch und Schwabbel verdeckten Gesicht und meinem gedrungenen Körper auseinandersetzen musste, vorschlug, sich andere Frauen zu suchen. Zuerst tat ich es so, wie ein Teenager sich mit einem Feuerzeug über die Achselhaare fährt: um zu erfahren, wie es sich anfühlte. Es kam mir vor, als hätte ich einen gut aussehenden, aufstrebenden Akademikerstar hinters Licht geführt und an mich gefesselt – an eine Frau, zu der sich niemand ernstlich hingezogen fühlen konnte. Als ich ihm vorschlug, sich gewisse Freiheiten zu nehmen, brauchte ich ihn nicht lange zu überreden – er war immer schon ein Schuft, und ich mochte Schufte wie ihn. Und nachdem wir umgezogen waren und ich mich am College eingelebt hatte; als ich lernte, meine Fressattacken zu kontrollieren, den Höhepunkt meiner Attraktivität erreichte und rank und schlank und diszipliniert war, ließ ich ihm weiterhin seine Freiheit, um mich ebenfalls sexuell auszuleben und die Naturburschen der Umgebung auszutesten (ich war schon immer der Meinung, dass die schönsten Männer auf dem Land leben und die schönsten Frauen in der Stadt, was hier wie dort ungleiche Paare ergibt). Und nach dieser glücklichen Zeit, nachdem David mir das Herz gebrochen und ich mich für die Enthaltsamkeit entschieden hatte, ignorierte ich Johns Verhalten, weil es mir Raum zum Atmen gab.

Denn John ist immer schon ein bedürftiger Mann gewesen, der meine Zuneigung und Anerkennung ebenso brauchte wie die Bewunderung der Frauen, mit denen er schlief. Wenn er zu Hause war, folgte er mir durch alle

Zimmer und schob mir seine Hände in den Hosenbund oder unter den Rock. Ständig wollte er hören, ob ich ihn liebte, ob ich mich über ihn ärgerte, ob ich mit ihm zufrieden war. Er löcherte Sidney mit Fragen: ob er ein guter Vater sei, ob er sich bei den Eltern ihrer Freundinnen gut benommen habe, ob sie Spaß gehabt habe, ob ihr die Süßigkeiten schmeckten, ob er sie glücklich mache und zum Lachen bringe. Nach einer Fakultätssitzung, in der man ihn lobte, hielt er eine Vorlesung, in der man ihn bewunderte, und von dort ging es in die Arme einer Doktorandin, für die seine Aufmerksamkeit der reinste Nervenkitzel war, und weiter an den Abendbrottisch zu seiner Frau und seiner Tochter, die ihn liebten und ihm sagten, dass er gut aussah, gut roch und ein lustiger Vater war, aber selbst nach so einem Tag konnte er immer noch unzufrieden sein, weil irgendeine seiner Facetten unbeachtet geblieben war. Aber vielleicht war das in den Jahren, in denen ich darum kämpfen musste, in meinen mit Schule, Schreiben, Essen, Lehre, Freunden und sozialen Verpflichtungen vollgepackten Tagen kleine Inseln der Einsamkeit zu finden, auch nur der Eindruck, den ich von ihm hatte.

Indem ich letzte Nacht mit ihm geschlafen hatte, hatte ich ihm ein wenig von der Anerkennung verschafft, die er so schmerzlich vermisste, seit er nicht mehr unterrichten durfte, von den meisten Kollegen höflich ignoriert wurde und, soweit ich wusste, nicht mehr mit jungen Frauen schlief, die mit feuchten Wimpern träge in die Nachmittagssonne blinzelten. (Nachdem das College Beziehungen zwischen Studierenden und Lehrenden verboten hatte, umwarb er Frauen aus dem Ort und solche, die vor Kurzem ihren

Abschluss gemacht hatten, aber die Anschuldigungen dämpften seinen Jagdinstinkt.) Auf zarten Welpenpfoten tapste er auf mich zu, und wenn ich ihn in die Arme nahm und ihm versicherte, dass er zu mir gehörte und ich sein Welpengesicht liebte, egal, welche Sorte Hund er war, ob brav oder ungezogen, wurde ich mit seiner geradezu unschuldigen, wirklich süßen Dankbarkeit belohnt.

Aber jetzt konnte ich meine Notizen zu *Rebecca* nicht finden; das Seminar begann in einer halben Stunde, und ich musste in mein Büro, wo ich sie wahrscheinlich vergessen hatte, und dann auf die andere, zehn Minuten Fußweg entfernte Seite des Campus, wo der Unterricht stattfand. Ich wollte an meinem Roman weiterschreiben, die nächste Szene ausarbeiten. Ich hoffte auf eine Gelegenheit, Sport zu treiben oder einen Friseurtermin zu vereinbaren, ein erster Schritt in meinen Vorbereitungen auf das geplante Mittagessen mit Vladimir. Ich musste mir überlegen, wie ich die Liebe meiner Tochter zurückgewinnen konnte.

»Ich bin momentan nicht an einer Freundschaft interessiert«, sagte ich. »Ich kann jetzt nicht darüber nachdenken, ich habe zu viel um die Ohren.«

Aber die letzten Ausläufer unseres Streits hatten sich noch nicht verzogen, und ich konnte sehen, wie sich Boshaftigkeit in Johns Ausdruck schlich. »Ich soll also kommen, wenn du rufst? Und verschwinden, wenn du mich gerade nicht brauchst?«

»Nein«, sagte ich. »Du bist zu nichts gezwungen. Du hast immer getan, was du wolltest. Du wirst mich jetzt nicht in einen Streit verwickeln, auf keinen Fall. Das lasse ich nicht zu. Ich muss gleich unterrichten.«

»Ich glaube, du hast einfach bloß keine Lust mehr auf mich«, sagte er, »vermutlich ist dir das alles egal.«

»Hör auf, mich zu verfolgen, John«, sagte ich. »Ich weiß, wie rastlos du bist, aber ich bitte dich, hör auf, mir nachzustellen. Ich brauche etwas Zeit.«

Er schluckte ein paarmal schnell und unkontrolliert, dann trat er zur Seite. Als ich hinausging, rief er mir nach, ich hätte es im Übrigen versäumt, die borstigen Härchen auszuzupfen, die seit einigen Jahren dauernd aus meinem Kinn sprössen.

5

»Ein wunderschönes Büro!«

Cynthia Tong wartete vor meiner Tür, als ich vom Unterricht zurückkam – eine zerfahrene Vorlesung, in der ich das Gefühl gehabt hatte, meinen Studierenden und ihren dürftig angelesenen Meinungen gegenüber zu nachsichtig und gleichzeitig zu streitlustig gewesen zu sein. Ihre Kritik beschränkte sich auf die Figurendarstellung; die formale Gestaltung eines Textes entging ihnen völlig. Natürlich basiert *Rebecca* in vielerlei Hinsicht auf Frauenfeindlichkeit, auf der Dämonisierung der Frau, der Dämonisierung des anderen. Aber das interessierte mich nicht; ich wollte ihnen zeigen, wie Spannung erzeugt wird, wie die Symbolik des Romans gestaltet ist und wie Wiederholungen den Geist Rebeccas heraufbeschwören. Immer wieder erklärte ich ihnen, dass sie ihren Blick für die Form schärfen müssten. O ja, sie machten mich verrückt, weil sie völlig besessen waren von der Frage, ob es sich bei den Figuren um gute Menschen handelt oder nicht; weil für sie jedes Stück Literatur ein utopischer Wälzer über Fairness sein soll.

Ich schob mich unbeholfen an ihr vorbei, damit es so aussah, als hieße ich sie willkommen und nicht sie mich.

Ich machte eine Geste in Richtung des Sofas, aber sie blieb im Zimmer stehen und sah sich anerkennend um, wie um mich wissen zu lassen, dass ich es viel besser hatte als sie.

»Sitzen Sie in dem fensterlosen Raum? Ich war anfangs auch dort untergebracht. Nehmen Sie doch Platz«, sagte ich, aber sie blieb stehen und sah aus dem Fenster, nicht direkt trotzig, sondern eher so, als hätte sie mich nicht gehört. Das Licht warf eine senkrechte Linie auf ihr Gesicht. Sie war in der Tat außerordentlich hübsch mit ihrem dicken, lockigen schwarzen Haar, den ausgeprägten Wangenknochen und dem kastenförmig geschnittenen Kleid, das bescheiden, schick und sexy zugleich wirkte. Sie hatte die Beine einer Tänzerin oder Läuferin – Muskeln an den oberen Schienbeinen und Ausbuchtungen, die sich in einer klaren Linie über kräftige Knie und bis zu den Oberschenkeln hinaufzogen und die vorderen Muskeln von den hinteren trennten. Ich achtete immer auf diese Linien, weil mir ein Junge in der Highschool einmal erzählt hatte, wie verführerisch er sie finde. Ich hatte keine solchen Linien, und während ich ihm zuhörte, wurde ich mir einer neuen Wahrheit bewusst: Die Erregung konnte sich an allen Arten und Typen von Körpern entzünden, an sämtlichen Aspekten einer Gestalt. Frauenkörper wurden auf unterschiedliche, mir bis dahin unvorstellbare Weisen wahrgenommen, untersucht und für attraktiv befunden. Kinn, Hände, Hals, Bauch, Arsch, Beine, Füße – alles konnte betrachtet und anschließend fetischisiert oder abgelehnt werden.

»Ich habe kein Büro«, sagte sie, nachdem sie einen langen Blick auf die sanften Hügel des Campus geworfen hatte. Dann kam sie herüber und setzte sich mir gegenüber aufs

Sofa. »Heutzutage bekommen Gastdozentinnen so etwas nicht mehr zugewiesen.«

Ich sagte ihr, ich würde mich darum kümmern, sie brauche mindestens einen Platz in einem Gemeinschaftsbüro. Sie sollte von Anfang an wissen, dass ich auf ihrer Seite war. Ich machte ihr Komplimente für das Kleid und fragte, woher sie es habe, und ich sagte, dass ich so ein Kleid niemals tragen könnte. Ich fügte an, wir hätten sie am Samstag sehr vermisst, ich hätte mich so darauf gefreut, sie kennenzulernen; ich hätte einen Auszug aus ihrem Memoir im *Prairie Schooner* gelesen (hatte ich noch nicht) und sei tief beeindruckt.

»Ich wollte mit Ihnen über Samstag sprechen«, sagte sie, und bei diesen Worten schien eine Welle der Anspannung durch ihren Körper zu gehen. Ihr Blick war der einer Schwimmerin vor dem Sprung ins kalte Wasser; ich sah darin das geistige Draufgängertum, das es braucht, um sich selbst zu überlisten und zu springen, bevor man innehalten und es sich anders überlegen kann.

»Mit Migräne kenne ich mich aus«, sagte ich, »ich hatte das bis Mitte vierzig auch. Die ganze Welt war unerträglich.« Das stimmte nicht. Ich hatte schlimme Kopfschmerzen erlebt, aber nie eine echte Migräne, nie jene Lichtbrechung, wie die Leute sie beschreiben, die blinden Flecken und die Auren, aber ich wollte auf unseren Gemeinsamkeiten bestehen.

»Ich hatte keine Migräne«, sagte sie. »Die Wahrheit ist, dass Vladimir und ich uns furchtbar gestritten haben und ich mich danach nicht beruhigen konnte. Er musste mir meine Medizin geben und mich ins Bett bringen.«

»Das tut mir leid«, sagte ich. »Mit Streitereien kenne ich mich auch aus.«

»Ich habe manchmal Migräne«, sagte sie. »Glaube ich. Vielleicht sind es auch nur schreckliche Kopfschmerzen. Jedenfalls wollte ich Ihnen das sagen.«

»Worum ging es bei dem Streit, wenn ich fragen darf? Sie müssen es mir nicht sagen, wenn Sie nicht wollen.« Eine Fantasie blitzte in meinem Kopf auf, so schnell und unaufhaltsam wie die schrecklichen Bilder, die mich als junge Frau verfolgt hatten: dass mir Scheiße ins Gesicht geschmiert wird oder mir ein Vergewaltiger meine benutzte Binde in den Mund stopft, um mich zu knebeln. Gleich würde sie sagen, dass es bei dem Streit um mich gegangen sei, darum, dass Vladimir mich begehrte. Idiotisch. Ich verdrängte den Gedanken so schnell, wie ich damals die Bilder verdrängt hatte.

»Ich erzähle es Ihnen gern«, sagte sie. »Deshalb bin ich hier. Um es Ihnen zu sagen. Wissen Sie, dass ich Ihre beiden Romane gelesen habe? Sie haben mir sehr gefallen. Ich wollte Ihnen eigentlich nicht sagen, dass ich sie gelesen habe. Aber ich möchte Sie kennenlernen, und Sie sollen mich kennenlernen. Finden Sie das seltsam? Aber wir arbeiten zusammen, meine Tochter ist in Ihrem Pool geschwommen, und ich war nicht dabei, was sehr unhöflich von mir war, und da wollte ich Ihnen den Grund mitteilen. Hören Sie, ich will ganz offen sein.« Sie hielt inne und beugte sich verschwörerisch vor. »Ich bin eine ganz schöne Versagerin.«

»Ich auch«, sagte ich. Als ich Cynthia still in der Klausurtagung der Fakultät sitzen sah, hätte ich so etwas nicht von ihr erwartet. Ich war voreingenommen – nicht, weil sie

Chinesin war, obwohl, wer konnte schon wissen, welche unbewussten Vorurteile in meinem Kopf herumschwirrten. Ich war voreingenommen, weil sie eine Frau war. Eine Trittbrettfahrerin. Natürlich war auch ich eine Ehefrau, aber mein Mann und ich waren zur selben Zeit eingestellt worden. Bis er den Lehrstuhl übernahm, hatten wir dasselbe verdient. Mit dem Vorschuss für meinen ersten Roman hatten wir die Anzahlung auf unser Haus geleistet. Diese Frau hingegen war mit ihrem Mann hergezogen und unterrichtete einen einzigen Kurs; sie war abhängig, eine Schmarotzerin.

Aber ihr Auftritt entwaffnete mich. Nicht, weil sie meine Romane mochte, sondern weil sie eine intensive Verzweiflung ausstrahlte, als wäre nach allem, was sie durchgemacht hatte, die Wahrheit – und die Suche nach Wahrheit – alles, was ihr noch geblieben war.

Sie erzählte mir, was ich schon vermutet hatte: Als Vladimir ihr vorschlug, mir eine Textnachricht zu schreiben und das Essen mit mir abzusprechen, hatte sie sich aufgeregt und ihm gesagt, auf keinen Fall werde es in der ersten SMS, die sie mir schicke, um Essen gehen. Sie bat ihn, sich nach Handtüchern zu erkundigen, weil sie nur fleckige weiße Badetücher besaßen und sie hätte losgehen und neue besorgen müssen. Sie erzählte mir, sie sei extra in ein Spa gegangen, um sich Beine und Achseln enthaaren zu lassen, sie habe sogar neue Badeanzüge für sich und Phee gekauft. An dem Morgen war sie aus lauter Nervosität schnippisch und reizbar. Als Vlad nach einer bissigen Bemerkung zu viel zurückschnappte, brach sie in Tränen aus und sagte ihm, sie wolle uns – mir, der Schriftstellerin, und meinem Mann, dessen Geist sie bewundere – doch nur zeigen, dass sie eine ganz normale Familie seien. (In einem kleinen Exkurs schilderte sie mir, dass sie während ihres Studiums und ihrer Zeit als Doktorandin selbst mit einigen Professoren geschlafen hatte, und obwohl sie diese Männer beim Anblick der schlaffen, pergamentenen Haut, die ihre Penisse überzog, und ihrer zerknitterten Augen im Morgenlicht insgesamt eher traurig fand, hatte sie sich frei gefühlt und war sich des Machtgefälles durchaus bewusst gewesen; sie war enttäuscht von den jungen Frauen, deren erster Gedanke nach einer einvernehmlichen Affäre der eigenen Traumatisierung galt – »mit Traumatisierung«, sagte sie, »kenne ich mich aus.«)

»Vlad hat meine Launen satt, er hat die Nase voll von meinem ›seelischen Befinden‹«, fuhr sie fort. »Ich mache ihm keinen Vorwurf deswegen«, sagte sie. »Ich habe sie auch satt. Ich habe sie so verdammt satt.« Ihre Stimme wurde von einem Gefühlsausbruch angehoben, sie schluckte ihn sofort hinunter. »Und dann hat er gesagt, Sie wüssten längst, dass wir keine normale Familie seien, jeder wisse das, und dann hat er mir gesagt … Ich wusste nichts davon … Ich habe es erst am Samstag erfahren … Ich saß in Fakultätssitzungen und bei diesen verdammten Abendessen und hatte keine Ahnung. Er hat mir gesagt, dass er dem Einstellungskomitee von meinem Selbstmordversuch erzählt hat.« Sie unterbrach sich. »Waren Sie auch dabei?«

»Nein«, sagte ich, »aber …« Ich ließ den Kopf hängen.

»Sie haben davon gehört.«

»Ich habe davon gehört.«

Sie wandte sich ab und schaute erneut aus dem Fenster.

»Er hat gesagt, wahrscheinlich habe er den Job nur deshalb bekommen, denn als sie ihn fragten, warum er den ganzen Weg hier raufziehen habe ihn das irgendwie getriggert, er habe angefangen zu weinen, und alles sei aus ihm herausgebrochen. Er habe ihnen erzählt, wie ich versucht hätte, mich umzubringen, als unser Kind noch kein Jahr alt gewesen sei, und dass es seitdem seine Verantwortung sei, mich am Leben zu erhalten, und dass sie mich ebenfalls einstellen könnten, weil ich brillant sei. Dass wir immer noch in derselben Wohnung lebten, wo er mich im Schlafzimmer gefunden habe, mit Schaum vor dem Mund und in meiner eigenen Scheiße, und daneben einen Zettel mit der Bitte, meiner Tochter den Anblick zu ersparen.«

Ich hatte wohl ein leises Geräusch gemacht, denn sie sah zu mir herüber, als wollte sie mich zu einem Kommentar herausfordern. Ich hielt ihrem Blick stand und nickte schwach, und sie drehte sich wieder zum Fenster.

»Ich war sehr überrascht, dass sie mich für den Memoir-Schreibkurs einstellen wollten. Es ist doch nicht üblich, dass eine Hochschule einem einfach so eine Stelle anbietet. Ich hätte es mir eigentlich denken können. Er hat gesagt, dass er sich danach sehr geschämt habe, es sei unprofessionell gewesen, aber keine Woche später kam das Angebot, nach so vielen Absagen.« Sie hielt inne und schüttelte den Kopf. »Ich meine, in diesem Komitee sitzen doch auch Studierende, oder?«

»Sie nehmen an den Vorstellungsgesprächen teil, ja.«

Sie schürzte die Lippen und schloss die Augen. Sie tat mir wirklich leid. Als ich Vladimir noch nicht kannte und hörte, er habe in seinem Bewerbungsgespräch den Selbstmordversuch seiner Frau thematisiert, hatte ich einen Anflug von Ekel verspürt, ähnlich, wie wenn große Schriftsteller oder überhaupt Menschen, die sich umgebracht haben, eher wegen ihres Selbstmords als wegen ihres Werks in Erinnerung bleiben. Sie hatte mir leidgetan, weil man ihr, noch bevor sie an unser College und in unseren kleinen, klatschsüchtigen Fachbereich gekommen war, den Stempel »beschädigt« aufgedrückt hatte.

Nachdem er ihr das alles erzählt hatte, am Morgen bevor sie zum Schwimmen zu uns kommen sollten, hatte sie sich in das zurückgezogen, was sie »das Heulen« nannte, ein Gefühl, als würde sie von einer Welle erfasst. Jeder Laut war ein Tosen, jedes Bild erstarrt, jeder Teil ihres Körpers wilder Schmerz, ein allumfassendes Leid. Sie sei so krank, dass er tatsächlich eine Spritze für sie bereithalte, erzählte sie lachend. »So krank bin ich, er hat eine Spritze wie diese beschissene Schwester Ratched«, sagte sie. »Wie in *Ratched,* wie in *Durchgeknallt,* wie in der verdammten *Glasglocke* und in den Psychiatriefilmen, die in den Siebzigern und Achtzigern jede Woche im Fernsehen liefen. Wie in *Frances*«, sagte sie. »Wie in diesem verdammten *Frances,* haben Sie *Frances* gesehen?« Ich verneinte, und sie sagte: »Ach, ist auch egal, wie alle Verrückten hege ich eine morbide Faszination für verrückte Leute.« Sie hob die Hand, als wollte sie Protest abwehren. »Ich selbst darf mich als ›verrückt‹ bezeichnen. Jedenfalls habe ich achtzehn Stunden am Stück geschlafen. Tut mir sehr leid, dass ich nicht gekommen bin.«

Als sie fertig war, holte sie tief Luft und lachte für eine ganze Weile, nicht wie eine Gestörte, sondern zutiefst ironisch, wie jemand, der ein Leben ohne Schmerz nicht kennt. Sie war so oft und so lange in ihr Leid gefallen und wieder herausgeklettert, dass sie sich nicht mehr dafür wertschätzen oder bemitleiden konnte. Ich hatte keinen Schimmer, wie schlimm sie gelitten hatte, sie war so viel weiter gegangen, als ich je gehen würde, dennoch hatte ich den Eindruck, dass ich über diese Art zu leben Bescheid wusste; sie erforderte eine widerwillige und humorvolle Akzeptanz der Traurigkeit als unveränderlichen Erfahrungszustand.

Könnte es sein, dass wir einfach nicht sentimental genug waren oder zu intelligent, zu sensibel, zu argwöhnisch? War es pure Eitelkeit, was uns traurig machte und bewirkte, dass wir uns dafür schuldig fühlten; was uns immer wieder dazu anstachelte, gegen uns selbst anzukämpfen? Warum konnten wir nicht loslassen wie andere auch und uns sagen: Ja, gut, Depression ist ein körperliches Leiden, ich bin nur schlechter verdrahtet als andere, ich habe eine Krankheit, um die ich mich kümmern muss – wie alle meine Studierenden sagten. (Was nicht heißen soll, dass Cynthia Tong keine Antidepressiva nahm, ganz im Gegenteil.) Vielleicht ging es um Selbstdarstellung; vielleicht fürchteten wir, die Traurigkeit loszulassen oder zu manipulieren und alle schmerzhaften Obsessionen und Ängste aufzugeben würde uns zu jener Art Mensch machen, die wir verachteten, zu jemandem, der sich mit der vagen Vorstellung eines beschränkten, kleinen Lebens zufriedengibt. Denn wir wollten schreiben, und damit war unser Leben von Natur aus klein. Wir müssen ein kleines Leben führen, sonst finden wir keine Zeit zum Schreiben. War die Depression einfach nur ein Festhalten am eigenen Größenwahn?

»Ich mag Sie«, sagte ich. Und es stimmte. Jetzt, wo sie fertig war, sah sie sogar ein bisschen weniger unnahbar schön aus. Ich wollte mich mit ihr zusammensetzen und über alles Mögliche reden. Ich war entzückt, dass sie meine Bücher mochte (oder es wenigstens behauptete). Ich wollte wissen, welche anderen Autorinnen sie las, welche anderen Erfahrungen sie gemacht hatte.

»Ich mag Sie«, sagte sie. Als ich sie darauf hinwies, dass sie mich gar nicht kenne, sagte sie: »Ich habe Ihre Bücher gelesen. Ich mag Sie. Mir ist klar, dass Sie spitze Ellenbogen und scharfe Kanten haben. Sie sind stachelig, wie ich. Ich mag stachelige Menschen. Ich vertraue ihnen. Nette Menschen hasse ich. Ich mag Vlad, weil er Russe ist. Im Herzen ist er Russe. Er ist brutal und unfähig, irgendetwas zu verbergen. Ich bin ein Wrack«, sagte sie und stand auf. »Lassen Sie sich wegen Ihres Mannes bloß nicht runterziehen, von niemandem«, sagte sie. »Ich wünschte, Vlad würde andere Leute ficken, aber er will nicht. Er will ja nicht mal mich ficken.«

Ich sagte ihr, sie solle ihm Zeit lassen, vielleicht werde er es ja irgendwann tun.

»Andere ficken oder mich?«, fragte sie.

»Vielleicht beides«, sagte ich.

»Hoffentlich«, sagte sie. »Wie spät ist es? Um drei muss ich Phee von der Kita abholen.«

Es war fünf vor. »Beeilen Sie sich«, sagte ich, »die berechnen nach der Abholzeit jede angebrochene Viertelstunde.«

»Scheiße«, sagte sie.

Und schon war sie weg und hinterließ nichts als den schwachen Abdruck ihres winzigen Hinterns auf der Sitzfläche des Sofas.

Im Naturschutzgebiet führte ein gerader, zwei Meilen langer Weg durch einen Wald aus hohen Tannen. Nachdem ich alle Verwaltungsaufgaben des Tages erledigt und mich gezwungen hatte, in meinem Büro sitzen zu bleiben, bis meine offizielle Sprechzeit vorüber war, fuhr ich hin und ging dort spazieren. Wenn mein Körper etwas tut, was mein Gehirn nicht verarbeiten muss, bin ich frei und kann nachdenken. Wenn ich an einem neuen Buch oder Artikel arbeite, fahre ich oft in dieses Naturschutzgebiet.

Ich versuchte, nicht an Cynthia Tong und Vladimir Vladinski zu denken, gerade so, als arbeitete ich an einem neuen Buch oder Artikel, aber sobald ich die ersten zwei Meilen – den Hinweg – zurückgelegt und mich umgedreht hätte, würde ich meinen Gedanken wieder freien Lauf lassen. Bis dahin, hatte ich mir vorgenommen, würde ich sie kontrollieren. Jedes Mal, wenn sie mir in den Sinn kamen – Vlad talentiert, kokett und beflissen, Cynthia düster, ehrlich und mit einem Blick, der von einer Tragödie erzählte, die für zwei Leben gereicht hätte –, zügelte ich mich und konzentrierte mich auf den Moment. Auf die Umgebung, die Geräusche, die Gerüche, meinen Körper. Die Übung war mir aus einem Achtsamkeitskurs vertraut, den das College vor ein paar Jahren allen Fakultätsmitgliedern angeboten hatte.

Ich hatte nicht damit gerechnet, dass ich sie so interessant finden würde. Sie war aufrichtig und authentisch. Jetzt erst wurde mir klar, dass ich nie zuvor ihre Stimme gehört und sie mir immer hoch und schüchtern vorgestellt hatte. In Wirklichkeit war sie tief und klar, und ihre Worte waren präzise und sorgfältig gewählt. Sie war Vladimir nicht unterlegen, sie war ihm nicht einmal ebenbürtig: Sie war ihm überlegen und machte sich klein, damit sie mit ihm zusammen sein konnte. Ihr Selbstmordversuch hatte nichts mit ihm zu tun gehabt, sie war keine Medea, sie sehnte sich weder verzweifelt nach Liebe, noch hatte sie versucht, auf sich aufmerksam zu machen. So wurden Selbstmordversuche von Frauen meistens interpretiert, ein Irrtum, der mir nun selbst unterlaufen war. Nein, sie hatte eine ehrenwerte Depression, wie sie die besten Schriftstellerinnen haben, eine echte Verzweiflung. »Ehrenwerte Depression« – was sollte das nun wieder heißen? Achte auf die Bäume, sagte ich mir. Konzentriere dich auf den Raum zwischen den Ästen, auf das Licht, wie es gefiltert wird und langsam schwindet …

Natürlich war er unfassbar begabt. Vielleicht besaß sie weder sein Talent noch sein Selbstbewusstsein, seinen Ehrgeiz oder seine Tatkraft. Von außen betrachtet, schien er in der Beziehung das Sagen zu haben, er mit seinen Auszeichnungen und seiner Karriere. Wer erfolgreich sein will, muss gewisse Wahrheiten willentlich ausblenden, es geht nicht anders, aber sie schien mir die Art von Frau zu sein, die nichts ausblenden kann. Die Art von Geist, der sich selbst lähmt. Hör genau hin, sagte ich mir, was ist das am weitesten entfernte Geräusch, das du noch hören kannst? Die Autos auf dem Freeway, die Schreie von einem fernen Fußballplatz …

Die Sonne ging unter, es wurde kühl. Hin und wieder jagte ein waghalsiges Streifenhörnchen einen Stamm hinauf, dann raschelten die Bäume. Die Silhouette des Mondes war zu erkennen, der Polarstern und auch die Kassiererin aus dem netten Lebensmittelladen, die mit ihrem Hund spazieren ging. Wir nickten einander zu. Wir kannten uns seit über zehn Jahren, plauderten über die Kinder, ihre Eltern in Bangalore und meine Tochter, die Anwältin, aber namentlich vorgestellt hatten wir uns nie.

Cynthias Besuch hatte mir allerdings bestätigt, dass Vladimir sexuell so attraktiv war, wie ich ihn wahrgenommen hatte, und zwar nicht nur für mich, eine ältere Frau mit – das gebe ich offen zu – möglicherweise etwas niedrigeren Ansprüchen, sondern für alle Frauen. Sie war auch deshalb mit ihm zusammen, weil sie ihn sexy fand. Er war nicht ihr Mentor, er war ihre Trophäe. Ich war ein bisschen enttäuscht. Ich hatte gehofft, meine Schwäche für ihn wäre mein Geheimnis, entstanden aus einer Kommunikation auf einer tieferen Ebene, ein unsichtbarer, pulsierender Strom, von dem nur er und ich wussten.

Ein Vogel krächzte so laut, dass es sich anhörte, als würden Katzen raufen. Ein Specht. Mit zehn hatte meine Tochter einmal gesagt: »Ich mag die Natur nicht. Ständig wird man angeschrien, man soll sich irgendwas ansehen. Sieh dir dieses Reh an! Sieh mal, ein Vogel!« Meine Tochter. Meine liebe, ernsthafte Tochter. Neunundzwanzig und ausschließlich an der materiellen Welt interessiert. Sie hatte keinen Sinn für Abstraktionen, Fiktionen, subtile Nuancen. »Mit Subtilität kommt man nicht weit«, pflegte sie zu sagen. »Jetzt ist nicht die Zeit für Subtilität. Es muss ein Richtig und ein Falsch geben, man muss sich entscheiden, schnell und ohne Rücksicht auf die Gefühle anderer Leute.«

Ich schwelgte in Erinnerungen an meine Tochter, zum Teil Szenen, zum Teil Bilder, bis ich die Zweimeilenmarkierung erreicht hatte und kehrtmachte.

In dem Moment sah ich eine Gestalt auf mich zukommen, einen Mann mit breiten Schultern und schwungvollem, selbstbewusstem Gang. Ich war in Richtung Osten gelaufen, und nun hatte ich mich umgedreht; er kam mir aus dem glühenden Licht der untergehenden Sonne entgegen. War es Vladimir? Unmöglich. Und doch erkannte ich diesen Gang wieder, die schwingenden Arme und den schnellen Schritt eines Menschen, der erst vor Kurzem aus der Stadt zugezogen war. Er kam immer näher, ich war mir sicher, dass er es war, und ich fühlte mich, als würde ich in Eiswasser eintauchen; meine Haut kribbelte, und die Nippel meiner alten, unansehnlichen Titten wurden steinhart.

Es war nicht er. Nur ein Mann Mitte fünfzig, der einen kleinen Spaziergang machte. Er hatte breite Schultern, aber ein verkniffenes Gesicht, offenbar ging er spazieren, um seinen Blutdruck zu senken. Doch ich war nun total heiß und stellte mir vor, wie dieser Mann mich gegen den Stamm einer Tanne drückt und mir mit der flachen Hand über die schmerzenden Brüste reibt. Ich grüßte, und er wies mich mit überlauter Stimme darauf hin, dass heute einer der letzten Sonnentage sei. Zerknirscht dachte ich an John, der mir jetzt, mit Anfang sechzig, zu alt für zwanzigjährige Studentinnen erschien, während ich mich selbst mit Ende fünfzig zu alt für einen Vierzigjährigen fand. Wollüstige ältere Frauen geben in jedem Stück die Witzfigur – die geile, ausgelutschte Alte mit der schlaffen Haut. Aber wie kam ich überhaupt darauf, schließlich wollte ich doch nichts mit Vladimir anfangen? Ich mochte seine Frau, ich mochte seine Tochter und auch sein Buch, ich mochte ihn als Menschen. Was dachte ich mir dabei? Ehrlich gesagt fand ich die Vorstellung, ihn tatsächlich anzufassen, eher abstoßend. Ich wollte lediglich an ihn denken, wie er dasaß, umrahmt von der Dunkelheit des Fensters.

Ich beschleunigte meinen Schritt und begann zu laufen, obwohl meine Schuhe keinen Halt boten und meine Hüften danach tagelang schmerzen und knacken würden. Das letzte Stück rannte ich, riss mir den Mantel vom Leib und genoss den kühlen Luftzug auf meiner Haut. Als ich wieder im Auto saß, meldete es sich erneut, dieses dringende, ekstatische Schreibbedürfnis. Ich holte meinen Laptop heraus. Anders als bei anderen Gelegenheiten, wenn ich den frühen Morgen brauchte, absolute Ruhe oder den richtigen Stift, mit anderen Worten, wenn ich mich zum Schreiben zwang, brauchte ich jetzt keine Lockstoffe; es brach einfach so aus mir heraus.

Ich fuhr erst los, als es schon dunkel wurde. Der Scherzkeks, dem ich unterwegs begegnet war, hatte an die Beifahrerscheibe geklopft: »Alles in Ordnung?«, und ich hatte genickt und einen Daumen in die Höhe gereckt. Er sagte noch etwas, aber ich ignorierte ihn, während im Radio Tallis lief und ich den Kopf über den Laptop beugte. Der Mann kam an die Fahrerseite und klopfte erneut an die Scheibe, fester und drängender diesmal, bis ich die Musik leiser stellte, das Fenster einen Spaltbreit öffnete und fragte: *Was?*

Gekränkt zeigte er auf den Anfangspunkt des Wanderwegs. Ein Schwarzbär lehnte mit den Hinterbeinen an einer Tanne, klammerte sich mit den Vorderpfoten an einen Ast und rieb sich den Rücken am Stamm. Ich lächelte und kurbelte das Fenster ganz herunter, um mich zu entschuldigen und ihm für den Hinweis zu danken. Er nickte, nannte mich im Davongehen eine »eingebildete Ziege« und zeigte mir den Stinkefinger.

6

Auf dem Heimweg hielt ich kurz an und kaufte Zigaretten und eine Flasche Rye. In der Einfahrt blieb ich im Auto sitzen und las meine E-Mails. Das Sommerprogramm der Brown hatte mir eine Erinnerung geschickt, und da fiel mir ein, dass ich Edwinas Empfehlungsschreiben immer noch nicht geschrieben hatte. Ich schleppte mich an den Schreibtisch und blieb dort bis zehn, um ihr den Gefallen zu tun. Es war wohltuend, mich auf sie zu konzentrieren. Sie war eine außergewöhnliche Studentin, sie war umtriebig, ehrgeizig, neugierig und charismatisch und zeigte Eigeninitiative. Ihre Mutter stammte aus St. Lucia, ihr Vater war ein Italo-Amerikaner aus Staten Island. Sie war religiös, aber nicht orthodox erzogen worden und hatte immer den Freiraum gehabt, ihren Geist zu entfalten. Als Teenager hatte sie sich den richtigen Katholiken angeschlossen, den liberalen, die fast esoterisch dachten und sich für Mystik und Symbolismus interessierten. Sie war mit einem Vollstipendium an die Uni gekommen und haderte ständig damit, ob es die richtige Entscheidung gewesen war, uns zu wählen statt das Ivy-League-College, das ihr ebenfalls einen Platz angeboten hatte. Zur Hölle mit den Studienkrediten, das grenzte doch an Erpressung.

Eigentlich habe ich mit dem Zulassungsverfahren an unserer Hochschule nichts zu tun, aber die Anspannung in den Gesichtern der Studierenden wird von Jahr zu Jahr deutlicher, transparente Schichten der Belastung, die sich übereinanderlegen und zu einer Maske permanenter Angst erstarren. Als ich damals aufs College ging, war das alles anders. Ich war eine gute Studentin, habe mich angestrengt und gelernt, war ordentlich und habe bei den Prüfungen mein Bestes gegeben; aber ich habe mich nie so zerfleischt wie die Studierenden und die Eltern von heute.

Ich wusste, das College war ein Ausweg aus meinem Zuhause, in meiner Erinnerung nicht mehr als ein paar Zimmer und das ständige Kommen und Gehen meines Vaters. Gelegentlich saß eine stille Frau am Frühstückstisch, fühlte sich unwohl und wartete darauf, dass der Kaffee durchgelaufen war, während ich mit erhabener Miene an ihr vorbeirauschte und irgendwelche Sachen holte oder abstellte. Ich wohnte bei meinem Vater, weil man mir im Gegensatz zu meinen beiden älteren Schwestern ein Studium zutraute und er der Sicherheitsbeauftragte eines Internats war, das ich kostenlos besuchen konnte. Ein Vorteil, der mir ziemlich egal war. Anfangs war ich genervt, dass ich nicht zu Hause in Texas bei meinen Schwestern sein konnte, bei ihren Freunden und ihrem strukturlosen Alltag aus Autos, Dates, Marihuana und Mindestlohnjobs. Später ärgerte ich mich darüber, dass ich nicht mit den anderen Mädchen im Internat wohnen und folglich auch nie an ihrer exklusiven Welt teilhaben durfte.

Natürlich war ich begabt genug für ein Studium, aber ich habe den Aufwand, den ich damit hatte, nie als Stress empfunden (das kam erst später, während der Doktorarbeit). Ich freute mich darüber, dass ich gute Ergebnisse erzielte und dafür gelobt wurde wie eine hübsche Katze für ihre Geschmeidigkeit, und außerdem entwickelte ich eine große Leidenschaft für die Bücher, die ich las, und die Gefühle, die sie in mir weckten. Ich liebte es, die Komplexität meiner Gefühle in Büchern wiederzufinden, die vor Hunderten von Jahren geschrieben worden waren; ich liebte es, mir Texte anzusehen und mich zu fragen, was sie bezwecken wollten, einen ganz persönlichen Sinn daraus zu ziehen und auf Aspekte hinzuweisen, die andere übersehen hatten – die wiederholte Erwähnung der Farbe Blau, das durchgehende Trennungsmotiv. Ich war gut darin. Ich tippte liebend gern, das war immer schon so, meine Finger flogen dahin und schlugen zu wie die einer Klavierspielerin, erst auf die großen, schwergängigen Tasten einer Schreibmaschine, später auf die wuchtigen, leichten Plastiktasten des Wortprozessors und zuletzt auf die glatten, sanft klickenden eines dünnen silbernen Laptops.

Auf dem College begegnete ich echten Mentorinnen, die mir das Schreiben beibrachten und mich ermutigten, eine akademische Laufbahn einzuschlagen. Ich wollte es so, ich wollte nicht draußen in der Welt und unter Menschen sein, die nicht lasen und Bücher für unwichtig hielten. Ich glaube, ich habe mich sehr ins Zeug gelegt damals, einmal bin ich in der Bibliothek eingeschlafen und erst wieder aufgewacht, als mir ein Dozent (vielleicht um die fünfzig, was mir damals aber so uralt vorkam wie achtzig) mit psychotischer Zurückhaltung über den Kopf strich. Aber ich hatte auch das Gefühl, dass ich, wie man so schön sagt, nicht mitdenken musste; ich war wie eine Figur in einem animatronischen Krippenspiel, die von einem Ende der Bühne zum anderen ruckelt. Meine halb gare Entscheidung für die akademische Laufbahn war natürlich ein Segen. Meinen Master und meinen Doktortitel habe ich allein meinem Mangel an Vorstellungskraft zu verdanken.

Fünf Minuten nachdem ich die Empfehlungen versendet hatte, bedankte Edwina sich per E-Mail und lud mich für die kommende Woche auf einen Kaffee ein. Da war er wieder, ihr Instinkt, die Fähigkeit, nicht nur angemessen und höflich zu reagieren, sondern prompt. Diese Eigenschaft zeichnete Edwina aus und würde ihren Erfolg garantieren. Ich sah, wie das Tempo meinen Studierenden zusetzte, einige verfielen in einen zerbrechlichen Zustand der Dauersorge, andere waren wie gelähmt. Falls sie etwas nicht binnen Tagen erledigt hatten, fühlten sie sich wie komplette Versager. Sie fürchteten, man würde ihnen Lebensentwürfe, Rollen, Meinungen und Jobs wegnehmen, wenn sie nicht schnell genug reagierten. Wo blieb da Zeit, nachzudenken, abzuwägen oder auch mal *nicht* zu denken? Zu scheitern? Als ich auf dem College war, konnten wir unsere Zeit mit Filmen, Freunden, Alkohol, Drogen, Sex und Musik verplempern, alles Dinge, die, da sind wir uns bis heute größtenteils einig, eine Bereicherung waren. Aber sie verplempern ihre Zeit mit diesen kleinen Kästchen. Sie wollen das nicht, sie hassen sich selbst dafür, aber die Kästchen sind nun mal da, sie sind ihre Hausaufgaben und ihr Sozialleben und ihre Zerstreuung und ihr Sündenpfuhl und ihre Redlichkeit, alles in einem. Gott stehe ihnen bei.

Mein Unterleib pochte vor Aufregung, als ich hinunter in den Garten ging, in der einen Hand den Whiskey, in der anderen die Zigarettenschachtel. Ich hatte vor zwanzig Jahren wegen eines schlimmen Hustens aufgehört und seither nicht mehr geraucht. Zigaretten hatten mir lange Zeit viel bedeutet, sie waren meine Freunde, meine Rettung, meine treuen Begleiter, meine Fluchten, mein Aufbegehren und eine ungesunde, aber wirksame Methode zur Gewichtskontrolle gewesen, und als ich sie endlich aus meinem Leben streichen konnte, hatte ich zu großen Respekt vor ihnen, um jemals wieder anzufangen.

Der Kommentar des Mannes im Naturschutzgebiet hatte mich aus der Fassung gebracht. So lief das immer, ein Mann konnte mich mehr verletzen als alles, was eine Frau je zu mir sagen könnte. Ein Mann konnte mich dazu bringen, mich selbst zu verachten, mich schuldig zu fühlen wegen meiner idiotischen Weiblichkeit und meiner albernen Launen, und einzusehen, dass ich gegen seine – die wahre – Macht nichts ausrichten konnte. Ich saß in Texas, Connecticut, Frankreich, New York, Missouri und Mexiko-Stadt in meiner Küche, im Bad, im Wohnzimmer, im Keller oder im Schlafzimmer und hangelte mich im Geiste von Dia zu Dia, jedes Mal, nachdem ein Mann mir mit einer treffsicheren Herabsetzung das Gefühl gegeben hatte, absolut wertlos zu sein. Dieses Gefühl der Bodenlosigkeit, kombiniert mit der intensiven Sehnsucht, die Vladimir in mir geweckt hatte, die anstrengenden Scharmützel mit John und das ebenso interessante wie deprimierende Gespräch mit Cynthia hatten meine Abwehr geschwächt. Zigaretten schmecken am besten, wenn sie von intensiven Emotionen begleitet werden – Glück, Wut, Trauer. Keine Zigarette schmeckt besser als die nach einem heftigen Heulkrampf. Eine Freundin von mir nannte sie immer »Gefühlsunterdrücker«, dabei ist es eher so, dass sie die Gefühle ergänzen wie ein guter Wein das Essen.

Ich zündete mir eine mit einem Feuerzeug an (Streichhölzer ruinieren den ersten Zug, mit wenigen Ausnahmen). Obwohl der Genuss eher eine Wunschvorstellung blieb – der dicke Rauch kratzte im Hals –, war der bewusste Verstoß gegen mein Urteilsvermögen wunderschön. Mir wurde augenblicklich schwindelig, und eine Leichtigkeit durchströmte meinen Körper, als ich plötzlich Schritte auf der Einfahrt hörte. Sicher war das John. Ich starrte geradeaus, als hätte ich ihn nicht gehört.

»Du wagst es, dich hier blicken zu lassen?«

Die Stimme meiner Tochter schallte durch die Dunkelheit. Ich drehte mich um und sah sie am Gartentor stehen, angestrahlt vom Bewegungsmelder über der Garage.

»Sid?«, rief ich, aber sie hörte mich nicht. Sie nestelte am Tor herum und zerrte am Riegel, den man erst drehen und dann anheben musste. Ich stand auf und ging hinüber, um ihr zu helfen, aber da hatte sie das Tor in ihrer Wut schon aufgetreten.

»Komm mir nicht zu nahe, du Schlampe«, schrie sie. »Du kommst hierher? Er wohnt hier mit seiner Scheißfrau, die meine Scheißmutter ist, du Schlampe!«

Es ist immer wieder lustig, wobei lustig nicht das richtige Wort ist, es ist eher interessant, dass niemand auf der Welt einen kleineren Wortschatz hat als sturzbetrunkene Menschen. Ich weiß noch, wie sternhagelvoll John eines

Abends einmal in New York City war (er kotzte ins Taxi, und ich gab dem Taxifahrer als Entschuldigung unsere letzten fünfzig Dollar) und in seinem jämmerlichen Zustand immer wieder sagte: »Verdammt, ich liebe dich. Weißt du das? Ich liebe dich, verdammt. Weißt du das?« Völlig untypisch für ihn. Ich erinnere mich, dass es mich für einen Moment befriedigte, dann nervte und schließlich anwiderte.

Ich brauchte einen Moment, um zu begreifen, dass sie mich nicht erkannte. Ich stand im Dunkeln, und sie war völlig betrunken. Sidney ließ ihre Aktentasche fallen und schüttelte sich den Tourenrucksack von den Schultern wie ein Säufer, der sich in der Dorfkneipe für eine Schlägerei bereit macht. Ich sagte noch einmal ihren Namen, aber noch bevor ich ihr erklären konnte, dass ich ihre Mutter war und nicht die Geliebte ihres Vaters, stolperte sie auf mich zu und krallte sich in meine Schultern. Sie stank wie eine ganze Schnapsbrennerei, ihr Blick war hart, leer und blutunterlaufen, und irgendwo dahinter schlummerte ihr Bewusstsein. »Ich mache dich fertig, du Schlampe.« Sie geriet aus dem Gleichgewicht und zog mich an sich wie eine Boxerin. Sie war größer und viel schwerer als ich, sie lehnte sich auf mich und schob, bis ich rückwärtstaumelte.

»Sid, ich bin's, deine Mutter, deine Mommy!«

Ihr Körper erschlaffte, sie sah mir ins Gesicht. »Oh, Mom«, sagte sie, aber statt mich loszulassen, zog sie mich noch enger an sich.

In dem Moment gingen die Rasensprenger los, Sidney bekam ein paar Spritzer ab und wich instinktiv zurück. Mich noch immer im Arm haltend, stolperte sie über den

Schlauch, der die Sprinkleranlage versorgte, und bei dem Versuch, wieder ins Gleichgewicht zu kommen, schwankte sie nach rechts. »Vorsicht!«, rief ich, aber schon kollidierten wir mit der Truhe, in der wir die Auflagen für die Gartenmöbel und das Poolspielzeug aufbewahrten. Wie ein Komiker in einem alten Slapstickfilm zerrte sie uns von der Truhe weg und geriet mit einem Fuß in Phees Schwimmring, der immer noch am Beckenrand lag. Bei dem Versuch, ihn abzuschütteln – anscheinend hielt sie ihn für ein Tier –, hopste sie, den starken Arm immer noch um meine Taille, wild auf der Stelle herum und trat panisch um sich. Ich wusste, jetzt würde nur noch eines helfen. Ich zog sie näher an den Beckenrand, und dann nahm ich meine ganze Kraft zusammen, warf mich ins eiskalte Wasser und riss sie mit. Sie klammerte sich an mich wie ein in die Falle gegangener Waschbär an ein Stück Alufolie.

Im Laufe der Woche hatte es abgekühlt, das Wasser war ein eisiger Schock. Sidney ließ mich sofort los und fuchtelte mit den Armen, um an die Oberfläche zu kommen. Bevor ich ebenfalls auftauchte, gönnte ich mir einen köstlichen, kontemplativen Moment unter Wasser. Obwohl sie sehr betrunken war und der Garten dunkel, stimmte es doch: Meine eigene Tochter hatte mich mit einer Studentin verwechselt.

Ich kletterte schnell aus dem Becken, aber Sidney blieb unten, warf den Kopf hin und her und schüttelte sich das Wasser aus den Haaren.

»Mom«, wimmerte sie.

»Raus aus dem Pool, Schätzchen.«

»Mommy, ich brauche dich.«

»Okay, Liebes, komm jetzt da raus. Genau, am flachen Ende. So ist es gut. Genau.«

Sie kletterte heraus, legte sich an der Beckenkante auf den Beton und starrte in den Himmel. Die Kälte schmerzte bis ins Mark, aber weil ich Sidney nicht allein lassen wollte, schälte ich mich aus meinen nassen Klamotten und wickelte mich in ein vergessenes Handtuch, das seit dem Wochenende an einem der Poolstühle hing. Es könnte Vladimirs Handtuch sein, dachte ich und legte es mir auf die nackte Gänsehaut.

Ich rutschte an Sidney heran und bettete ihren Kopf in meinen Schoß. Sie drehte sich auf die Seite und kuschelte sich an mich.

Die tropfnassen Kleider klebten ihr schwer am Leib, ihre übliche Arbeitsuniform aus dunklem Sweatshirt mit Kapuze über einem weißen Oxford-Hemd, unter dem sie sowohl ein weißes T-Shirt als auch ein Tanktop trug, um die ohnehin kleinen Brüste zu verbergen, dazu dunkle Jeans und Stiefel, wie sie zu einem Naturforscher aus dem frühen zwanzigsten Jahrhundert gepasst hätten. Morgen würde sie sich über die nassen Stiefel ärgern, denn was den Zustand ihrer Kleidung anging, war sie so pingelig wie ein Mann (meiner Erfahrung nach lieben Frauen Kleidung und Mode, aber keine ist so sehr am neuwertigen Aussehen ihrer Garderobe interessiert wie ein eitler Mann). Sie verdiente ein anständiges Gehalt und wohnte mit ihrer Partnerin zusammen, während ich ihre Studienkredite abbezahlte. Sie kleidete sich gern schlicht, hatte aber ein Faible für teure Boutiquen, handgefertigte Kleidung, klare Schnitte und hochwertige Materialien.

»Mom, Alexis hat mich rausgeschmissen.«

In ihrer Stimme lag dieselbe verzweifelte Bedürftigkeit wie damals, wenn sie mitten in der Nacht von einem Albtraum geweckt oder von einem juckenden Mückenstich oder einem rätselhaften Fieber gequält worden war. Damals konnte ich sie ganz leicht trösten, ich zog sie an mich und beruhigte sie und ließ sie in meinem Bett schlafen. Eigentlich war sie kein anhängliches Kind, sie war unabhängig und empfindsam, und meistens machte sie sich von mir los. Umso mehr genoss ich die Momente, wenn der Schmerz sie entwaffnete und sie sich an mich klammerte, als wäre ich ihre einzige Rettung.

Ich strich ihr über das nasse Haar. Wie viele junge Lesben trug sie einen Undercut. In trockenem Zustand fiel das leicht rötliche, kinnlange Deckhaar darüber. Ich fuhr mit den Fingern über den rasierten Teil; wenn ich nach unten strich, fühlten sich die Stoppeln glatt an, strich ich nach oben, waren sie borstig. Es waren knapp fünfzehn Grad, gleich würden wir beide zu zittern anfangen, aber bis dahin erspürte ich die poetische Aufladung des Tableaus: wir beide durchnässt, unsere Herzen offen und triefend wie aufgeplatzte Blasen, eine erbärmliche Vorort-Pietà. Ich fühlte mich in die Zeit vor ungefähr zwanzig Jahren zurückversetzt, als mein Kollege David nicht an unserem Treffpunkt aufgetaucht war und ich begriff, dass er doch nicht mit mir nach Berlin durchbrennen würde. Ich hatte mich auf der kahlen, kalten Erde des Friedhofs (lächerliche Wahl für ein Rendezvous) ausgestreckt, wo eine streunende Katze mich erst beschnüffelt hatte und dann über mich hinweggeklettert war.

»Sie hat mich verlassen, Mom«, jammerte Sidney.

»Meine arme Kleine, das tut mir so leid.«

»Sorry, dass ich dich für eine von Dads …« Sie sprach den Satz nicht zu Ende.

»Ist schon okay, Schätzchen. Aber du darfst dich nicht so betrinken, nicht, wenn du allein bist.«

»Ich bin mit einer Flasche Rum in den Zug gestiegen.«

»Das sollte reichen.«

»Dann haben wir für eine Stunde in Albany gehalten, und da habe ich mir Bier gekauft.«

»Wie bist du hergekommen?«

»Ich bin gelaufen.«

»Oh, mein armer Schatz. Jetzt bist du zu Hause und in Sicherheit.«

»Ich glaube, ich habe auf der Zugtoilette mit einem Mann gefickt.«

»Du glaubst?«

»Ich weiß es.«

»Freiwillig?«

»Irgendwie schon.«

»Irgendwie?«

»Ja. Freiwillig.«

»Mein Gott, Sid, wie geht es dir?«

»Ach, ganz gut. Ich wollte es ja. Es war in Ordnung.«

Sie zitterte jetzt heftig. Ich nahm das Handtuch, wickelte sie darin ein und half ihr beim Aufstehen.

»Wir gehen jetzt rein und wärmen uns auf, und dann können wir weiterreden, okay? Ich will alles hören.«

»Ich will nicht reden. Kannst du mir was zu essen machen?«

»Klar.«

»Kann ich heute Nacht hier schlafen?«

»Du bist hier zu Hause.«

»Du bist nicht sauer auf mich?«

»Ich war nie sauer auf dich. Du warst sauer auf mich.«

»Sieh mal, die Sterne.«

Die Nacht war klar, und die Sterne standen so dicht gedrängt, als berührten sie einander.

»Ich habe heute daran gedacht, wie du als kleines Mädchen gesagt hast, die Natur sei langweilig, weil alle einem immer sagten, dass man sich irgendwas ansehen solle.«

»Hast du geraucht?«

Ich sagte nichts. Wir duschten zusammen in der großen Dusche, wie damals, als sie klein war. Ich gab ihr eins von Johns Sweatshirts und brachte ihr ein großes Glas Wasser ans Sofa, dann zog ich mir einen Bademantel an und ging in die Küche. Ich beschloss, ihr meine Spezial-Carbonara zu kochen, ihr Lieblingsrezept. Man lässt Speck, Tomaten, Oliven und Sardellen (ich gebe zu jeder Tomatensauce Oliven und Sardellen dazu, weil Tomaten mit Oliven und Sardellen *immer* besser schmecken) auf dem Herd köcheln, rührt die Spaghetti (al dente) unter, schlägt Eier darüber, lässt die Masse stehen, bis sie fest geworden ist, und bestreut sie mit einer obszönen Menge Parmesan. Anschließend kommt der (feuerfeste) Topf für drei Minuten unter den Grill, damit die Oberfläche knusprig wird. Eine wahre Kalorienbombe und gut gegen den Alkohol, der durch Sidneys Eingeweide schwappte.

Ich wollte gerade die Nudeln abseihen und in die köchelnde Sauce auf dem Herd kippen, als ich hörte, wie

Sidney ins Gästebad taumelte. Ich schaltete die Herdplatten aus, eilte ihr nach, hielt ihre Haare zurück und streichelte ihr den Rücken, während sie sich schwallartig erbrach. Nach mehreren Durchgängen, in denen sie sich abwechselnd übergab und auf dem kalten Fliesenboden ausruhte, hatte sie nichts mehr im Magen. Sie putzte sich die Zähne. Ich brachte sie ins Gästezimmer, zog ihr die Decke bis ans Kinn und küsste sie auf den Scheitel. Anschließend wischte ich das Erbrochene auf, das sie auf dem Weg zum Klo nicht hatte zurückhalten können und das eine Spur vom Sofa ins Gästebad hinterlassen hatte, und füllte die Sauce in einen Vorratsbehälter. Die Nudeln, die immer noch im heißen Wasser lagen und an schwebende Pusteblumensamen erinnerten, warf ich weg. Ich wusch mir das Gesicht, putzte mir die Zähne und folgte meiner Pflegeroutine aus Gesichtswasser, Retinolserum, Klopfmassage, Augencreme und Feuchtigkeitscreme. Ich würde bei Sidney schlafen und die Nacht hindurch über sie wachen.

Sie hatte die Decke weggestrampelt und sich das Sweatshirt ausgezogen. Ich breitete das Laken über sie, legte mich daneben und starrte an die Decke. Wahrscheinlich schlief ich nicht besonders tief, denn um drei Uhr morgens hörte ich, wie die Haustür aufgeschlossen wurde und Johns schwere Schritte die Treppe heraufkamen. Er blieb in der Tür stehen und sah mich. Ich winkte ihm matt zu und schloss wieder die Augen. Ich hatte gar nicht bemerkt, dass er nicht nach Hause gekommen war.

7

Am nächsten Tag lief ich nach meinem Seminar Vladimir in die Arme. Er begleitete mich zu meinem Büro, lehnte sich in den Türrahmen und blieb fast eine halbe Stunde so stehen. Die Finalisten für den National Book Award waren soeben bekannt gegeben worden, und wir unterhielten uns darüber, welche der Bücher wir gelesen hatten und ob wir die Auswahl für preiswürdig hielten. Ich saß auf der Kante meines Schreibtischs, wo ich sonst nie saß, einmal zog ich während des Gesprächs sogar das Knie an und stützte das Kinn darauf. Er legte die rechte Hand ans Holz, ungefähr auf der Höhe des Türknaufs, hob den linken Arm über den Kopf, hielt sich am Rahmen fest und dehnte seinen Körper wie eine Nymphe, die sich an einem Springbrunnen räkelt. Er trug ein T-Shirt (in den Büros war versehentlich die Heizung aufgedreht worden, es war entsetzlich heiß), und ich konnte seine klammen Achselhöhlen und sogar ein Haarbüschel sehen, das aus dem kurzen, zerknitterten Ärmel ragte. Ich hatte zu viel Kaffee getrunken und den Eindruck, dass ich zu schnell sprach und zu oft den Faden verlor. Er schien jedoch ein ähnlich starkes Mitteilungsbedürfnis zu haben, und so zwitscherten wir einander zu wie zwei aufgeregte Vögel. Der Fachbereichssekretär kam herüber, lächelte uns kurz an und ging wieder weg, eine eindeutige Geste; offenbar waren wir zu laut.

Nach der zufälligen Begegnung und dem Gespräch fühlte ich mich beschwingt. Als er in Eiskunstläuferpose im Türrahmen stand, hatte sein Körper mich geradezu angefleht, näher zu kommen und die Arme um ihn zu schlingen. Machte er das immer so, stellte er seine Schönheit für alle so zur Schau? »Deine Körpersprache war sehr aufreizend«, hatte eine meiner Collegefreundinnen zu mir gesagt, als ich sie weinend anrief, nachdem sie die Bar ohne mich verlassen hatte und ich von einem aggressiven Einheimischen in eine Gasse gezerrt und begrapscht worden war. Damals hatte ich ihr recht gegeben. Mein Körper war eine Einladung, wenn nicht gar ein Versprechen gewesen. Wusste Vladimir, dass er mit mir kommunizierte? Hielt er mich für jünger, als ich war? Oder fand er mich einfach attraktiv? Hatte ich mich, und der Vorfall mit meiner betrunkenen Tochter eine Nacht zuvor legte es nahe, tatsächlich so gut gehalten, dass man mich für eine Studentin halten konnte? Aber das war undenkbar. Sicher wollte er nur nett zu mir sein, einer mütterlichen Frau mit vollkommen veralteten Ansichten und Fältchen an Stellen, die sie noch gar nicht bemerkt hatte.

Nach der Arbeit holte ich Sidney ab, und wir gingen in unser Lieblingsdiner. Es war eines der letzten noch verbliebenen Bahnwagen-Diner der Gegend, und die Familie, die es in den Neunzigerjahren übernommen hatte, hatte die Speisekarte glücklicherweise nie geändert, abgesehen von dem Portobello-Wrap-Sandwich, das gelegentlich als Tagesgericht im Angebot war. Die Eltern waren aus Armenien eingewandert und hatten vier Töchter und einen Sohn, die aus religiösen Gründen zu Hause unterrichtet wurden. Alle waren unglaublich attraktiv und zurückhaltend, und alle halfen im Diner aus. Die Tochter, die uns zu unserem Tisch führte, war fröhlich, aber abwesend und nannte uns pausenlos *Ihr Lieben,* das aber ohne jede Überzeugung oder Zuneigung, eher wie eine Telefonverkäuferin, die vom Skript abliest.

Sidney sah furchtbar aus. Ihre Augen waren blutunterlaufen und ihre fahlen Wangen fast grünlich, rechts und links neben ihrem Mund hatte sie jeweils einen Pickel. Sie bestellte, als hätte sie seit Monaten nichts gegessen, alles davon war frittiert oder mit Käse überbacken, und dazu wollte sie einen Milchshake. Ich bestellte ein griechisches Omelett ohne Toast und mit Salat statt Kartoffeln.

»Musst du immer so über die Stränge schlagen, Mom«, sagte Sidney und rieb sich die Augen, als wäre mein Anblick ermüdend.

»Wie bitte?«

»So ein paar kleine Kartoffeln werden dich schon nicht umbringen.«

»Wenn du meinen Stoffwechsel hättest, würdest du das anders sehen.«

Sie winkte genervt ab. Es machte mir nichts aus. Ich war einfach nur dankbar, dass wir wieder miteinander sprachen. Ihre Genervtheit war nichts anderes als einer der matten Schläge, wie Töchter sie ihren Müttern manchmal verpassen, nur um sich zu vergewissern, dass sie geliebt werden, egal, wie schlecht gelaunt sie sind.

Ich schaute zu, wie Sid die Buntstifte, die auf jedem Tisch

standen, aus dem Becher nahm, das Tischset auf die Seite mit dem Kindermenü umdrehte und zu malen anfing. Das Motiv war seit fast zwanzig Jahren unverändert, eine dicht gedrängte Dschungelszene mit Tigern, Schlangen und Pavianen, die Sidney stets auf die gleiche Weise ausmalte: blaue Tiger, grüne Schlangen, rote Paviane, gelbes Laub.

Nach und nach konnte ich ihr aus der Nase ziehen, dass sie bis mittags geschlafen und sich dann zusammen mit John *Die durch die Hölle gehen* angesehen hatte. Sie und John teilten eine Vorliebe für Siebzigerjahre-Spielfilme mit epischen Heldenreisen und Überlänge, nach denen man sich glücklich erschöpft fühlte. Als sie noch auf der Highschool war, hatte ich mich manchmal ein bisschen ausgeschlossen gefühlt, wenn sie und ihr Vater sich sonntagnachmittags ins abgedunkelte Wohnzimmer verkrochen und sich *Apocalypse Now*, *MASH* oder *Der Pate I* und *II* ansahen, Kakao tranken und tütenweise mit Butter getränktes Mikrowellenpopcorn aßen. Früher hatte ich solche Filme gemocht, aber sie waren zu lang, und ich war zu beschäftigt; selbst, wenn ich versuchte, mich hinzusetzen und mich darauf einzulassen, sprang ich immer wieder auf, weil mir eingefallen war, dass ich die Blumen gießen oder eine Ladung Wäsche falten musste, und dann eines Tages hatten mein Mann und mein Kind mir gesagt, dass ich Unruhe verbreitete und nicht mehr erwünscht sei.

Die Kellnerin servierte uns Wasser in großen braunen Kunststoffbechern. Ich schob meinen Becher zu Sidney hinüber und nötigte sie zu trinken, woraufhin sie mich böse ansah und dann weitermalte. Ich atmete möglichst leise, um sie nicht noch mehr zu nerven, und schob meine Hand auf ihr Tischset, sodass sie über meine Finger malen musste. Sie malte einfach an einer anderen Stelle weiter, bis ich einen Finger dorthin legte. Ich machte eine ganze Weile so weiter, bis ihre harte Grimmigkeit kleine Risse bekam, sie meinen Arm festhielt und mir in gespielter Wut die Fingernägel anmalte.

Ich nahm ihre Hand zwischen meine Hände und fragte: »Wie lange wirst du bleiben?«

»Keine Ahnung«, sagte sie, und dann fing sie an zu weinen.

»Darf ich mich neben dich setzen?«, fragte ich. Um ihr zu vermitteln, dass sie über ihren Körper selbst bestimmte, hatte ich sie schon als kleines Kind stets um Erlaubnis gefragt, bevor ich sie küsste, hochhob oder umarmte. Meine Mutter und meine Schwestern hatten mich hemmungslos betatscht, ich war ihr kleines Stofftier gewesen, das sie jederzeit piksen und kneifen durften. Ich wollte Sidney dieses Gefühl ersparen – das Gefühl, ihr Körper könnte mir oder sonst wem gehören.

Sie nickte, ich rutschte neben sie und nahm sie in den Arm, und sie sank schluchzend an meine Brust.

»Erzähl, was passiert ist.« Ich strich ihr ein paar Haarsträhnen aus dem Gesicht. Eine andere Kellnertochter kam und brachte Sidneys Milchshake. Ich zwinkerte ihr zu und formte mit den Lippen ein stummes *Trennung*, woraufhin sie das Gesicht zu einer Grimasse des Mitgefühls verzog.

Sidney erzählte mir, wie Alexis, mit der sie seit drei Jahren zusammen war und seit einem Jahr zusammenwohnte, im Frühjahr das Thema Kinder zur Sprache gebracht hatte.

Alexis war fünfunddreißig und hatte kurz davor zum ersten Mal den Begriff »geriatrische Schwangerschaft« gehört, woraufhin sie die Zukunft besprechen, wenn nicht gar planen wollte. Zur selben Zeit hatten die Enthüllungen über ihren Vater Sidneys Vorstellungen von der perfekten Ehe ihrer Eltern erschüttert. Immer schon hatte sie sich sehr an Bilder, Überzeugungen und Traditionen geklammert. Mit zehn Jahren hatte sie erfahren, dass der Weihnachtsmann nicht existiert, und es hatte sie zutiefst verstört. Sie fühlte sich nicht in der Lage, über die Gründung einer neuen Familie zu reden, während ihre alte zerbrach.

Alexis, deren Selbstbezeichnung »Urban Black Woman« lautete, war bei ihrer alleinerziehenden Mutter in Queens aufgewachsen. Ihr Vater war vor langer Zeit nach Florida gezogen und dort zum Oberhaupt einer zweiten Familie geworden, in der sie keinen Platz und für die sie kein Verständnis hatte. »Du hattest alles«, hatte sie zu Sidney gesagt. »Sie lieben dich. Sie sind erwachsen. Lass sie ihr Leben leben.«

Beide waren Anwältinnen. Alexis arbeitete für eine große Kanzlei, im Schnitt fünfundsechzig Stunden pro Woche. Eine Schinderei, aber sehr gut bezahlt. Wann immer ich sie in ihrer schönen Wohnung mit den hohen Decken besuchte, stapelten sich die Indizien zügelloser Online-Shoppingorgien neben der Tür wie Säulen aus Pappe. Sie hatten Geld, das Zeug zu kaufen, aber keine Zeit, es auszupacken. Sidneys Job war erfüllender, aber sie verdiente bei derselben Arbeitszeit nur halb so viel. Das Letzte, was die beiden während ihrer geheiligten Samstagabendessen oder

Sonntagsbrunches tun wollten, war, über ihre Probleme zu sprechen. Wie zwei Einzelkinder, die sie im Übrigen waren, gingen sie Diskussionen aus dem Weg und kamen stillschweigend überein, einen Therapeuten aufzusuchen, sobald die Lage sich »beruhigt« hatte.

Zwei untersetzte Männer betraten das Diner. Einer starrte zu Sidney und mir herüber, weil wir auf derselben Tischseite saßen. Hielt er uns für ein Paar? Ich begegnete seinem Blick und starrte zurück, bis er sich umdrehte und auf einen Barhocker setzte. Seine Hose rutschte herunter und sein Hemd hoch, dazwischen erschien eine behaarte Klempnerfalte.

»Was ist denn?«, fragte Sidney, als sie merkte, dass ich nicht mehr ganz bei der Sache war. Ich schüttelte den Kopf, und sie fuhr fort:

»Wir haben einen großen Fall reinbekommen, eine Klage wegen ungerechtfertigter Kündigung, und da wurden ein paar Mitarbeiterinnen dazu abgestellt, mir bei der Vorbereitung zu helfen. Das war im Sommer, eine von denen war eine Jurastudentin von der NYU, und sie war eine sehr, ähm …«

Sie hielt inne und trank von ihrem Milchshake.

»Wunderschön, groß und, ähm, lustig, voller Leidenschaft für die Sache und klug, wirklich, und wir haben bis spätabends gearbeitet …«

Sie verstummte.

»Und irgendwie hat Alexis davon erfahren«, beendete ich den Satz für sie.

»An einem Freitag, als es recht heiß war, machte die Kanzlei früher Schluss, und sie wollte mir als kleine Überraschung das Abendessen vorbeibringen. Es war niemand im Büro, und da …« Sie zögerte, und ich hob eine Hand, um sie wissen zu lassen, dass sie nicht ins Detail zu gehen brauchte. Sie rieb sich die Augen, als wollte sie so die Erinnerung vertreiben. »Wir haben uns ausgesprochen, und ich habe gesagt, ich würde es beenden, und dann haben wir den Fall gewonnen und sind etwas trinken gegangen, und es ist wieder passiert. Ich wollte ehrlich sein und habe es ihr gebeichtet, und sie meinte, sie gibt mir eine letzte Chance, und dann eines Abends … weißt du, ich konnte nicht anders, ich war wie im Bann dieser Frau, sie war so schön und so groß und so …«

»Jung?«

»Nein. Nein, in meinem Alter. Vor dem Jurastudium war sie Schauspielerin. Wirklich, sie hat Werbung gemacht und war am Broadway. Ich weiß auch nicht. Mit ihr zusammen zu sein, war wie ein Trip. Ich hatte immer wieder versucht, ihr zu widerstehen, aber einmal hat sie mich um zwei Uhr früh angeschrieben, sie war in der Bar neben unserem Haus, und da habe ich mich einfach … Ich habe mich rausgeschlichen. Ich habe gehofft, Alexis würde nichts merken. Aber natürlich hat sie was gemerkt … Ich weiß nicht, was ich mir dabei gedacht habe. Ich glaube, Alexis hat seit der neunten Klasse keine Nacht mehr durchgeschlafen. Ich habe es vermasselt. Jetzt will sie mich nicht mehr zurück.«

Sie ließ den Kopf in die Hände sinken und schluchzte. Das Essen kam, und ich setzte mich zurück auf meinen Platz. Mir war kalt. Sid schaufelte sich das Essen in den Mund, sie kaute kaum und spülte jeden Bissen mit Milchshake hinunter.

»Jetzt denkst du schlecht von mir.«

»Ich mag Alexis.«

»Gerade du solltest dir kein Urteil bilden.«

»Ich könnte jetzt sagen, dass gerade ich es bin, die sich ein Urteil bilden *sollte*. Ich bin deine Mutter.«

»Überleg mal, was du und Dad gemacht habt!«

»Wir hatten eine Abmachung.«

»Eine Abmachung, dass er Frauen vergewaltigen darf?«

Sie wurde laut, ihr Gesicht war hässlich verzerrt. Der Mann mit der Arschritze und sein Kumpel sahen herüber und machten amüsierte Gesichter. Ich musste an Dantes *Inferno* denken, wo Virgil Dante zurechtweist, weil er zwei streitende Seelen belauscht. Virgil erklärt ihm, es sei falsch, ein Wesen in seinem Leid zu begaffen. Ich sagte Sidney, sie solle sich beruhigen. Sie sah mich an, als wünschte sie mir den Tod, sprach aber mit gedämpfter Stimme weiter.

»Wie kannst du so unempathisch sein?«

»Ich *bin* empathisch.«

»Ich habe einen Fehler gemacht. Sie sollte mir noch eine Chance geben.«

»Vielleicht.«

»Wir wollten es durchziehen.«

»Was soll das heißen?«

»Du weißt schon. Ein Kind, ein Haus. Ein gemeinsames Leben.«

»Ich dachte immer, du willst so was nicht.«

»Ich habe nur Zeit gebraucht.«

»Mir kommt es so vor, als hättest du dich absichtlich so verhalten. Um es zu sabotieren. Weil du noch nicht so weit bist.«

»Vergiss es.«

Sie knallte ihren Becher auf den Tisch und stand auf. Ich fragte sie, wohin sie wolle. Sie setzte sich wieder und bat mich, sie nicht zu analysieren, sie brauche einfach nur eine Zuhörerin. Ich entschuldigte mich, schob es auf meine Erziehung und schwieg, bis ich merkte, dass ihre Haltung sich entspannte.

»Hast du dir diese Woche freigenommen?«, fragte ich zaghaft.

»Nein. Das ist noch so eine Sache.« Nach dem pubertären Getue sah sie plötzlich aus wie eine erschöpfte Erwachsene, und zum ersten Mal konnte ich mir vorstellen, wie sie an einem Schreibtisch saß und wichtige Aufgaben erledigte.

»Du bist entlassen worden?«

»Nein, nicht entlassen«, sagte sie. »Aber Charlie …«

»Die andere Frau?«, fragte ich vorsichtig nach.

»Sie hat dort angefangen. Ich meine, klar, warum nicht, sie ist brillant. Ich habe die Kündigung eingereicht. Ich muss mir wohl was anderes suchen. Es wäre zu kompliziert, Alexis wird mich nie zurücknehmen, wenn ich mit *ihr* zusammenarbeite.«

»Du liebst deinen Job!«

»Ich kann mir einen anderen Job suchen, den ich liebe. Glaube ich. Solange ich keine gute Bezahlung erwarte.«

»Diese Frau hat dein Leben ruiniert.«

»Es ist nicht ihre Schuld. Oder doch, ich weiß nicht. Aber ich kann ja wohl kaum verhindern, dass sie eingestellt wird. Ich hätte sofort eine Klage am Arsch, aber so was von.« Sie lachte. Sie liebte die derben Ausdrücke, die John und ich manchmal verwendeten, so, wie wir es aus Texas und dem Mittleren Westen kannten. Sie brauchte sie zum Ausgleich ihrer hochqualifizierten, liberalen Ausdrucksweise. Sie war völlig fasziniert gewesen, als sie in der Highschool erfuhr, dass Textzeilen von Bob Dylan ins offizielle juristische Vokabular eingegangen waren. Die Mischung aus Folklore und Dienstbeflissenheit begeisterte sie. Sie liebte es, Gutes zu tun, aber noch mehr liebte sie die Sprache und den Jargon der Rechtswissenschaften. Und zu meinem großen Stolz war sie eine echte Weltverbesserin, viel mehr als ihr Vater oder ich es je waren oder sein würden. Sie liebte die Art und Weise, wie Sätze Gestalt annehmen und sofort wieder pulverisiert werden konnten, allein durch Auslegung, allein durch Sprache, Sprache und noch mehr Sprache. Mit Worten kämpfen, so hatte sie es genannt, als sie an den Lincoln-Douglas-Debatten ihrer Highschool teilnahm. Sie war so unbeholfen gewesen damals, so unscheinbar und pferdegesichtig mit ihrem schlechten Make-up, der schlecht sitzenden Kleidung und dem knarzenden, tonlosen Lachen. Aber sobald sie die Debattenbühne betrat, lockerte sich ihre Zunge, und ihr Denken wurde schnell und präzise. Augenblicklich fand sie die Schwachstellen in der Argumentation ihrer Gegner, und dann nahm sie sie auseinander. Als ich sie dort auf dem Podium sah, wusste ich, dass sie trotz allem, trotz meiner Schwächen und Schuldgefühle, etwas in sich hatte, was sie nutzen konnte, um für sich selbst zu sorgen.

Als sie mir erzählte, sie sei mit einer Frau zusammen, war ich natürlich begeistert. Was für eine Erleichterung, dachte ich, sich aus dem Gefängnis der Heterosexualität zu befreien. Heterosexualität, der vorgefertigte Behälter, in den alle möglichen Entwicklungen bereits hineingegossen waren: Glück, Unglück, Selbstgefälligkeit, Streitereien – ein Leben, das uns alle zu Protagonisten einer längst auserzählten Geschichte machte, selbst wenn wir versuchten, authentisch zu sein. Wir redeten uns ein, es komme nicht auf die Partnerwahl an, sondern auf radikale Ideen, aber eigentlich wussten wir, dass wir nach dem Muster unserer Eltern lebten, nach dem Muster der tumben, Sauerklee kauenden Schafe, die in jedem Zuhause dieses stumpfsinnigen, intellektuellenfeindlichen Landes ihr nie hinterfragtes Dasein fristeten. Wir wussten, der Stoff, aus dem unser Leben war, war der Stoff der Normalität und die Normalität mit all ihren Fallstricken und Erwartungen allgegenwärtig. Es würde im Freundeskreis immer ein Paar geben, das etwas spießiger war als man selbst und für das man irgendein Heterotheater aufführen musste. Immer wäre da ein Paar, bei dem die Frauen nach dem Essen den Abwasch erledigten, während die Männer eine Partie Schach spielten. Wie schön für sie, dachte ich, sich alldem entziehen zu können. Sie teilte uns mit, sie sei queer, fühle sich dennoch zu Männern hingezogen und würde es begrüßen, wenn wir ihr kein Label aufdrückten. Sie sei Sid. Alles wunderbar, kein Problem. Hauptsache, sie mutierte nicht zu einer verängstigten Frau, die das Abendessen auf den Tisch stellte, während die Männer draußen auf der Veranda saßen. Hauptsache, sie ließ sich nicht von irgendeinem Schlitzohr, das ohnehin tat, worauf es Lust hatte und dafür umso mehr geliebt wurde, in die Rolle der

Schulmeisterin drängen. Und falls sie sich doch entschied, zu kochen, zu putzen und sich zu sorgen, würde sie es vielleicht für eine Frau tun, die es zu schätzen wusste, nicht für irgendeinen Mann, der wegen des Dings zwischen seinen Beinen von klein auf nur gelernt hatte, wie man sich zurücklehnt und bedienen lässt.

»Wie geht es *dir,* Mom?«

Abrupt lenkte sie ihre Aufmerksamkeit auf mich. Aus der Frage ging ganz klar hervor, dass sie sich eine Meinung gebildet hatte darüber, wie es mir ging oder gehen sollte. Sofort spürte ich, wie mein Gesicht länger wurde, meine Augenbrauen sich hoben und meine Mundwinkel sich verkniffen kräuselten.

»Gut«, sagte ich. Ich fing den Blick einer der armenischen Töchter auf, sie machte eine fragende Geste wegen der Rechnung, ich nickte. »Lass uns einen Spaziergang machen. Du solltest heute ein bisschen frische Luft schnappen, dann geht es dir morgen schon viel besser.« Sid willigte ein. Dass ich glaubte, jedes Problem ließe sich durch Bewegung an der frischen Luft lösen, war einer unserer alten Familienwitze, aber im Laufe der Jahre hatte ich Sid tatsächlich davon überzeugen können. In der Highschool hatte sie bei Orientierungsläufen mitgemacht, nachdem ich ihr gesagt hatte, am College müsse sie eine Sportart vorweisen, vor ein paar Jahren war sie sogar einen Marathon gelaufen. Ich wusste, dass es ihr gut ging, wenn sie vom Laufen sprach. Sie war zwanghaft, sie brauchte einen Ausgleich. Wenn sie nicht lief, trank sie wahrscheinlich viel zu viel, oder, wie sich nun zeigte, sie vögelte die Praktikantin.

Ich wollte gerade das Trinkgeld auf den Tisch legen, als ihr Blick auf meinen Teller fiel.

»Du hast dein Omelett nicht aufgegessen.«

»Ich habe die Hälfte gegessen.«

»Du bist dünn.«

»Danke.«

»Das war nicht als Kompliment gemeint.«

»Ich habe keinen Hunger.« Die Panik quetschte meine Stimme.

»Du musst mehr auf deine …«

»Sidney, lass uns gehen. Ich esse genug. Mein Stoffwechsel ist langsam. Man isst weniger, wenn man alt ist, das ist einfach so. Man braucht weniger Kalorien. Lass uns bitte gehen. Du willst reden? Dann lass uns gehen.«

Und wieder glotzte der Idiot mit dem hochgerutschten Hemd und der runtergerutschten Hose zu uns herüber. Sein Gesicht war fettig vom Burger, in seinen Bartstoppeln hingen kleine weiße Serviettenfetzen. Ob er grinste oder lächelte, konnte ich nicht sagen. Ich bedeutete Sid, sie solle schon mal vorgehen, und sie verließ das Diner. Er drehte den Kopf und sah ihr unverhohlen auf den Hintern. Eine Machtdemonstration, um sich zu behaupten und mich zu warnen. Sein Blick sollte mich wissen lassen, dass sie so androgyn wirken konnte, wie sie wollte; wenn ihm danach war, würde er immer noch ein Loch finden, in das er seinen Schwanz stecken konnte. Wie ich bereits erwähnt habe, war das Diner ein umgebauter Bahnwaggon und der Gang extrem schmal. Eine Zeit lang tat ich so, als zählte ich Kleingeld in die Plastikschale, aber sobald Sid das Diner verlassen hatte, stand ich auf und nahm einen unbenutzten

Strohhalm von unserem Tisch, und als ich mich an dem Mann vorbeizwängte, schob ich den Strohhalm in die dunkle Spalte über dem Hosenbund. Er ragte zwischen den fleischigen Pobacken auf wie ein Schwanz.

8

Tiefes Purpurblau spannte sich über den orangefarbenen Horizont, und die Bäume zeichneten sich tintenschwarz vom Himmel ab, als Sid und ich losliefen. Der Rundweg begann an einer Apfelplantage, wand sich in die Höhe, kreuzte den Appalachian Trail, schlug dann einen Bogen und führte durch ein Moor und über alte Eisenbahngleise zurück zu dem kleinen Schotterplatz, auf dem wir geparkt hatten. Ein Gewitter zog auf, die Wolken sahen aus wie ein Schwarm metallisch glänzender Ballons und rasten so schnell über den Himmel, als würden sie gejagt.

Während des gesamten Spaziergangs wollte ich Sid von nichts anderem erzählen als von Vladimir. Als sie mein halb gegessenes Omelett bemerkt hatte, konnte ich mir das bislang Verdrängte eingestehen. Ich musste es einsehen, ich war hoffnungslos und absolut verknallt. Es war Liebe. Mein Leben lang hatte ich meine Kalorienzufuhr eingeschränkt, halbe Portionen gegessen, mit der Messerspitze Fettklumpen abgeteilt, die übrig bleiben mussten, und sogar Essen in den Müll geworfen. Aber es hatte eine einzige Zeit in meinem Leben gegeben, in der ich Essen auf dem Teller liegen ließ, ohne darüber nachzudenken: als ich mich in David verliebte. Ich spürte ein Glühen im ganzen Körper, eine überschüssige Erregung, die mich am Leben hielt und nicht nach Nahrung verlangte. Ich spürte, wie ich mich nach der Liebe von Vladimir Vladinski sehnte, Juniorprofessor und Autor experimenteller Romane. Die Sehnsucht versorgte Muskeln, Organe und Gehirn mit Energie. Die Sehnsucht ersetzte mein Blut durch eine sprudelnde, sich ausdehnende Flüssigkeit. Ich liebte ihn.

Die Fähigkeit des Verstandes, mehrere Dinge gleichzeitig zu tun, hat mich immer schon erstaunt. Ich weiß noch, wie ich Sidney früher vorgelesen habe, manchmal stundenlang, und dabei gedanklich oft völlig woanders war, ohne ein Bewusstsein für die Worte, die aus meinem Mund kamen. Als Sid und ich den Weg entlanggingen, redete sie über soziale Medien (ich hatte keine Konten, hauptsächlich, weil ich es unwürdig gefunden hätte, und verließ mich ganz auf Sid, die mich auf dem Laufenden hielt), über Fernsehsendungen, die sie gesehen, und Artikel, die sie gelesen hatte. Sie hielt mir einen langen Vortrag über *Die durch die Hölle gehen;* der Film war viel schräger, als sie ihn in Erinnerung gehabt hatte. Und die ganze Zeit über dachte ich an Vladimir. Ich stellte mir uns in einer Wohnung in einer europäischen Stadt vor, egal, wo, Hauptsache, draußen sprach keiner Englisch, und das unverständliche Gemurmel schirmte unsere Privatsphäre ab wie ein Vorhang. Es war meine Wohnung, mit offenen Regalen und altmodisch tiefem Spülstein, und auf einem Holzbrett auf dem Tresen lag eine aufgeschnittene Frucht. Es gab ein kleines Schlafzimmer mit zwei hohen, alten Fenstern, die entweder klemmten oder einem zu schnell entgegenkamen, und auf der Matratze am Boden lagen zerknitterte, kühle weiße Laken. Wir wohnten nicht zusammen, niemand hätte das gewollt, es wäre nicht vereinbar mit unserem *Leben;* aber er besuchte mich abends und an ein paar Nachmittagen unter der Woche. Wir tranken Wein oder auch nicht, wir brauchten keinen, wir lagen stundenlang eng umschlungen auf der Matratze am Boden oder gingen halb nackt und mit einem Buch in der Hand durch die Zimmer (ich musste den Tagtraum kurz unterbrechen, weil ich in letzter Zeit immer öfter Hüftprobleme hatte; ich entschied mich spontan, das Lager zu erhöhen und einen antiken Eisenrahmen unter die Matratze zu schieben). Wenn er gegangen war, war ich möglicherweise verzweifelt und wurde halb verrückt, aber ich würde mich zurückhalten und mich an der Zeit erfreuen, die wir miteinander hatten. Im reservierten, zurückhaltenden Ton von Mavis Gallant würde ich Geschichten über das Leben als Expat schreiben. Ich könnte unterrichten, ja genau, Einzelunterricht für wohlhabende Studierende und gelegentlich einen Kurs an der Universität. Aber bitte kein akademisches Umfeld mehr – ich würde mir eher so etwas wie eine Fachhochschule suchen, anonym und anspruchslos. Unsere Liebe hätte etwas Trauriges, spätestens, wenn ich so alt wurde wie die Léa in Colettes *Chéri.* Eines Tages würde ich ihm sagen, er könne, nein, er *müsse* gehen, und seine Augen würden sich mit Tränen füllen. Natürlich hatte ich dabei nicht mein aktuelles Ich im Sinn, eher eine Kombination aus verschiedenen Filmstars mit neuen Zähnen, Anti-Aging-Programm und Geld für lustige, erbarmungslose Personal Trainer, die den Körper allen möglichen Qualen unterzogen. Auch nicht meine knittrige Oberlippe mit der wulstigen, selbst verschuldeten Narbe, Folge eines fünf Jahre zurückliegenden Versuchs, ein eingewachsenes Haar mit einer Rasierklinge zu entfernen. Ich hatte auch nicht meinen hochgereckten Oberarm vor Augen, von dem das Fleisch herunterhing wie ein halb mit Pudding gefüllter Gefrierbeutel. Schon gar nicht stellte ich mir meine Brüste vor, die schon immer eher kegelförmig als rund gewesen waren und die mich an schlechten Tagen an Phallen erinnerten.

Wir erreichten den höchsten Punkt des Rundwegs und wollten uns an den Abstieg machen, als Sidney mich plötzlich packte und an sich zog. Sie roch nach Fett, ausgeschwitztem Alkohol und Männerdeo mit Kiefernnadelduft.

»Was wirst du tun, Mom?«

»Womit?«

»Mit deinem Leben.«

Ich war verwirrt. Konnte sie meine Gedanken hören? Nein, ich hatte überzeugend genickt, während sie von einem Mann berichtete, der angeblich für Eigenverantwortung, in Wirklichkeit aber für den Faschismus eintrat.

»Wie meinst du das?«

»Wirst du Dad verlassen?«

Ach das. Verlass Dad. Schmeiß ihn raus. Nun ja, immerhin war sie betroffen. Immerhin hatte es etwas mit ihr zu tun.

»Findest du, das sollte ich?«

»Wenn du bei ihm bleibst, sieht es so aus, als würdest du sein Verhalten gutheißen, und das würde keinen guten Eindruck machen.«

»Auf wen?«

»Auf das College, auf alle Frauen, die du unterrichtest. Es sähe einfach schlecht aus.«

»Das ist ein Klischee.«

»Aus gutem Grund!«

»Noch ein Klischee.«

»Ja, aber trotzdem. Es sieht nicht gut aus.«

»Du willst, dass ich unsere Familie zerstöre?«

»Ich bin erwachsen. Du und Dad geht getrennte Wege, seit ich denken kann. Wir sind einfach nur drei Menschen, wann sehen wir uns denn wirklich noch als Familie?«

Das tat weh, sie bemerkte es und entschuldigte sich.

John und ich hatten bewusst nur ein Kind bekommen, doch eine der großen Fragen meines Lebens war, ob das die richtige Entscheidung gewesen war. Als Sidney ein Kleinkind war, hatte er eine Vasektomie, und damit war die Sache erledigt. Wir hatten uns darauf geeinigt, aber danach trauerte ich. Als David und ich vom Durchbrennen träumten, war es auch der Gedanke an ein weiteres Baby mit einem anderen Mann, den ich so aufregend fand; unser Haus würde voller Liebe sein, voller geliebter Menschen. Sid würde die Trennung verkraften, dachte ich damals, und sobald ich wieder in die Familie aufgenommen wurde und wir alle in Eintracht lebten, würde sie eine vielschichtige und interessante Beziehung zu ihrem Halbgeschwister entwickeln. Wir könnten sogar zwei Kinder bekommen, hatte ich mir damals ausgemalt, und wenn wir alt waren, würden an Thanksgiving seine Tochter, meine Tochter und unsere gemeinsamen Kinder samt ihren Partnern am Tisch sitzen, und zu ihren Füßen jede Menge Enkel. Ein ausgelassenes, großes Familienfest, und irgendeine der Anwesenden wäre Köchin von Beruf und kommandierte uns herum, während die Männer den Abwasch erledigten.

Tatsächlich begingen wir den Feiertag zu dritt und meistens im Restaurant. Manchmal luden wir alte Freunde ein, aber die Kinder vertrugen sich nicht mehr wie früher, als sie noch klein gewesen waren und sich ohne Rücksicht auf ihre Vorlieben kombinieren ließen.

Vorsichtig tätschelte sie meine Wange und strich mir ein Haar aus den Augen.

»Ich möchte, dass du das Leben bekommst, das du dir wünschst, Mom, und nicht irgendeinen Kompromiss.«

Es begeisterte mich jedes Mal aufs Neue, wenn meine Tochter mich berührte. Ich staunte immer noch darüber, dass die Liebe zwischen Mutter und Kind auf Zellebene fortbestand. Wie wenig ich darüber nachdenken musste, wie deutlich ich sie spürte.

Wir erreichten das Auto. Wir schnallten uns schweigend an, ich fuhr los. Die Straße vom Schotterparkplatz in die Stadt war lang und kurvig und schlängelte sich durch Wälder und über Ackerland. Ich richtete den Blick auf den Asphalt.

»Ich will ehrlich zu dir sein, mein Schatz. Du hast immer genau das getan, was du wolltest. Wann immer du uns gebraucht hast – dein Vater und ich waren für dich da und haben dich unterstützt.«

Sie holte tief Luft, um sich zu verteidigen.

»Das ist keine Kritik und kein Vorwurf, sondern eine Tatsache. Und es war richtig so. Nur deshalb kämpfst du heute für das Gute. Und du hast, was noch viel wichtiger ist, eine Vorstellung von dem, was du willst und was dich glücklich macht. Darüber bin ich sehr froh. Ich bin froh, dass du weißt, was du willst. Ich selbst hatte nie eine Ahnung. Ich wollte Menschen, ich wollte Anerkennung, aber all das ist schließlich hohl geworden. Abgesehen davon, dass ich deine Mutter bin – denn das ist der klarste und positivste Aspekt meines Lebens –, war der Rest nur eine Abfolge von Höhen und Tiefen. Aber ich hatte auch nicht viel mehr erwartet.«

»Was für eine schreckliche Art zu leben.«

»Dein Vater regelt die Finanzen. Die Steuern, die Rechnungen und so weiter.«

»Das ist nicht weiter kompliziert.«

»Er kümmert sich um den Garten und kleinere Reparaturen und hält die Blockhütte instand. Was soll aus mir werden, wenn ich mich scheiden lasse? Ich müsste in eine hässliche Wohnung ziehen und …«

»Er würde das Haus nicht bekommen!«

»Ich kann mir das Haus allein nicht leisten.«

»Er müsste Unterhalt zahlen.«

»Sid, es war mir von Anfang an bewusst. Und er wusste, dass ich es wusste.«

»Das ist ja widerlich.«

»Warum?«

»Oh mein Gott, weil du es ihm ermöglicht hast. Mit Minderjährigen!«

»Keine von denen war minderjährig.«

»Nein, aber minder-erwachsen.«

»Was soll ich ihm ermöglicht haben? Es war ja nicht so, als hätte ich ihm ein Separee für seine Rendezvous eingerichtet oder Frauen angelockt, die er verführen konnte. Wenn überhaupt, kannte ich sie vom Sehen.«

»Aber war dir denn das Machtgefälle nicht klar?«

»Natürlich, aber finden wir nicht alle Macht sehr attraktiv? Als ich eine junge Frau war, hieß es immer – vielleicht hat sich das ein mächtiger Mann ausgedacht, ich bin mir nicht sicher –, jedenfalls hieß es, Männer würden vom Aussehen angezogen und Frauen von Macht. Ja, er hatte mehr Macht als sie, aber wahrscheinlich hat es ihnen gerade deshalb gefallen. Er konnte ihnen seine Anerkennung schenken, und was wäre erregender? Du musst verstehen, und ich behaupte nicht, dass es richtig war, dass wir damals von sexueller Befreiung geträumt haben, wir wollten Frauen von dem Gefühl befreien, dass sie, wenn sie ihre Sexualität ausleben, nicht ernst zu nehmen und schlecht sind und verurteilt werden. Für uns war das kein Trauma. Er hat niemanden unter Drogen gesetzt oder genötigt, er hatte nichts, womit er sie hätte bestechen können.«

»Er hat Empfehlungsschreiben ausgestellt und gute Noten verteilt. Er hat über ihre Zukunft bestimmt.«

»Keine dieser Frauen hat wegen deines Vaters gelitten, weder an der Uni noch im Berufsleben.«

»Doch. Aus heutiger Perspektive.«

»Sie reagieren auf eine aktuelle Stimmungslage.«

»Was ist mit denen, die nicht mit ihm schlafen wollten?«

»Sie haben sich um ihn bemüht. Er hat niemandem nachgestellt.«

»Bist du sicher?«

»Nein, Sidney, ich bin mir nicht sicher. Inzwischen weiß ich mehr darüber, als ich je erfahren wollte.«

»Und es hat dir nicht wehgetan? Es hat dich nie wütend gemacht?«

»Wütend hat es mich nur gemacht, wenn unsere Planung deswegen durcheinandergeraten ist. Einmal hat er vergessen, dich vom Fußball abzuholen, da war ich wütend. Einmal hat er ein Abendessen mit dem Dekan verpasst. Da war ich wütend. Aber ganz generell hat es ihn glücklich gemacht, und wenn er glücklich war, hatte ich ein leichteres Leben. Ich bin und war keine Frau, die traurig ins Leere starrt und darauf wartet, dass ihr Mann endlich nach Hause kommt. So möchte ich nicht wahrgenommen werden.«

»Irgendwie habe ich den Eindruck, du hast diese Ehe nur ertragen, um dir zu beweisen, wie zäh du bist.«

»Was willst du von mir hören? Dass ich mich von ihm scheiden lasse? Werde ich vielleicht. Aber nur, weil ich es will, nicht, weil andere Leute es wollen oder weil es *nicht gut aussieht*. Es gibt Dinge, die du einfach nicht verstehst.«

»Und zwar?«

Ich ignorierte die Abzweigung zu unserem Haus und bog auf eine Landstraße ein, die uns zum Nachbarort und schließlich auf den Highway führte und von dort wieder zurück.

Sid wusste nichts von dem kuhäugigen Studenten. Sie wusste nichts von Boris, dem Maler, Robert aus dem Fachbereich Wirtschaftswissenschaften oder Thomas, dem Handwerker. Schon gar nichts von der Sache mit David, den sie von Fakultätsfeiern kannte und dessen Tochter nur ein Jahr jünger war als sie. Sie hielt mich für eine treue, fromme Straußenmutter, die den Kopf in den Sand steckte, während ihr Ehemann, der Dreckskerl, sich austobte, wann und wo er wollte. Als sie etwa acht Jahre alt war, fand sie ein Feuerzeug in meiner Handtasche. »Warum hast du das?«, fragte sie. Als ich ein verdutztes Gesicht machte und sagte, das wisse ich ganz ehrlich auch nicht, meinte sie: »Bestimmt ist es von irgendeiner Geburtstagsfeier«, und dann bat sie mich noch, gut aufzupassen, damit es nicht von allein losgehe und meine Handtasche in Brand stecke.

Es war nicht so, als hätte ich nicht gewollt, dass Sid von alldem erfährt. Ein Teil von mir hätte sich sehr gewünscht, ihr Anekdoten vom Schlachtfeld der Liebe zu erzählen, von Boris' Scheune und seiner halb fertigen Kunst, die erotischer war als seine trockenen, abtörnenden Küsse, oder von Robert, der bei unseren wöchentlichen Treffen im Motelzimmer stets Anzug und Krawatte trug, oder von der Zeit, als ich von den Sägespänen an Thomas' Händen einen Ausschlag bekam. Ich wollte ihr erzählen, wie besessen ich von David gewesen war und dass mich diese Romanze derart berauscht hatte, dass ich dafür mein ganzes Leben aufgegeben hätte, auch sie.

Gleichzeitig wollte ich meine Geheimnisse haben. Es war ein Spiel, ein Pakt, den ich mit mir selbst geschlossen hatte. Wenn ich gewisse Einzelheiten meines Lebens verschwieg (vor allem jene, über die ich am dringendsten reden wollte), dann würde ich mir, ähnlich wie die Männer, die ihren Samen zurückhielten und so ihre Lebenskraft bewahrten, eine unerklärliche Stärke aneignen.

Aus den Augenwinkeln sah ich, wie Sid auf ihrem Daumennagel kaute und eine dünne, klebefilmartige Schicht davon abzog.

»Lass uns deine Fingernägel schneiden, wenn wir wieder zu Hause sind.«

»Lass uns?«

»Schneid dir die Nägel, wenn wir zu Hause sind.«

»Was ist mit Lena?« Ich spürte, wie ihr Blick mein Gesicht abtastete.

»Mit wem?«

»Lena, meine Babysitterin.«

»Dein Vater hatte nie etwas mit Lena.«

»Doch, hatte er. Ich habe sie gesehen, ich erinnere mich genau, es ist eine meiner frühesten Erinnerungen. Ich kam in die Küche, er hatte sein Gesicht an ihren Nacken gedrückt und sie von hinten umarmt, und sie hat gekichert. Sie hat mich gesehen und seine Hände weggeschoben. Ich weiß noch genau, dass ich ihn gefragt habe, ob er ihr was aus der Tasche ziehen wollte, und da haben sie beide gelacht.«

»Das war ich.«

»Nein, das warst du nicht.«

»Doch.«

»Ich weiß doch, was ich gesehen habe.«

»Nein, mein Schatz, du irrst dich.« Und ich erzählte ihr, dass John mich an dem Tag in der Küche begrapscht hatte, wie so oft, und sie war hereingekommen und hatte tatsächlich genau diese Frage gestellt, und er sagte: »Ja, ich wollte deiner Mom was aus der Tasche ziehen.« Darauf sie: »Gib's ihm, Mom«, und er hatte anzüglich gegrinst: »Ja, Mom. Gib's mir.«

»Du weißt doch, wie unzuverlässig die Erinnerung ist, Liebes«, sagte ich, aber Sid schüttelte nur den Kopf.

Als wir zu Hause ankamen, war John schon wieder weg. Es machte mir kaum etwas aus, obwohl es nun schon der zweite Abend in Folge war, an dem er das Haus verließ und nicht sagte, wohin er ging. Sid hatte Hunger und einen verkaterten Magen, die Sorte Magen, der einfach nie satt wird, egal, wie viel man isst. Ich wärmte die Carbonara auf, die im Kühlschrank stand, und rührte frische Nudeln und Eier unter, dazu teilten wir uns eine Flasche Malbec. Danach ging sie ins Bett, und ich setzte mich mit Laptop und Zigaretten nach draußen. Ich hatte eine neue E-Mail von Edwina, die sich dafür entschuldigte, unsere Verabredung nicht bestätigt zu haben. Sie schrieb, sie habe derzeit zu viel zu tun, sie schätze mich als Mentorin sehr, und ob wir den Termin verschieben könnten, bis sich die Lage etwas beruhigt habe. Obwohl ich vergessen hatte, dass wir uns treffen wollten, war ich ein bisschen beleidigt. Nicht sofort einen neuen Termin zu vereinbaren sah ihr gar nicht ähnlich. Allerdings musste ich meinen Studierenden zugestehen, dass natürlich auch sie Schwankungen unterworfen waren, was reifes, verantwortungsvolles Handeln betrifft, und so schrieb ich ihr, dass sie sich keine Sorgen machen solle, und unterzeichnete mit *x* und *o*. Eine E-Mail von John trudelte ein, in der Betreffzeile stand D-Day. Wo war er, dass er E-Mails verschicken konnte? Hockte er in seinem dunklen Büro? War sein Gesicht ins blaue Licht des Computermonitors getaucht? Saß er mit seinem Handy allein in einer Bar? Er hatte mir den Termin für den ersten Tag der Anhörung geschickt, die entscheiden würde, ob er am College bleiben durfte. Der zwanzigste Oktober.

Ich zündete mir eine Zigarette an, atmete scharf ein und

ließ den Rauch in alle kleinen Zwischenräume meiner Lunge dringen. Die Studierenden von heute hatten mit Tabak nichts mehr am Hut, für sie war Rauchen Selbstmord auf Raten und jeder Raucher lebensmüde. Die meisten hatten jedoch keine Ahnung, wie Rauchen sich anfühlte, sie glaubten, Tabak beeinträchtige das Bewusstsein, ähnlich wie Marihuana. Der zwanzigste Oktober – warum kam mir das Datum so bekannt vor? Glücklicherweise hatte Sid nicht mehr erwähnt, dass sie mich beim Rauchen erwischt hatte. Sie wusste, dass sie in den Pool gefallen war, aber das ganze Drumherum erinnerte sie nur verschwommen. Meines Wissens hat sie nie erfahren, dass ich früher geraucht habe. Ich hatte auch das vor ihr geheim gehalten, denn ich wollte nicht, dass ihr mit fünfzehn oder achtzehn verklärte Bilder ihrer rauchenden Mutter in den Sinn kamen. Nichts ist verlockender als die eigene Mutter, bevor sie zur Mutter wurde, ein unbekanntes und unwiderstehliches Geschöpf. Meine eigene Mutter rauchte, bis ich zehn war. Nachdem sie aufgehört hatte, kämpfte sie bis zu ihrem Tod mit zwanzig Kilo Übergewicht. Ich hatte mit vierzehn angefangen, als ihr australischer Kollege meiner besten Freundin Alice und mir bei einem Firmenpicknick auf dem Parkplatz eine Zigarette anbot. Ich war hingerissen von seiner Größe, seinem Sonnenbrand, seinem Akzent und seinem weißblonden Haar. Er zeigte uns, wie man den Rauch einatmet, in der Lunge behält und wieder ausatmet. Ich war stolz, weil ich nicht husten musste. Nach ein paar Zügen wollte Alice aufstehen und wurde kurz ohnmächtig, und ich und der Mann, ich habe seinen Namen vergessen, trugen sie in den Schatten und verarzteten sie mit Saft und Eiswürfeln. Als sie wieder zu sich gekommen war, jagte er uns über den Parkplatz und steckte uns Eiswürfel in den Kragen. Im Laufe des Sommers sahen wir ihn öfter, wir rauchten zu dritt und tranken Rum und Wodka, den er mitgebracht hatte, mit Ananassaft und Eis. Eines Abends, meine Mutter war mit ihrem Freund unterwegs und meine Schwestern mit ihrer Clique an den Strand gefahren, kamen er und Alice vorbei. Wir setzten uns aufs Sofa, im Fernsehen lief die Übertragung der Olympischen Sommerspiele 1976 in Montreal. Beim Weitsprung lagen seine Hände auf unseren Beinen, beim Sprint steckten sie in unseren Shorts. Während die heutige Caitlyn Jenner einen neuen Weltrekord im Zehnkampf aufstellte, wälzten wir uns auf dem kratzigen Sofabezug. Eine meiner Brüste war entblößt, die andere steckte noch im weißen Spitzen-BH, und ich wusste nicht, ob ich das Ding ganz ablegen sollte, ob mein Anblick abstoßend oder auf asymmetrische Weise attraktiv war. Irgendwann zog er meine Hand auf seinen Penis. Da ich nicht genau wusste, was ich damit anfangen sollte, rieb ich planlos daran herum, bis er meine Hand losließ und mich wegschob. Ich rutschte vom schmalen Sofa auf den Boden. Ich fühlte mich, als wäre ich durch eine Prüfung gefallen, und sah zu, wie er Alice küsste und befummelte. Sie war erfahrener als ich und umarmte ihn gekonnt. Voller Selbsthass ließ ich die beiden ineinander verschlungen auf dem Sofa zurück und verkroch mich in mein Zimmer, wo ich mich vor Selbstmitleid in den Schlaf weinte. Es war mein letzter Sommer in Texas.

Der Mond spiegelte sich im Pool. Ich machte eine gedankliche Notiz, noch diese Woche den Mann anzurufen, damit er kam und ihn abdeckte. Oh Gott, meine Jugenderinnerungen trieften bis heute vor Selbsthass. Immer wieder diese Scham, nicht, weil ich frühreif gewesen war oder mich mit einem perversen, mindestens dreißigjährigen Australier eingelassen hatte, sondern, weil ich mich lächerlich gemacht hatte – ich, die leicht übergewichtige Vierzehnjährige, die nicht wusste, was ein Handjob ist, und aus deren billigem BH eine breitwarzige Brust heraushing. Einige meiner Studierenden regten sich bei der Lektüre viktorianischer oder edwardianischer Romane furchtbar über die Helden und Heldinnen auf, deren Angst vor peinlichen Situationen ihr ganzes Leben ruinierte, doch ich persönlich kannte kein überwältigenderes, durchdringenderes Gefühl als diese Scham. Anscheinend wollten manche Leute eher unerfüllt und ungeliebt sterben, als sich ihr auszusetzen, und andersherum konnte die Scham einen dazu bringen, sterben zu wollen, so wie ich jetzt, vierundvierzig Jahre später, nur, weil ich daran zurückdachte, wie ich auf dem Boden gelegen und die beigen Teppichfäden studiert hatte, während Alice und der Australier sich über mir auf dem Sofa wälzten. Und da fiel mir wieder ein, warum mir der zwanzigste Oktober so bekannt vorkam: Natürlich, es war der Tag meiner Verabredung mit Vladimir.

9

Sidney blieb für den Rest der Woche, ohne zu fragen oder es groß anzukündigen. Die meiste Zeit verbarrikadierte sie sich im Gästezimmer und kam nur gelegentlich heraus, um joggen zu gehen oder sich etwas zu essen zu machen. Sie war übertrieben rücksichtsvoll und hatte damit einen Weg gefunden, uns eine Armeslänge auf Abstand zu halten. Weil sie kein Auto besaß, ließ sie sich Lebensmittel und Bier anliefern. Sie spülte ihr Geschirr sofort ab und übernahm unaufgefordert leichtere Hausarbeiten wie Müll rausbringen oder Wäsche machen. Ich sage, dass sie »uns« auf Abstand hielt, aber sicher wissen konnte ich das nur in Bezug auf mich. Womöglich schüttete sie John ihr Herz aus, sobald sie mit ihm allein war. Ich wusste nicht genau, ob es daran lag, dass sie wieder in ihrem alten Kinderzimmer wohnte oder dass ich ihr nicht die Vertraute war, die sie sich gewünscht hätte, aber seit dem Tag im Diner wirkte sie so abwesend wie ein Teenager. Wenn wir alle drei zu Hause waren, was selten vorkam, schlichen wir leise und vorsichtig herum wie Schweigemönche auf einem Schwebebalken. In meinem Arbeitszimmer gab es einen Futon, auf dem ich mir ein Lager einrichtete. Als Sidney merkte, dass ich nicht im Elternbett schlief, bot sie mir an zu tauschen, aber ich sagte ihr, mir sei es lieber so, weil ich einen ungehinderten Zugang zu meinem Arbeitszimmer bräuchte. Solange ich genug Kissen hatte, verursachte der Futon mir nur minimale Rückenschmerzen.

Es war nicht so, dass ich mich für sie geopfert hätte. Ehrlich gesagt brannte ich vor Leidenschaft und Inspiration, und das echte Leben schien sich ohnehin an meinem Schreibtisch abzuspielen. Ich schrieb meine Geschichte, dann und wann blickte ich durch die Holzlamellen der Jalousie auf die Straße. Von einem Buch wollte ich noch nicht sprechen, das hätte womöglich das zarte Flämmchen erstickt. Es war wie damals, als ich John kennengelernt hatte. Wäre ich ihm ein oder zwei Jahre früher begegnet, hätte ich daran gezweifelt, dass dieser große, attraktive Frauenheld meine Gefühle tatsächlich erwiderte, und damit hätte ich alles ruiniert. Ein oder zwei Jahre früher wären wir chancenlos gewesen. Doch zufälligerweise hatte ich, als wir zusammenkamen, eine Glückssträhne. Ich war die angesehenste Studentin meines Jahrgangs und wurde von den Lehrkräften geliebt, ich war mit Feuereifer dabei und interessierte mich für mein Fach. Vor mir erstreckte sich eine wunderbare Zukunft. Mein Selbstbewusstsein war dergestalt kalibriert, dass ich mich am Abend unseres ersten Kusses sehr zurückhielt. Anders als bei früheren Romanzen, die ich nur widerwillig eingegangen war oder durch Klammern und Verlustangst ruiniert hatte, verfügte ich im Umgang mit John über ein Gespür für das korrekte Maß an Kommunikation, für die perfekte Mischung aus Abstand und Nähe. Zum ersten und einzigen Mal im Leben benahm ich mich wie eine dieser Frauen, die mit ihrem Erfolg bei Männern angeben und auf Manipulation als beste Taktik schwören: Man bekommt, was man will, indem man den Mann in dem Glauben lässt, er habe recht. Was nicht heißen soll, ich wäre nicht verliebt gewesen. Ich war verliebt. Aber irgendwie wusste ich intuitiv, wie ich damit umgehen musste und wie ich es schaffen konnte, weder zu anhänglich noch desinteressiert zu wirken. Und so spann ich meine zarten Fäden, bis ich mich am Ende Kartons auspackend in seiner Wohnung wiederfand.

Und so ähnlich war es jetzt wieder, wenn ich an meiner Geschichte arbeitete. Ich fühlte mich wie eine versierte Skifahrerin beim Riesenslalom; die richtigen Anteile Kraftanstrengung, Planung und Vorausschau, und der Rest war mühelose Anmut. Ich wusste instinktiv, dass ich mit niemandem darüber reden durfte und abseits des Schreibtischs auch nicht groß darüber nachdenken sollte; nur bei meinen gelegentlichen Spaziergängen erlaubte ich meinem Geist, sich damit zu beschäftigen. Das, was ich am Computer machte, war nichts Geringeres als eine Beschwörung, ein Zauber. Ich erschauderte vor Vergnügen, wie wenn man einen neuen Song zum dritten oder vierten Mal im Radio hört und sich Vertrautes und Neues überlagern. Das Gefühl hielt an, solange meine Finger über die Tastatur flogen.

Es kostete mich viel Mühe, zwischen Vladimir und meiner Geschichte einen Abstand zu schaffen. Sie war in der dritten Person erzählt, spielte in den Sechzigern und beschränkte sich auf eine bestimmte Subkultur. Eine der Nebenfiguren basierte auf Vladimir, aber selbst das nur äußerlich. Doch ich ließ die Energie meines Begehrens in den Text einfließen, und obwohl ich mir verbot, das Ganze als Buch zu betrachten, sah ich ihn und mich manchmal bei einem Literaturfestival in irgendeiner kleineren Stadt wie Calgary, Austin oder San Diego auf dem Podium sitzen; wir hatten beide einen Preis gewonnen, waren im selben Hotel untergebracht und trafen uns auf einen Martini in der schummrigen Hotelbar. So lächerlich es für eine Frau meines Alters auch war, ihn zu begehren – mein beeindruckendes Talent und meine brillante Arbeit glätteten meine Fältchen und strafften meine Haut. Wir würden eine, höchstens zwei Nächte miteinander verbringen, dann wäre es vorbei. Aber zwischen uns würde ein kristallenes Band bestehen bleiben. Wir wären für den Rest unseres Lebens miteinander verbunden. Diese Fantasie floss neben meinen Fantasien von unserem Leben als Expats, von zufälligen Begegnungen auf der Toilette und der wiederkehrenden Erinnerung an sein Spiegelbild in der dunklen Fensterscheibe dahin. Alles zusammen erzeugte eine Art Schwebezustand, in dem ich mich durch meine begrenzte Welt bewegte, Seminare unterrichtete, E-Mails beantwortete, Sport trieb, Auto fuhr, Hausarbeiten benotete, Studierende beriet und zu Fakultätskonferenzen ging.

Wie jedes Jahr wurde es schneller kalt als erwartet. Einen Tag nachdem der Poolmensch da gewesen war, verwandelte der Nachtfrost den Boden in einen harten Schwamm, der bei jedem Schritt unter den Sohlen knirschte. An dem Morgen holte ich einen weißen Wollcardigan heraus, den ich in meinen Zwanzigern bei der Heilsarmee gekauft hatte, und zog ihn über mein langes Flanellnachthemd, dazu trug ich dicke Wollsocken und Sandalen als Hausschuhe. Ich merkte selbst, dass ich abgenommen hatte, die Kälte drang mir noch schneller in die Knochen als sonst. Sid war gerade mit Mütze und Schlauchschal joggen gegangen, als John in die Küche kam und mich ansprach. Er trug ein altes Sweatshirt, das an unglücklichen Stellen spannte, und ein Paar Shorts, von dem er wusste, dass ich es hasste.

»Kommst du zu meiner ersten Anhörung?«

»Guten Morgen erst mal.«

»Du redest seit drei Tagen nicht mit mir. Ich möchte einfach nur wissen, ob du kommst.«

»Nein, ich denke nicht.«

»Verstehe. Leck mich.« Er stampfte durch die Küche, ließ die Schranktüren knallen und rammte die gläserne Kaffeekanne mit solcher Wucht in die Maschine zurück, dass ich fürchtete, sie könnte zerbrechen. Ich wusste, er wollte einfach davonstolzieren, schaffte es aber nicht. Ganz kurz hatte ich Mitleid mit ihm. Wo würde er den Abend verbringen? Er wirkte so einsam, so allein.

»John.« Ich ging einen Schritt auf ihn zu und legte ihm eine Hand auf den Arm. Er zog den Arm weg und sah mich aus rot geränderten, beinahe wimpernlosen Augen an.

»Liebst du mich überhaupt noch?« Etwas Weiches hatte sich in seine Stimme geschlichen.

Was sollte ich sagen? An den meisten Tagen hatte ich nicht mehr das Gefühl, ihn zu lieben. Meistens stellte er nur ein Problem dar, das ich irgendwann lösen würde, wenn ich Zeit und Lust dazu hatte. Sid hatte von der öffentlichen Wahrnehmung gesprochen, aber eine Scheidung auf dem Höhepunkt des Skandals wäre mir noch demütigender vorgekommen. Dann sähe es so aus, als hätte ich nichts von den Affären gewusst, als wäre ich bloß ein weiteres Opfer und als wäre mir erst an dem Tag ein Licht aufgegangen, als die Petition im Sekretariat des Dekans abgegeben wurde. Falls überhaupt, würden wir uns scheiden lassen, wenn Gras über die Sache gewachsen war. Vielleicht in fünf Jahren, wenn die jetzigen Erstsemester ihren Abschluss gemacht hatten, die älteren Fakultätsmitglieder in Rente waren und sich auf dem Campus nur noch wenige Leute an John erinnerten. Aber als er da vor mir stand, verletzlich und bedürftig, konnte ich ihm unmöglich ins Gesicht sagen, dass ich ihn nicht mehr liebte. Ich spürte einen starken Impuls, den Teil von ihm zu schützen, der sich nach mir sehnte wie ein Kind. Normalerweise war John distanziert, zynisch und sehr würdevoll. Bei Fakultätskonferenzen und Fachbereichstreffen saß ich im Hintergrund und bewunderte, wie er in würdevoller Reserviertheit diesen Haufen jammernder, stotternder Akademiker dominierte.

Aus dem Wohnzimmer, das auf die Terrasse hinausging, war ein lautes Klopfen zu hören. »Das ist Sid«, sagte ich und lief los, um ihr aufzumachen, aber dann sah ich, dass sich ein Rotkardinal bei dem Versuch, sein eigenes Spiegelbild zu ermorden, gegen die Fensterscheibe warf. Letztes Jahr hatte ein Bauunternehmer den Wald am Ende der Straße für ein Wohnhausprojekt gerodet, seither hatte ich schon zwei tote Vögel vor der Glastür gefunden. Ich hatte mir vorgenommen, mich darum zu kümmern und herauszufinden, wie sich das Projekt stoppen ließe. Mir wurde schlecht, ich zog eine Grimasse und flehte den Vogel an, damit aufzuhören. Ich musste die Hände auf die Knie stützen, der Magen drehte sich mir um.

»Hier, nimm«, sagte John, nahm eine Wolldecke vom Sessel und warf mir das Ende zu. »Wir halten sie vor die Scheibe.«

Wir stellten uns an die Tür und hielten unser jeweiliges Ende an den Rahmen, aber es war zu spät. Der Vogel warf sich immer wütender gegen das Glas, die Scheibe vibrierte, und dann war ein dumpfer, leichter Schlag zu hören, und der kleine Körper lag reglos auf dem Beton.

»Bisschen plumpe Symbolik, findest du nicht?«, sagte John.

Wir rissen den Witz seit dreißig Jahren, wann immer wir ein überfahrenes Reh am Straßenrand liegen sahen oder in ein schweres Gewitter gerieten. Ich war entwaffnet und entgegnete in ärgerlichem, aber liebevollem Ton: »Warum ziehst du so eine Hose an, wenn du was von mir willst? Du weißt, ich kann diese Shorts nicht ausstehen.«

Aber ich hatte die Situation falsch interpretiert. Ich hatte gedacht, er würde dahinschmelzen und mich lachend in die Arme nehmen, und dann hätte ich ihm gesagt, dass ich ihn natürlich noch liebte und es vielleicht zu der Anhörung schaffen würde. Stattdessen sah er mich traurig an, schüttelte den Kopf, als wäre ich für die Erschöpfung der ganzen Welt verantwortlich, und ging hinaus.

Ich sank in den Sessel wie ein gefällter Baum. Ich war wütend auf mich, weil ich mich selbst in die Falle gelockt hatte. Jetzt fühlte ich mich, als hätte *ich* etwas falsch gemacht, als müsste *ich ihm* nachlaufen: »Ich liebe dich, Baby, ich liebe dich«. Was wollte ich eigentlich von ihm? Wollte ich ihm einen Tag, einen Monat, ein Jahr lang überlegen sein und ihn straflos und nach Lust und Laune anschreien und verspotten? Sollte er sich vor mir in den Staub werfen? Nein, das war es nicht. Ich wollte, dass er die Büßerrolle akzeptierte. Aber man kann von einem Menschen, der sich für ein Opfer hält – und genau das tat John –, keine Reue erwarten. Und da war sie wieder, unsere verquere Logik. Wir schimpften über Opfermentalität und über Trauma als Waffe, aber dennoch zogen wir die Energie zum Streiten aus unserem Gefühl, selbst Opfer zu sein. John verhielt sich genauso wie die Frauen, die ihn anklagten. Man tat ihm unrecht, verdammt! Obwohl ein Teil von ihm verstand, dass auch ich litt, pflegte er die Vorstellung, er sei hier die am tiefsten verletzte Partei. Er umklammerte das Unrecht, das ihm widerfuhr, wie einen Edelstein in einem Samtbeutel. Ja, er war nicht besser als die anderen und hielt verzweifelt an seinem Schmerz fest.

Zitternd vor Wut erreichte ich den Campus. Ich war spät dran, weil ich wie erstarrt am Schlafzimmerfenster gestanden hatte und eine Gedankenflut auf mich eingestürzt war. Irgendwo habe ich gelesen, dass Edna St. Vincent Millay ihre Haushälterin gebeten hatte, sie keinesfalls anzusprechen, wenn sie so dastand, denn sie dichtete in dieser Haltung; stehend und mit auf einen Punkt in mittlerer Entfernung gerichtetem Blick, formte und überarbeitete sie ihre Verse. So aufgeräumt war mein Denken nie gewesen. Während meiner Abwesenheiten war ich mit widerstreitenden Gefühlen beschäftigt, mit Bildern und Erinnerungen, die unkontrolliert herumwirbelten und miteinander kollidierten – eher ein chaotisches Schlachtfeld als ein Erkenntnisgewinn.

Jedenfalls eilte ich gerade zu meiner Einführungsveranstaltung »Frauen in der amerikanischen Literatur«, als ich

Edwina sah, meine begabte Lieblingsstudentin, wie sie an der Seite von Cynthia Tong über den Rasen schlenderte. Ich winkte. Die beiden winkten übertrieben zurück, wie begeisterte Fans, doch es war der Gruß von zwei Menschen, die ins gemeinsame Nachdenken vertieft waren, ich jedoch blieb außen vor. Als ich zu unterrichten anfing, jung, voller Energie und keine zehn Jahre älter als meine Studierenden, hatte es ein paar Frauen gegeben, zu denen ich eine Verbindung spürte und mit denen ich mich anfreunden wollte. Ich hatte Edwina und Cynthia nur kurz zusammen gesehen, aber ich wusste genau, was da vor sich ging. Und so schnell, keine drei Wochen nach Semesterstart! Ich brannte vor Eifersucht, in meinem Bauch tobte die Wut. *Sie* hatte Edwina nicht vertröstet, *ihr* hatte Edwina keinen neuen Terminvorschlag angekündigt und dann nicht gemacht. Ich hatte Edwina eine mit *x* und *o* unterschriebene Mail geschickt, und nun standen die beiden da und kicherten wie beste Freundinnen.

Im Seminar verglichen wir einzelne Passagen aus Werken von Kate Chopin, Charlotte Perkins Gilman und Alice James. »Warum sind all diese weißen Frauen so besessen von ihrer Weiblichkeit?«, fragte eine blonde Studentin, die vor dem Unterricht nie die Texte las. »War ihnen denn nicht klar, wie privilegiert sie sind?« Als ich sie darauf hinwies, dass Chopin mit dem Schreiben angefangen habe, weil sie verwitwet gewesen sei und sechs Kinder habe ernähren müssen, zuckte sie nur die Schultern. »Trotzdem, sie hat ein Leben als weiße Frau geführt.« Als ich wissen wollte, ob Kate Chopin deswegen nicht hätte schreiben sollen, sagte die Blondine: »Doch, sie soll sich nur nicht beklagen.« Als ich fragte, wie klaglose Literatur aussähe, meinte sie: »Keine Ahnung, James Joyce oder so.« Glücklicherweise meldete sich eine andere Studentin zu Wort und sagte, diese Autorinnen hätten zu einer anderen Zeit und in einer anderen literarischen Epoche gelebt als James Joyce. »Und in anderen Ländern«, ergänzte eine dritte. »Außerdem war er sehr privilegiert«, platzte eine vierte dazwischen. »Ich verstehe bloß nicht, warum wir das Gejammer dieser Frauen lesen müssen«, sagte die Blondine. Weiter hinten meldete sich eine, um meine Ehre zu verteidigen: »Das Seminar heißt ›Frauen in der amerikanischen Literatur‹.«

»Als Chopin diese Texte schrieb, durften Frauen weder wählen noch sich scheiden lassen«, erklärte ich. »Das mag euch heute überholt vorkommen, aber ...« Ich verstummte. Ich hasste dieses Seminar jedes Jahr mehr. Das Thema war so weit gefasst, dass man sich unmöglich eingehender mit den einzelnen Beispielen beschäftigen konnte. Der straffe Zeitplan des Semesters machte aus jeder Entscheidung für ein bestimmtes Thema oder ein bestimmtes Seminar eine Behauptung, gerade so, als würde ich mich jede Woche hinstellen und sagen: »Dies ist die amerikanische Frau.« Ich wollte das Seminar aus dem Kursangebot streichen lassen, aber es handelte sich um eine Pflichtveranstaltung, sowohl in Gender Studies als auch in Englischer Literatur, und war praktisch unstreichbar. »Ich möchte mit Ihnen darüber sprechen, was in diesen Texten passiert. Welche Symbolik haben die Autorinnen verwendet, welche Metaphern? Sie haben im ausgehenden Transzendentalismus geschrieben, zu Zeiten von Freud und Darwin. Inwiefern haben diese Bewegungen ...«

Nach dem Unterricht war ich unendlich erschöpft. Die blonde junge Frau, die mich herausgefordert hatte, eilte aus dem Seminarraum; sobald sie nicht mehr vor ihren Kommilitoninnen performen konnte, verließ sie der Mut. Ich schleppte mich in die Cafeteria und kaufte mir eine Suppe in einer beschichteten Pappschale, ein Stück Apfelkuchen von einer örtlichen Farm und aschgrauen, lauwarmen Kaffee. Ich fand eine Sitznische in einer sonnigen Ecke und ließ mich hineinsinken. Von Studierenden umgeben, konnte ich es mir nicht erlauben, einfach einzuschlafen, obwohl ich nichts lieber getan hätte – ich wollte die Augen zumachen und mich von der Schwere überwältigen lassen. Anscheinend hatte ich die Augen tatsächlich kurz geschlossen, denn plötzlich schallte mir aus der Dunkelheit ein gellendes »Juhuu!« entgegen.

Ich öffnete die Augen wieder und sah eine von einem Lichtkranz umgebene Haarmasse. Sie glich einer Löwenmähne, nur glänzender und geordneter. Florence. Bei einer Fortbildung hatte Florence einmal gesagt, auf eine einsame Insel würde sie nur eine Rundbürste mitnehmen. »Mehr braucht man über sie nicht zu wissen«, sagte ich zu jedem, der es hören wollte. Sie gab Seminare über die Postmoderne, angeblich war sie nicht schlecht, aber ich konnte sie mir unmöglich mit einem Buch in der Hand vorstellen. Sie war um die vierzig und kleidete sich bei der Arbeit demonstrativ »heiß«: kurze Kleider, hochhackige Stiefel, große Ohrringe, zerrissene Strümpfe. Sie hatte beneidenswert lange Beine, die sie übertrieben oft übereinanderschlug oder aneinanderrieb, wie eine Mensch gewordene Spinne. Sie ließ jeden Satz als Frage ausklingen, absichtlich und defensiv, und redete am liebsten über Kochrezepte, Restaurants und die außerschulischen Aktivitäten ihrer Kinder. Bei den Fakultätstreffen beschwerte sie sich meistens über die Arbeit, auf die sie keine Lust hatte. Ganz bewusst ignorierte sie einen Pakt, den wir Festangestellten geschlossen hatten: uns als Gegenleistung für die Sicherheit und Gestaltungsfreiheit, die mit einer Professur einhergingen, ehrenamtlich zu engagieren. Sobald sie fest angestellt war, hörte sie auf zu veröffentlichen und kam immer zu spät. Widerstand war ihr Lebensmotto, und während unserer Sitzungen hinterfragte sie jede Aussage und jede Hypothese. Sie konnte ganz lustig sein, vor fünf oder sechs Jahren hatten sie und ich uns von einem Cocktailempfang des Dekans abgesetzt und eine Kneipentour gemacht, die damit endete, dass sie eine Anzeige wegen öffentlichen Urinierens bekam. Aber als Kollegin war sie eine Niete.

Besonders ihr Umgang mit John ärgerte mich. Wie alle halbwegs schönen Frauen war sie völlig fixiert auf potenzielle männliche Übergriffigkeit. Wenn man ihr zuhörte, schien es, als wäre sie noch nie einem Mann begegnet, der sie am Ende nicht angeschmachtet oder ausgenutzt hätte. Insgeheim glaubte ich, dass sie gekränkt war, weil John ihr keine Affäre angeboten hatte, aber sie war die Sorte Frau, von der er sich instinktiv fernhielt. Noch vor der Anhörung hatte sie sich mit der Forderung hervorgetan, er solle in diesem Jahr nicht mehr unterrichten dürfen, und dann hatte sie den Haushaltsausschuss verlassen mit der Begründung, sie könne mit »diesem Mann« nicht mehr am selben Tisch sitzen; dabei wussten wir alle, dass sie dem Ausschuss nur beigetreten war, weil ihr nach einer Leistungskontrolle eine Abmahnung drohte, sollte sie sich nicht mindestens einer Arbeitsgruppe anschließen (ich war in vier).

Ich setzte mich auf, um etwas zu sagen, aber dann sah ich, dass David neben ihr stand. David, mein Ex-Geliebter, der während Johns Suspendierung als Fachbereichsleiter eingesetzt war. Damals, mein Gott, es war zwanzig Jahre her, hatte er den Posten abgelehnt. Als wir zusammenkamen, war er ein schlanker, aber kräftiger Mann mit glatt rasiertem Kopf, den ich zu gern mit beiden Händen streichelte und zwischen meine Brüste drückte. David hatte eine hohe Stirn und eine markante Nase, deren Anblick mich früher körperlich erregt hatte. Auf dem Höhepunkt unserer Affäre brauchte ich sie nur kurz anzusehen, und schon konnte ich mir unter Zuhilfenahme meiner Muskeln und der Stuhlkante einen kleinen, heimlichen Orgasmus verschaffen.

Inzwischen hatte David fünfundzwanzig Kilo Übergewicht und ließ sich gehen. Er rasierte sich den Kopf nicht mehr, sondern trug jetzt eine Art Tonsur, die seine glänzende Glatze umspannte. Er sah aus wie ein Charakterdarsteller, der einen Steuerberater spielt. Seine markante Nase hatte sich zu einer Art Schnabel mit zusätzlichem Knorpel an der nach unten gekrümmten Spitze entwickelt. Er kleidete sich nachlässig, wahrscheinlich kaufte seine Frau ihm Hemden und Hosen en gros, und er zog sie so widerspruchslos an wie ein Häftling seine Sträflingskleidung. Ach, ich sollte nicht so gemein zu David sein. Ich hatte mich jahrelang auf seine Makel konzentriert, nur so war ich über seinen Verrat hinweggekommen. Spürte ich Genugtuung, wenn ich ihn mit meinem Mann verglich, dessen blondes Haar und hellblaue Augen in Würde alterten? Der immer noch eitel war, öfter ins Fitnessstudio ging als in die Bibliothek und Eselsohren in Männermodekataloge machte? Ganz bestimmt. Doch ich hätte gewettet, dass David mit seinen fleischigen Männerhänden immer noch ein begabter Liebhaber war, hoch konzentriert, verspielt, aufmerksam. Mit ihm hatten meine Experimente geendet und mein untadeliges Dasein seinen Anfang genommen. Unsere Affäre existierte in meiner Erinnerung weiter wie ein vormals geliebtes, nun vergessenes Musikstück, das mir gelegentlich wieder in den Sinn kam und alle möglichen Gefühle auslöste.

Viele Jahre nach unserer Trennung hatte er bei einem aberwitzigen Bootsunfall auf dem See einen Sohn verloren. Bei der Beerdigung hatte er mich umarmt und mir ins Ohr geflüstert: »Siehst du?« Ich sah nichts. Ich wusste, was er meinte, aber ich sah nichts. Während der Affäre hatte es zwischen ihm und seiner Frau keine Abmachung gegeben, nicht mal eine stillschweigende. Die Schuldgefühle seiner Familie gegenüber hatten vereitelt, was ich seinerzeit für meine größte Chance auf echtes Glück gehalten hatte. Ein Jahr später war sein Sohn auf die Welt gekommen. Ich vermutete, dass er seine gesamte sexuelle Energie wieder in seine Ehe umleitete und alles auf das Leben setzte, für das er sich entschieden hatte. Sein »Siehst du?« unterstellte, dass die Bestrafung, wären wir damals wirklich nach Europa gegangen, noch viel härter ausgefallen wäre, dass der Tod seines Sohnes ein Resultat seines Fehltritts war. Verständlich in dem Moment, auf dem Höhepunkt von Schock und Trauer, aber letztendlich lachhaft. Kummer kann Menschen verrückt machen. Als würden wir jemals auf diese Weise bestraft oder belohnt – tragischer Unfalltod wegen geheimer

Indiskretion. Seit dem Tod seines Sohnes bewegte David sich schwerfälliger durchs Leben, als trüge er eine Bleischürze, wie man sie vor einer Röntgenuntersuchung anlegt. Ich hatte dieses »Siehst du« nie gemocht. Es erinnerte an eine überambitionierte Zeile von Ibsen oder Strindberg oder Bergman, von irgendeinem Skandinavier, der sich einbildete, von seinen Taten verfolgt zu werden. Die Zeile klang nach einer tiefen Wahrheit, doch sie war bedeutungslos.

»Müde?« Florence betrachtete mich mit aufreizend viel Mitgefühl.

Ich schüttelte den Kopf. »Nein, ich habe nur kurz die Augen zugemacht.«

»Ich bin total fertig«, sagte sie. »Dieses Herbstwetter macht mich immer so müde. In der Sonne ist es zu warm, im Schatten ist es zu kalt. Ich persönlich schließe ja einfach die Tür zu meinem Büro und mache ein Nickerchen, anschließend esse ich ein paar Schokorosinen, und schon fühle ich mich wie neugeboren. Machst du auch manchmal ein Nickerchen, David?«

Er nickte. »Ja, ich mache Nickerchen. Ich mag das.«

»Ich *liebe* es! Was ist mit dir?« Sie setzte sich an meinen Tisch und bedeutete David, er solle sich einen Stuhl holen.

»Nein«, sagte ich. »Ich hasse Nickerchen.«

Was ich wirklich hasste, waren Gespräche über das Schlafen. Manchmal hatte ich den Eindruck, es gäbe nur zwei Themen, Arbeit und Schlaf. Als Sid noch klein war, drehte sich alles um den Schlaf – ihren, meinen, Johns –, um Schlafzeiten und um Müdigkeit, diese ewige Müdigkeit.

»Wow, du bist unglaublich«, sagte Florence und zwinkerte sich selbst zu.

»Wolltet ihr mit mir essen«, sagte ich, »oder ist das ein Hinterhalt?«

David lächelte. »Letzteres, leider.«

Florence schlug ihm auf die Schulter. »Das ist kein Hinterhalt, jetzt hör schon auf.« Sie beobachtete ihn nervös; ganz offensichtlich hatten sie sich zusammengetan, um mir eine unangenehme Nachricht zu überbringen.

David sah sich in der Cafeteria um. »Wie wäre es mit einem kleinen Spaziergang?«

»Habt ihr etwa Angst, ich mache euch eine Szene?«, fragte ich.

»Nein, gar nicht!« Florence schlug sich das Haar zurück, sodass es aussah, als türmte sich eine riesige Welle auf ihrem Kopf.

»Ja«, sagte David.

Da blitzte ein Bild von Vladimir und Cynthia vor meinem geistigen Auge auf, ihre Gesichter waren zerfurchter als heute, sie standen Hand in Hand auf der Treppe der Englischen Fakultät und posierten für ein Foto. Als John damals Vorsitzender wurde, hatten wir ebenfalls für den Fotografen posiert. In einer schnellen Abfolge von Bildern stiegen sie die Treppe hinauf und küssten sich keusch, und dann verschwand Cynthia in mein Büro, das jetzt ihr Büro war. Ich stand draußen unter ihrem Fenster und war verkleidet wie eine Aussätzige in einem Kirchenmusical; teefleckige, zerfranste Bandagen lösten sich von meinen Armen, die ich flehend in die Höhe reckte. Das Bild zoomte aus Cynthias Perspektive heran und zeigte mein Gesicht in Großaufnahme. Ich hatte keine Zähne mehr, die Tränen zeichneten Streifen auf meine schmutzigen Wangen.

Ich aß meine Suppe, trank den Kaffee aus und brachte den Abfall weg, während sie an der Tür warteten. Auf einmal verspürte in einen Fluchtimpuls. Ich kam mir vor wie ein Verdammter, der von zwei Mafiaschergen abgeholt wird. Wie Camille Claudel beim letzten Gang mit ihrem Bruder, bevor er sie für den Rest ihres Lebens ins Irrenhaus sperrt.

Wortlos verließen wir die Cafeteria und stiegen die schmale, schlecht designte Steintreppe hinunter. David hielt sich am Geländer fest, während er die Stufen hinunterhumpelte. Als ich fragte, ob er verletzt sei, erzählte er vom Umzug seiner Tochter Mercy. Sie war am Wochenende zu ihrem Verlobten gezogen, und David hatte ihr geholfen und sich dabei den rechten unteren Rücken gezerrt. »Zu ihrem Verlobten«, wiederholte ich und gratulierte ihm. »Ein toller Kerl, wir mögen ihn sehr«, sagte David und nickte melancholisch. »Zum Glück wollen sie keine große Hochzeitsfeier.« Wir verfielen abermals in Schweigen und trotteten über den Rasen bis zu dem Fußweg, der einmal um den Campus führt.

Florence machte den Anfang.

»Ich nehme an, du weißt, dass Johns Verfahren am zwanzigsten beginnt?«

»Seine Anhörung«, korrigierte ich sie.

»Wolltest du hingehen?«

»Nein«, sagte ich. In Wahrheit war ich unschlüssig, aber das wollte ich ihr gegenüber nicht zugeben.

»Gut«, sagte sie.

David mischte sich ein. »Hör mal, du weißt ja, in was für Zeiten wir leben.«

»O ja.«

»Es ist absurd, man muss so vorsichtig sein, erhält null Unterstützung von der Verwaltung, keiner stärkt einem den Rücken, die Studierenden haben das Sagen … du weißt, was ich meine.«

»Worauf willst du hinaus? Habe ich etwas falsch gemacht? Habe ich jemanden beleidigt?«

Florence schüttelte den Kopf. »Nein nein nein nein nein nein nein nein nein nein.«

»Was ist es dann?«

Weil Florence anscheinend nicht weiterwusste, ließ David sie mit einem Nicken wissen, dass er nun übernehmen würde. Wäre das Attraktivitätsgefälle zwischen den beiden nicht so offensichtlich gewesen, hätte ich glatt geglaubt, sie wären zusammen.

»Bitte, David, quäl mich nicht weiter und sag mir einfach, was los ist.«

Wir blieben alle drei stehen, gleichzeitig und abrupt.

»Einige Studierende haben sich beschwert, weil sie deine Anwesenheit angesichts von Johns Untersuchung fragwürdig finden, wenn nicht gar triggernd. Sie haben das Gefühl, dass du von den mutmaßlichen Übergriffen wusstest. Sie verlangen, dass du deine Lehrtätigkeit niederlegst, bis die Anhörung vorbei ist. Und abhängig vom Ergebnis soll die Lage neu beurteilt werden.«

Ich hatte einen schweren Klumpen im Magen, meine Arme und Beine versteiften sich vor Wut. »Und was sagt der Fachbereich?«

»Wir sind nicht der Meinung, dass die Studierenden darüber entscheiden sollten, wer hier eingestellt und wer entlassen wird«, sagte David hastig.

»Trotzdem möchten wir natürlich«, sagte Florence, »dass sie sich gehört fühlen. Einige von ihnen haben sexuelle Gewalt erlebt, und mit der Frau eines Vergewaltigers in einem …«

»Mein Mann ist kein Vergewaltiger.«

»Das behauptest du, aber …«

»Das behaupten alle!«

»Er hat seine Stellung und seine Macht missbraucht, um Frauen, die dreißig Jahre jünger waren als er, ins Bett zu kriegen.«

»Das ist von Vergewaltigung immer noch weit entfernt.«

David hob die Hand, um Florence zum Schweigen zu bringen. »Lass uns das Wort vermeiden. Sie hat recht, davon war nie die Rede.«

Er fuhr fort. »Für den Fachbereich ist die ganze Sache ein herber Schlag. Die Einschreibungen gehen zurück …«

»Die Einschreibungen gehen in allen Geisteswissenschaften zurück. Ihr wisst beide, wie das ist. Niemand will heutzutage noch Literatur im Hauptfach studieren. Alle, die früher unentschlossen waren und das Fach aus Verlegenheit gewählt haben, entscheiden sich heute für Psychologie oder Umwelttechnik oder Politikwissenschaften. Wir sind Dinosaurier, wir alle.« Ich lächelte sie an, aber sie verzogen keine Miene. Florence kniff verstört die Lippen zusammen, David sah zu Boden.

»Du bekämst weiterhin dein Gehalt«, sagte er.

»Und dann?« Ich versuchte, nicht schrill zu klingen. Ich setzte mich wieder in Bewegung, mit schnellen Schritten, und freute mich darüber, dass Florence' hohe Blockabsätze im weichen Untergrund versanken.

»Eine Studentin war bei mir und hat gesagt, sie habe John auf deinem Schreibtisch sitzen sehen. Ihr habt gelacht. So oder so wäre es unprofessionell, den jungen Leuten den Eindruck zu vermitteln, sie befänden sich in einem feindseligen Lernumfeld.« Jetzt schrie Florence mich an.

»Sprecht ihr im Auftrag der Verwaltung?« Mir kam es vor, als würden die sanften Hügel des Campus in Bewegung geraten wie die Papierwellen in einem Puppentheater, und ich war die zweidimensionale Figur an einem Stab, die zwischen den Wellen dümpelt und dann von der Bühne verschwindet.

David warf Florence einen strengen Blick zu. Er legte mir eine Hand auf den Arm, aber ich schüttelte sie ab wie eine kranke Krähe. »Wir sprechen nur für den Fachbereich. Wie du dir sicher denken kannst, können wir dich zu nichts zwingen. Du hast einen Vertrag. Wir bitten dich nur, es zu überdenken, den Studierenden zuliebe.«

»Wer würde meine Seminare übernehmen?«

»›Gothic Novel‹ könnte ich weiterführen, und Cynthia könnte vielleicht ›Frauen in der amerikanischen Literatur‹ übernehmen. Sie hat David gesagt, sie würde gern mehr Kurse unterrichten. Dieses Semester gibst du doch nur diese zwei, oder?«, fragte Florence hastig. Ich fragte mich, wie lange die Sitzung gedauert haben musste, auf der sie zu diesem Entschluss gekommen waren.

»Wie soll das funktionieren?« Ich fühlte mich, als steckte mein Brustkorb in einem zu engen Eisenband. Ich versuchte, mich an das Märchen zu erinnern, in dem sich jemand Eisenbande um die Brust schlägt, damit sein Herz nicht bricht. Wie hieß es gleich, warum fiel mir der Titel nicht ein? Als sich sein Herzenswunsch erfüllt, fallen die Bande von ihm ab, ping, ping, ping.

Florence war damit beschäftigt, unsichtbare Haare von ihrem Pullover zu zupfen. »Wenn du etwas dazu beitragen willst, dass der Lehrplan eingehalten wird, könntest du uns die entsprechenden Unterlagen überlassen.«

Ich lachte. Meine wunderbaren Notizen, die ich vor jedem einzelnen Seminar feinsäuberlich anlegte, ein ganzer Schreibblock pro Doppelstunde? In meiner Handschrift, das Einzige an mir, was in ästhetischer Hinsicht makellos war? Meine Seminare waren meine Kunst, sie waren eine Reise. Zu Beginn lud ich die Studierenden auf ein Floß ein, und sobald alle an Bord waren, schiffte ich sie den Fluss der Erfahrung hinunter und wies sie auf Sehenswertes hin, zur Linken: Themenresonanz, zur Rechten: Bildsprache. Ich bot ihnen eine Gelegenheit, zu reflektieren und eigene Entdeckungen zu machen. Zum Schluss erinnerte ich sie daran, wo sie gestartet waren, und an das, was sie unterwegs gelernt hatten und auf die nächste Reise mitnehmen konnten. Ihnen meine Unterlagen überlassen? Das wäre, als würde eine Sängerin ihren Hit verschenken. Kommen Sie, vertreten Sie Nina Simone, Sie dürfen »Mississippi Goddam« singen. Idiotisch.

»Sehen alle im Fachbereich das so wie ihr?« Ich ging noch schneller und erfreute mich an Florence' Straucheln und Davids Humpeln.

»Es gab eine Abstimmung unter den Festangestellten, fünf zu zwei«, sagte David verschnupft.

Festangestellt waren zurzeit außer John und mir noch David, Florence, Tamilla, André, Ben, Priya und Julian.

Vladimir war natürlich noch nicht dabei; Juniorprofessoren und Gäste waren von den Sitzungen ausgeschlossen, also auch Cynthia, Gott sei Dank.

»Fünf haben sich dagegen ausgesprochen, dass ich weiter unterrichte? Und zwei wollten, dass ich bleibe?«

Er nickte. »Fünf wollten, dass wir dir den Vorschlag unterbreiten. Zwei fanden die Maßnahme übertrieben.«

Ich verschaffte mir kurz einen Überblick. Priya war in meinem Alter, sie war meine Freundin, sie war durch und durch New Criticism und hätte niemals gegen mich gestimmt. So wenig wie André, ein älterer Franzose, der amüsiert den Kopf schüttelte, wann immer das Debakel zur Sprache kam. Blieben noch: Tamilla, Ben, Julian, Florence (alle unter fünfzig) und David.

»Und ihr gehört zu den fünf?« David und Florence nickten.

Die Gespaltenheit des Gremiums ließ Davids Entscheidung gegen mich noch verräterischer erscheinen. Einen einstimmigen Beschluss hätte ich nachvollziehen können – unsere Affäre lag lange zurück, und er wollte nicht den Anschein erwecken, er wäre irgendwie parteiisch. Doch er hatte eine Gelegenheit bekommen, sich auf meine Seite zu stellen, und er hatte verzichtet. Eigentlich konnte ich mir nicht vorstellen, dass er gegen mich war. Er hatte einfach nur Angst und wollte sich selbst schützen. Wind war aufgekommen, und nun hielt er seinen Hut fest. Er war ein alter weißer Mann, er war ebenso gerissen wie rückgratlos und wollte nicht auf der Verliererseite aufwachen. Ich stellte mir vor, wie sein kurzer, dicker Penis unter seinem Kugelbauch herausragte, ein kleiner Champignon mit heller Kappe. Ich stellte mir vor, wie ich die Kappe mit einer Gartenschere abknipste und das Blut sich auf seinen fetten, femininen Oberschenkeln verteilte.

Ich blieb abrupt stehen und drehte mich zu den beiden um. David schnappte nach Luft, Florence hinkte. Ich wollte ihnen sagen, dass sie mich am Arsch lecken konnten, Scheiße noch mal. Mein Verstand wurde immer freigiebiger, was das Wort Scheiße betraf: Auf keinen Fall würde ich meine Scheißseminare aufgeben, dafür müsste mich der Scheißsicherheitsdienst vom Campus entfernen. Es war illegal, eine Frau für die Verbrechen ihres Ehemannes zur Rechenschaft zu ziehen, das wussten diese Scheißidioten ganz genau. Die beiden würden genau wie alle anderen, die gegen mich gestimmt hatten, als hätten sie das Recht dazu, für immer auf meiner schwarzen Liste stehen, ich würde sie verfolgen und ausfindig machen und mich an ihnen rächen. Feindseliges Umfeld? *Ich* könnte sie verklagen, *ich* arbeitete in einem feindseligen Umfeld. Ich würde sie mit Klagen überziehen, ich würde den Fachbereich zerstören.

Doch als ich ihnen ins Gesicht sah, war mein Kopf leer. Eine Welle der Verwirrung umflutete meine Gedanken. Ich fing an zu schielen. Ich spürte ein Stechen in der Brust, als steckte ein Bohrer in meinem Brustbein.

Ich schloss die Augen. Mit drei oder vier Jahren hatte Sid einen Hippiekindergarten besucht, wo die Kinder lernten, sich durch Atemübungen selbst zu beruhigen. *Riech die Blumen, blas die Kerze aus.* Wann immer ich mich sammeln musste, erinnerte ich mich daran. *Riech die Blumen, blas die Kerze aus.*

Als ich die Augen wieder öffnete, starrte David zu Boden, und Florence ließ ihr Handy sinken.

»Sorry«, sagte sie. »Die Kita.«

Ich erlaubte mir nicht, über diese Kränkung nachzudenken. Ich blendete Florence einfach aus, wie eine Zeichentrickfigur, die gerade noch durch den Hintergrund gelaufen und plötzlich nicht mehr da ist. Ich hob den Kopf und beobachtete einen überdachten Laubengang, durch den Studierende zum Unterricht eilten.

»Ich denke drüber nach«, sagte ich, drehte mich um und lief querfeldein über den Rasen, Hauptsache, weg von den beiden. Der Boden war in der Sonne aufgetaut, saugte meine Schuhe an und schmatzte bei jedem Schritt. Ich ging schnurstracks zum Fachbereich für Englische Literatur. Neben dem Hintereingang stand ein Müllcontainer, ich versteckte mich dahinter wie ein Teenager und zündete mir eine Zigarette an. Ich lehnte mich an die Ziegelmauer und rutschte nach unten, bis ich auf dem Asphalt saß. Ich sah mich als eine alte, von Ekzemen übersäte Drogenabhängige vor der New Yorker Penn Station sitzen; in der Hand ein Stück bekritzelte Pappe, um so einfach wie möglich an Geld für Fentanyl zu kommen, und bis dahin schnorrte ich Zigaretten und Pommes von McDonald's.

Wer hatte sich über mich beschwert? Ach, auch egal. Ich konnte es mir genau vorstellen: die Cafeteria, Gaskamine erzeugten eine Atmosphäre wie in einer besseren Skihütte, in der Mitte des Raumes drei Resopaltische, zusammengeschoben zu einer langen Tafel, und daran saßen etwa zehn zumeist weibliche Studierende. Ich erkannte unterschiedliche Körperformen und unterschiedliches Essen auf den

Tellern, oft stimmte die Kombi nicht, die Dünnen aßen Nudeln mit Sahnesauce und die Dickeren Proteinsnacks und Salat. Die ursprüngliche Frage – »Oh Gott, Leute, findet ihr es nicht auch komisch, dass seine Frau noch unterrichtet?« – schwoll zu einem Schlachtruf an, gemeinsam entschieden sie, dass meine Anwesenheit nicht länger tragbar war, ihnen Angst machte, sie an böse Menschen und schlimme Sachen erinnerte, die sie erlebt hatten oder ihre Cousinen.

Wie sie da so in der Cafeteria saßen, verwandelte sich das Besteck in ihren Händen in winzige, hochgereckte Mistgabeln. Ich kannte nicht nur das Gemeinschaftsgefühl, das entsteht, wenn man zusammen aufbegehrt, sondern auch das überwältigende Bewusstsein für die eigene Identität, das sich einstellt, sobald man ein vermeintliches Übel einmal erkannt hat. Ich wollte, dass sie dieses Feuer spürten, dafür war das College da. Sie nahmen gerade das Recht aller jungen Menschen in Anspruch und förderten zutage, was sie für die strukturelle Ungerechtigkeit der Welt hielten. Es war ihr gutes Recht, uns zu belauern und unseren Platz einnehmen zu wollen. Es war ihr gutes Recht zu glauben, sie würden es besser machen als wir. Wir, die im Leben genug bittere Erfahrungen gemacht hatten, um in jeder neuen Situation mit Schwachstellen, Mängeln und Ungereimtheiten zu rechnen. Sie waren mit Klimawandel und Waffengewalt aufgewachsen, mit einem nie versiegenden Strom aus Nachrichten, der leise murmelnd aus dem Autoradio plätscherte, wenn ihre Eltern sie zum Fußballtraining und zum Klarinettenunterricht kutschierten. Die meisten von ihnen (zumindest jene, die an unserem liberalen und sehr teuren College studierten) waren typische Millennials und als Heranwachsende in eine dicke Decke aus Frieden und Wohlstand gepackt gewesen, während in anderen, dunklen Winkeln der Welt furchtbare Bedrohungen lauerten. Sie wurden übertrieben gelobt und übertrieben unter Druck gesetzt. Darunter waren Teenagermilliardäre, zwölfjährige YouTube-Stars, die nach dem College trotzdem keinen Job finden würden. Mit Trumps Präsidentschaft war die Illusion einer Welt, die man ihnen vom Fahrersitz des Minivan aus gepredigt hatte, die Illusion, alles würde sich stetig verbessern und der lange Bogen der Geschichte sich in Richtung Gerechtigkeit krümmen, auf den Kopf gestellt.

Oder so ähnlich. Ich schüttelte meine hochtrabenden Gedanken ab. Ich verstand die jungen Leute nicht und hatte keine Ahnung von ihrer Lebenswirklichkeit. Dass ich sie mochte, rechnete ich mir selbst hoch an. Auf Dinnerpartys verteidigte ich sie. Die Kids sind in Ordnung! Ich mochte ihren Aktionismus, ihre strenge Moral, ihr Gebrüll …

»Ma'am?« Vor mir tauchten die Räder eines Golfcaddys auf. Ich hob den Kopf und sah eine vierschrötige Frau vom Sicherheitsdienst mit Rundum-Sonnenbrille und Anglerhut.

»Bitte machen Sie die Zigarette sofort aus, Ma'am, dies ist ein Nichtrauchercampus.«

»Ich weiß. Ich unterrichte hier.«

»Ich muss Ihnen einen Strafzettel ausstellen, Ma'am.«

»Ich bin Professorin, ich *unterrichte* hier. Ich bin keine Studentin.«

»Dann sollten Sie erst recht nicht rauchen, Ma'am.«

»Bitte hören Sie auf, mich Ma'am zu nennen. Ich mache das sonst nie. Ich … Ich habe gerade eine schlechte Neuigkeit erhalten …«

»Bitte verlassen Sie in Zukunft den Campus, wenn Sie rauchen wollen, Ma'am. Der Ausgang ist dahinten.«

»Ich weiß, wo der Ausgang ist, danke.«

»Dürfte ich bitte Ihren Namen haben, Ma'am?«

»Warum?«

»Für den Strafzettel.«

»Kann ich bitte *Ihren* Namen haben?«

»Ich bin Estelle. Meine Mutter ist an Lungenkrebs gestorben. Hier auf dem Campus habe ich eine einzige Aufgabe, und die besteht darin, Rauchern Strafzettel auszustellen. Name?«

Mit triumphierend aufrechtem Rücken fuhr Estelle dem Sonnenuntergang entgegen. Sie hatte es geschafft! Sie hatte eine weitere Raucherin erwischt! Heute war ein guter Tag, Baby, hörte ich sie zu ihrer drahtigen Frau sagen, die einen weit ausgestellten Rock trug und Home Brew trank, heute habe ich sogar eine Professorin erwischt! Mein Gott, die war vielleicht anstrengend. Der habe ich es gezeigt!

Ich betrachtete den Strafzettel in meiner Hand. Hundert Dollar. Es war der Tarif für Wiederholungstäter.

10

Als ich Sid von der Forderung des Fachbereichs erzählte, grinste sie nur und schüttelte mit der arroganten Lässigkeit einer staatlich anerkannten Anwältin den Kopf.

»Die können dich gar nicht rauswerfen.«

»Na ja, ich weiß, aber das versuchen sie auch gar nicht. Sie möchten nur, dass ich es mir überlege.«

Ich mixte uns Martinis in Einmachgläsern. Bevor ich den Campus verlassen hatte, hatte ich meinem Seminar und anderen Betroffenen per E-Mail mitgeteilt, ich fiele am nächsten Tag wegen einer Erkältung aus. Wie erwartet meldete sich Priya. Es tat ihr sehr leid, und sie war der Ansicht, ich sollte eine Kunstperformance daraus machen und mir rote Buchstaben anheften, *FF* für Frau des Fremdgehers. Ich schrieb zurück und bedankte mich. Ich hätte ihr gern noch mehr geschrieben, ich wollte sie für den Abend zum Essen einladen, damit wir alles besprechen konnten, aber meine Finger lagen auf der Tastatur wie Blei.

Gepackt von einem starken Drang zu konsumieren, fuhr ich zu der hochpreisigen Schlachterei, die kürzlich erst in der Stadt eröffnet hatte, und kaufte teure T-Bone-Steaks bei einem äußerst attraktiven, muskulösen Metzger. Um mich selbst aufzuheitern, stellte ich mir vor, wie er die Spitze seines Schlachtermessers sachte über meine Rundungen zog, aber die Fantasie kam gegen meine Bedrücktheit nicht an. Ich hielt beim Bioladen und kaufte pechschwarzen Grünkohl, Designeranchovis, einen Parmesanklotz zu neunzehn Dollar, Oliven, Sesamcracker, einen ganzen Laib Sauerteigbrot aus Vollkornweizen, Ziegenkäse, Salami, Himbeeren und eine mehlfreie Schokotrüffeltorte.

Alkohol kaufte ich normalerweise in einem eher unwürdigen Großmarkt, wo die Weine gut waren und die Preise noch besser und wo die Verkäufer einen in Ruhe ließen. Aber heute ging ich zu der kleinen Weinboutique in der Innenstadt, deren Kundschaft fast nur aus Touristen bestand, und ließ mich von einem Engländer zu drei Flaschen Rotwein à dreißig Dollar und einem neuartigen, selbst gebrannten Wodka überreden. Ich würde mich volllaufen lassen wie ein zügelloser Geschäftsmann ohne jede Moral, der auf Reisen Spesengelder verprasst. Alles, was heute meine Lippen berührte, sollte dekadent sein, voller Sulfite oder Eisen, überwältigend aromatisch, schwer und vollmundig.

Sid saß schlecht gelaunt und mit glasigen Augen im Gästezimmer und spielte ein Online-Videospiel auf ihrem Laptop. Ich sagte ihr, sie solle duschen, ein frisches Hemd anziehen und mich unten treffen. Wahrscheinlich hatte sie meine Verzweiflung gespürt, denn sie gehorchte. Ich strippte den Grünkohl vom Strunk ab, zupfte ihn klein, wusch ihn und stellte ihn beiseite, dann spülte ich die Steaks ab, klopfte sie und würzte sie mit Salz und Pfeffer. (Ich bin der Ansicht, dass an ein gutes Steak nur Salz und Pfeffer gehört.) Ich kochte ein weiches Ei und mischte es am Grund einer breiten, nicht sonderlich tiefen Salatschüssel mit den in Knoblauch und Olivenöl eingelegten Anchovis. Ich gab den Grünkohl und einen Berg frisch geriebenen Parmesan dazu und massierte das Essen, bis es glänzte. Ich stellte Käse, Salami, Brot, Cracker und Oliven bereit und dekantierte den Rotwein. Ich nahm die Cocktailzutaten aus dem Schrank und nahm mir fest vor, mich über alle Maßen und auf das Herrlichste zu betrinken.

Draußen war es kühl, aber die Zeitumstellung noch ein paar Wochen entfernt. Ich holte die Verlängerungskabel, verlegte sie im Garten und schloss zwei Wärmelampen an, damit Sid und ich draußen sitzen und zuschauen konnten, wie der Abend dämmerte und die Kreaturen der Nacht aus den Büschen lockte. Bei uns gab es erschreckend viele, von Fliegen und Zecken bedeckte Rehe, die allen Blumen den Kopf abrissen. Wir sahen sie praktisch jeden Abend, manchmal auch einen Fuchs oder ein Kaninchen mit rötlichem Fell, ganz selten einen Biber oder ein Opossum. In einem Jahr war eine uralte Schildkröte von sonst woher angekrochen gekommen, hatte für einen Monat am Pool gewohnt und dort Eier abgelegt.

Sid und ich stellten den Klapptisch nach draußen, und ich legte die Steaks auf den Grill. Als sie fertig waren, hatte ich schon einen halben Martini intus. Ich schlang wie ein Tier, riss das Fleisch mit den Zähnen vom Knochen, schob mir hoch aufgetürmte Gabelladungen Salat in den Mund und ließ mir das Öl übers Kinn laufen; ich stopfte mich mit Käse und Crackern voll und spülte sie abwechselnd mit Martini und Rotwein hinunter. Wir zerteilten das Sauerteigbrot mit bloßen Händen und tunkten die Stücke in gesalzenes Olivenöl. Ich erinnerte mich an meine Mutter zu der Zeit, als ich etwa zwölf war. Sie arbeitete als Pflegehelferin, und nach der Scheidung von meinem Vater kellnerte sie zusätzlich in einem Irish Pub, wie man ihn in jeder amerikanischen Stadt findet. Es gibt dort Burger, Zwiebelringe und fettige Fish and Chips, die Luft riecht nach der immer gleichen Mischung aus abgestandenem Bier, billigem Putzmittel und kaltem Zigarettenrauch. An den Freitagabenden durfte ich (ich kann mich nicht erinnern, dass meine Schwestern je dabei gewesen wären) aufbleiben, bis meine Mutter nach Hause kam. Ich las, sah mir das Spätprogramm im Fernsehen an und probierte im Bad ihre Schminksachen aus, bis ihre Schicht gegen elf endete. Meistens brachte sie zwei Papiertüten mit Resten aus der Küche mit, dazu ein paar Flaschen Coca-Cola. Wir machten uns über das fetttriefende Essen und die pappsüßen Desserts her, bis wir nicht mehr konnten. Ich erinnerte mich daran, wie ich zufrieden kauend neben ihr saß; es war die einzige Gelegenheit, bei der wir beide dasselbe wollten, und möglicherweise waren wir uns nie näher als in diesen Momenten.

Ich sah meine Tochter an. Sie stierte mit vollem Mund ins Gebüsch. Sie hatte ungesund graue Ringe unter den Augen, und ihr müder Gesichtsausdruck erinnerte an die Daguerreotypie einer verbissenen Intellektuellen aus der Zeit des amerikanischen Progressivismus.

»Hast du mal mit Alexis gesprochen?«, fragte ich.

Sie nickte. »Vielleicht kommt sie uns besuchen.« Niedergeschlagen betrachtete sie die Reste auf ihrem Teller.

»Das ist doch toll«, sagte ich gezwungen fröhlich. »Oder? Das ist toll.«

»Ich weiß nicht.« Sid zuckte die Schultern. »Jetzt stellt sie Bedingungen.«

»Bedingungen?«

»Ja, wie heiraten und ein Kind bekommen.«

Alexis war seltsam. Die Leute waren seltsam. Abgesehen davon, dass Sid einen richtigen Job hatte und einigermaßen gut verdiente (wobei sie signifikant weniger zur Verfügung hätte, wenn ich aufhörte, die Hütte zu vermieten und ihr dabei zu helfen, ihren Studienkredit abzubezahlen), deutete wenig darauf hin, dass sie für das Leben bereit war, das Alexis sich wünschte. Möglicherweise stellte Alexis es sich so vor, dass sie die Zuverlässige war, die Versorgerin, diejenige, die Brotdosen packte und zum Elternabend ging, während Sid durch die Gegend flirrte wie Puck und für den Spaß sorgte – das Baby in die Luft werfen, spontan das Auto packen und an den Strand fahren. Aber Alexis war selbst berufstätig, sie würde Hilfe und Unterstützung benötigen und Sidneys Mangel an Verantwortungsbewusstsein und Pflichtgefühl wohl schon bald als Belastung empfinden.

Ich wählte meine Worte mit Bedacht, um nicht vorwurfsvoll zu klingen.

»Vielleicht möchtest du was anderes«, sagte ich.

Ganz kurz erstarrte ihr Gesicht vor Ärger, aber dann entspannte es sich überraschend schnell.

»Ja, könnte sein«, sagte sie. Sie wischte die letzten Reste Kohl, Käse und Fleischsaft mit einem Stück Brot auf und nagte daran wie ein Tier.

Ich trug die Teller ins Haus, schenkte uns Wein nach und holte den Kuchen, der unter der Kante meiner Gabel wie von allein in hübsche geometrische Formen zerfiel.

Es wurde immer dunkler, der Garten unheimlicher. Ich dachte an meine Geschichte. Falls ich nicht mehr unterrichtete, würde ich sehr viel mehr Zeit zum Schreiben haben. Vielleicht, wenn ich fleißig war, könnte ich binnen eines Monats eine erste Fassung abschließen. Ich könnte noch vor meinem sechzigsten Geburtstag ein weiteres Buch veröffentlichen.

»Ich glaube, ich mach's«, sagte ich zu Sid.

»Was?«

»Ich höre auf zu unterrichten.«

»Macht du Witze? Warum?«

»Ich möchte keine Seminare geben, wenn ich dort unerwünscht bin. Wenn die Leute sich meinetwegen unwohl fühlen.«

»Darum geht es denen nicht. Glaub mir. Es geht denen allein ums Rechthaben. Wie sieht das denn aus, wenn du einfach aufhörst? Du begibst dich in die Rolle der Komplizin, obwohl du mit Dads Verhalten nichts zu tun hast.«

»Aber vielleicht hattest du recht, vielleicht war ich seine Komplizin.«

»Hör mal. Ich durfte das zu dir sagen, weil ihr meine Eltern seid und ich sauer war. Ihr habt mich die ganze Zeit angelogen! Aber wenn du seine Komplizin warst, dann waren alle anderen es auch. Alle wussten Bescheid, oder?«

»Ja.«

»Dann unterrichte weiter. Bitte.«

»Mal sehen. Vielleicht reicht es einfach. Niemand will noch hören, was ich zu sagen habe. Ich kriege mich ständig mit meinen Studierenden in die Haare. Früher hat es Spaß gemacht, mich auf ihr Niveau zu begeben, ich habe versucht, sie zu verstehen. Ich habe mich ihnen zeitweise angepasst, weil ich nicht abgehängt werden wollte. Aber jetzt denke ich, vielleicht wäre es besser so.«

»Sei nicht albern, Mom. Du bist noch sehr jugendlich. Wie du aussiehst, wie du dich verhältst, wie du denkst … Du bist jung. Mach dich nicht selbst runter.«

»Wie jung?« Ich wandte mich Sid zu, um mich zu vergewissern, dass sie mich nicht bloß aufmuntern wollte.

»Wie meinst du das?«

»Wie jung sehe ich aus?« Ich war betrunken, sonst hätte ich das nie gefragt. Als sie ein Kind war, wollte ich, dass sie ihren Selbstwert aus anderen Quellen bezieht; ich hasste mich selbst für die Fixierung auf mein Äußeres und fragte sie nie, niemals, wie ich aussähe, auch wenn ich mich nach einem Kompliment sehnte. Wenn John sie hübsch nannte oder ihren Kleidergeschmack lobte, schärfte ich ihr ein, dass es nur auf die inneren Werte ankomme. Obwohl ich davon besessen war, redete ich nie über mein Gewicht, meine Falten, meine grauen Haare. Bevor sie ein linkischer Teenager wurde, bewunderte ich ihre langbeinige Grazie, ihre vollen Lippen, ihre weißen Zähne und ihre üppige Haarpracht, aber ich behielt es für mich. In gewisser Hinsicht hatte es funktioniert. Sid war eine selbstbewusste, aber uneitle junge Frau. Oder sie litt unter derselben Fixierung wie ich, hatte sie jedoch durch eine rätselhafte Osmose verarbeitet und tief in sich eingelagert.

Sie lächelte nachsichtig. »Du siehst keinen Tag älter aus als fünfundvierzig.« Sie tätschelte mein Knie und fügte hinzu: »Ehrlich.«

Sofort verzog sich mein Gesicht zu einem fast schmerzhaft breiten Lächeln. Ich war so glücklich, dass ich in Tränen ausbrechen wollte. Eilig leerte ich mein Martiniglas und verschwand in die Küche mit der Ausrede, wir bräuchten noch mehr Wein.

Sid hatte einen tragbaren Lautsprecher geholt und Musik angemacht, sodass wir den Wagen in der Einfahrt nicht hörten. Wir imitierten eine Modern-Dance-Performance, verdrehten unsere Körper zu lustigen Formen und taten so, als würden wir Stromstöße austauschen, die uns von oben bis unten durchschüttelten. Nach den Martinis und zwei Flaschen Rotwein hatte ich einen uralten, mit Ahornsirup versetzten Whiskey entdeckt, den wir nun pur tranken. In einem kurzen Moment der Klarheit vergewisserte ich mich, dass der Pool abgedeckt war und wir nicht hineinfallen konnten. Diesmal wäre nicht ausgeschlossen, dass eine von uns ertrank. Ich malte mir aus, wie ich mit jeder wellenartigen Bewegung den ganzen Frust und alle negativen Empfindungen aus meinem Inneren heraufholte und aus mir herausschleuderte, zurück in den Äther. Sollte das Universum ihn absorbieren. Wer eine Doktorarbeit über Frauenliteratur schreibt, kommt um New Age nicht herum, und der Alkohol enthüllte meinen Hang zur Mystik.

Plötzlich hielt Sid mich am Arm fest und zeigte zum Gartentor, das wir nach Sids Tritt mit Isolierband provisorisch repariert hatten. Dort stand eine Frau und beobachtete uns. Sobald ich sie sah, wurde mir klar, wie betrunken ich war; es würde unmöglich sein, in gerader Linie auf sie zuzugehen und sie zu begrüßen. »Komm«, sagte ich zu Sid und hielt mich an ihrem Arm fest. Vorsichtig näherten wir uns dem Tor, wie Dorothy und die Vogelscheuche, die untergehakt den dunklen Wald betreten.

Im Näherkommen erkannte ich Cynthia. Sie lächelte gequält, als hätte sie versehentlich die Badezimmertür geöffnet und mich auf der Toilette erwischt.

»Hey«, sagte ich in der Hoffnung, nicht zu lallen. »Das ist meine Tochter, Sid.« Angesichts meiner eigenen Betrunkenheit wurde mir Cynthias Nüchternheit überdeutlich bewusst, und auch, wie sie über uns denken würde, wüsste sie über das volle Ausmaß des Besäufnisses Bescheid.

Sie und Sid sagten Hallo. Vielleicht, weil sie keine Geschwister hatte, war es Sid immer leichtgefallen, mit unseren Nachbarn und mit meinen Kollegen zu plaudern. Im Gegensatz zu anderen Kindern, die sich wanden und betreten zu Boden starrten, wenn sie etwas gefragt wurden, stand Sid immer seelenruhig neben mir und sah den Erwachsenen in die Augen. Meistens war ich sehr stolz, nur manchmal bekam ich ein schlechtes Gewissen; sie war wie eine Mini-Erwachsene und durfte sich nicht ihrem Alter entsprechend benehmen.

Nach einem längeren Schweigen sah Cynthia an mir vorbei zum Pool und sagte: »Ich wollte nicht stören. Ich war gerade auf dem Weg zum Campus, und da wurde mir bewusst, dass ich gerade an Ihrem Haus vorbeifahre …« Später kam ich darauf, dass sie das Haus nicht kannte, sie war nicht einfach so vorbeigefahren, sondern hatte die Adresse nachgeschlagen. Aber in dem Moment dachte ich mir nichts dabei. Ich murmelte, das sei kein Problem, sie könne gern hereinkommen. Ich bat Sidney, mir zu helfen und das kaputte Tor zu bewegen.

Cynthia protestierte, sie könne leider nicht bleiben, und dann sagte sie: »Ich habe gehört, dass Sie aufhören sollen.«

»Das stimmt.«

»Ich wollte Ihnen nur sagen, wie krank ich das finde. Ehrlich, es macht mich so unglaublich wütend.«

»Danke«, sagte ich, streckte eine Hand über das Tor und legte sie ihr unbeholfen auf die Schulter. »Es ist nett von Ihnen, vorbeizukommen und mich zu unterstützen.« Ich hatte weiche Knie und wollte sie gar nicht mehr loslassen, weil ich fürchtete, ich könnte schwanken. Ich fühlte mich wie unter Wasser, nicht in der Lage aufzutauchen.

»Was werden Sie tun?«, fragte sie mit einem Blick auf meine Hand.

»Das weiß ich noch nicht«, sagte ich. Ich konnte nur noch an Vladimir denken, es war so schlimm, dass ich, als ich ihr ins Gesicht sah, fast meinte, sie würde sich in ihn verwandeln. Auf einmal stand *er* vor dem Tor, *er* ertrug den Druck meiner Hand, nicht sie. Vielleicht könnte ich mein Büro behalten, selbst wenn ich meine Lehrtätigkeit aufgab. Ich würde Vladimir auf dem Flur treffen, am Kaffeestand, auf dem Parkplatz. Ich stellte mir vor, wie es kalt wurde und wir beide in Parka und Wollmütze am Auto lehnten, wir zitterten vor Kälte, konnten uns aber nicht voneinander losreißen.

»Na ja, lassen Sie es mich wissen, wenn Sie irgendwas brauchen, ein Empfehlungsschreiben, was auch immer …«, sagte sie. Wieder sah sie auf meine Hand hinunter, die immer noch auf ihrer Schulter lag. Ich verlagerte das Gewicht auf ein Bein, um nicht nach vorn umzukippen, strich ihr über den Arm (eine sinnliche Geste, wie ich gestehen muss) und befühlte kurz ihren festen Trizeps, bevor ich die Hand wegnahm und aus Versehen gegen den Torpfosten schlug.

War ich nur betrunken, oder hatte ich tatsächlich gesehen, wie sie schaudernd und kaum merklich die Schulter zurückzog? Plötzlich fiel mir ein, dass Cynthia, sollte ich meinen Job aufgeben, eines meiner Seminare übernehmen würde. War sie wirklich gekommen, um mir ihre Unterstützung anzubieten? Oder wollte sie mich ausspionieren? Zählte sie in Gedanken schon das Geld, war sie die Füchsin, die das lahmende Huhn belauert? War sie wirklich auf dem Weg zum Campus? Oder hatte sie sich extra ins Auto gesetzt, um herzukommen und mir in den Arsch zu kriechen, und danach geht es weiter zu David, dem zukünftigen Fachbereichsleiter, dem sie ebenfalls in den Arsch kriechen wird? Wo war Phee? Warum war Cynthia um diese Zeit noch unterwegs?

Ich starrte zu lange reglos vor mich hin. Sid, die nüchterner war als ich, fragte Cynthia, ob sie wirklich nicht auf einen Drink oder ein Stück Kuchen hereinkommen wolle, aber Cynthia lehnte ab und sagte, sie müsse noch arbeiten. Sie murmelte, ich solle mich melden, falls sie irgendetwas »für mich tun« könne. Anschließend musterte sie mein Gesicht sekundenlang, als suchte sie nach Hinweisen. Anscheinend wurde sie nicht fündig; sie lächelte müde, drehte sich um und ging zum Auto.

»Fall mir bloß nicht in den Rücken«, sagte ich leise. Sie hielt inne und fuhr herum. Ich wich instinktiv zurück. Selbst in betrunkenem Zustand fürchtete ich mich vor einer Konfrontation.

»Wie bitte?«

»Nichts.«

»Okay«, sagte sie und ging weiter. Kurz bevor sie den Kopf neigte, um einzusteigen, sah ich etwas über ihre fein geschnittenen Züge huschen. Nicht Ärger oder Verachtung, was ich nach meinem Kommentar erwartet hätte. Mein Bewusstsein schwappte über, doch trotzdem konnte ich sehen, dass ich sie nervös gemacht hatte. Sie wendete den Wagen in drei hektischen Zügen und fuhr davon wie eine kopflose Diebin, die von einem Tatort flieht.

11

Am nächsten Morgen wachte ich in unserem alten Ehebett auf. John war nicht da. Mein Kopf fühlte sich an, als hätte mir jemand mit einem Gemüseschäler die obere Schicht vom Hirn gekratzt. Ich setzte mich langsam auf, und vor meinen Augen tanzten weiße Lichtpunkte. Ich trug noch meine Kleidung vom Vorabend. Ich ging ins Bad und versuchte, mich zum Erbrechen zu zwingen, aber nichts kam heraus. Ich sah nach Sid. Sie lag im Gästezimmer im Bett, im Pyjama und zugedeckt. Ich ging weiter ins Arbeitszimmer. John schlief auf dem Futon. Ich hatte wieder nicht mitbekommen, dass er nach Hause gekommen war, allerdings konnte ich mich ohnehin kaum an den Abend erinnern. Ich betete, dass ich ihm nicht meinen ausgehungerten, in Alkohol marinierten Körper angeboten und ihn angefleht hatte, mit mir zu schlafen.

Erleichtert fiel mir wieder ein, dass ich den Unterricht abgesagt hatte – ich hatte den Kater und die Seelenqualen im Voraus geplant. Ja, ich hatte es nicht besser verdient. Ich setzte Kaffee auf, und während ich in der Küche stand und wartete, drückte ich mir einen Beutel gefrorene Mangostückchen an die Stirn. Wasser, ich brauchte Wasser. Das ganze Wasser dieser Welt. Später könnte ich Sid vielleicht bitten, mir aus dem kleinen Reformhaus an der Main Street einen grünen Smoothie zu holen. Und Kombucha, denn Kombucha mochte ich gern. In Gedanken legte ich eine Liste der Sachen an, die ich heute essen und trinken würde. (Viele Leute sind der Meinung, ein Kater ließe sich am besten durch essen lindern; für junge Menschen wie Sid mag das stimmen, aber ich hatte festgestellt, dass es in meinem Alter sehr viel effektiver war, zur schnellen Entgiftung zu fasten und den Kater mit literweise Wasser zu übergießen.) Ich würde bis ein Uhr nichts zu mir nehmen als Wasser, Kaffee und den grünen Smoothie. Danach wäre wasserhaltiges Obst und Gemüse erlaubt (Wassermelone, Gurke, Honigmelone, Sellerie, Kopfsalat, Tomaten), und um fünf würde ich eine scharfe Hühnersuppe kochen (keine Nudeln, kein Reis), die mich von innen ausbrennen und reinigen würde. Ich würde eine alte Aerobic-DVD einlegen und ordentlich schwitzen.

Ich holte mir ein paar angelesene Zeitschriften vom Sofatisch und ließ Badewasser in unsere antike frei stehende Wanne einlaufen. Vor ein paar Jahren hatte ich eine Ablage aus Walnussholz gekauft, die quer über der Wanne lag, und einen kleinen Sitz aus Ipéholz, der Nacken und Rücken stützte und Schmerzen im Steiß verhinderte. Mit meinen Badeutensilien kam ich mir immer vor wie Julie Christie in *McCabe & Mrs. Miller*, obwohl ich meine Beine natürlich niemals in so geraden, ansprechenden Linien in die Luft recken könnte. Ich schenkte mir Kaffee und Wasser ein und trug die Getränke ins Bad, zusammen mit *Paris Review*, *New York Review of Books*, *Harper's* und einem *New Yorker*.

Ich tauschte den Beutel mit gefrorenen Mangos gegen einen mit gefrorenen Erbsen. Beim Pinkeln wurde mir klar, dass John und ich keinen Sex gehabt hatten, denn da war weder ein Brennen noch ein Stechen. Ich ließ mich ins Wasser gleiten, trank einen großen Schluck Kaffee, legte mir die Erbsen aufs Gesicht und schloss die Augen.

Ich döste ein und fühlte mich, als würde eine weiche Decke nach der anderen auf mich niedersinken. Als ich die Augen wieder öffnete, waren die Erbsen getaut und das Badewasser kalt. Jemand klapperte am Waschtisch herum. John stand vor dem Spiegel und fletschte die Zähne wie ein Wolf. Er benutzte Zahnseide.

»Hi«, sagte ich.

»Oh, hi«, sagte er lächelnd. »Das war ein beeindruckender Auftritt gestern.«

»Ich kann mich an nichts erinnern.«

»Es war fast schon komisch. Nur als ich keinen Sex mit dir wollte, bist du ein bisschen ausfällig geworden.«

»Das tut mir leid.«

»Braucht es nicht. Ich habe es sehr genossen, den Kavalier zu spielen und dich in deinem kompromittierenden Zustand zurückzuweisen.«

»Danke.« Ich drehte den Kopf weg. Sein Verhalten wirkte überzogen und ein wenig gekünstelt und mir war nicht danach. Einmal, ich wohnte noch in New York City, bekam ich mit, wie eine Frau ihren Freund fragte, ob er etwas trinken gehen wolle. Sie wollte, das war offensichtlich. Er erklärte in einem ziemlich frömmelnden Tonfall, er wolle heute keinen Alkohol trinken. Sie schämte sich sofort, und ihre Stimme nahm einen schrillen Ton an: »Nie wollen wir dasselbe!«

Genau so war es mir lange mit John ergangen. Wenn er beschwingt zu mir kam, wollte ich ernste Gespräche führen. Wurde er ernst, reagierte ich genervt. Wenn er liebevoll war, zeigte ich ihm die kalte Schulter. War ich bedürftig, zog er mich auf. Fühlte ich mich stark, ignorierte er mich. Ständig brachten wir uns gegeneinander in Stellung. Vielleicht versuchten wir verzweifelt, an der eigenen Identität festzuhalten, am getrennten Ich. Wir bestanden darauf, in unserer jeweils eigenen Gedankenwelt zu leben, und kamen nie wirklich zusammen. Möglicherweise waren wir nicht diszipliniert genug, oder es lag daran, dass wir nicht in die Kirche gingen oder uns an keinem Moralkodex orientierten oder nicht glaubten, dass jemand über uns wachte. Wir waren in den Siebzigerjahren groß und in den Achtzigern volljährig geworden; unsere Adoleszenz hatte sich in den selbstsüchtigsten und individualistischsten Jahrzehnten der gesamten US-Geschichte abgespielt.

Dann hatte ich wieder seine fetten Daumen vor Augen, und wie er damit Nachrichten an seine Studentinnen tippte. Wie er sie in Hotels traf. Ihre Körper hatten ihn um den Verstand gebracht, ihre kleinen, runden, schwerelosen Brüste. Selbst, wenn es mir egal war, selbst, wenn ich meinen Freiraum genoss – hatte Sidney vielleicht doch recht? Hatte ich mich in einem kläglichen Dasein eingerichtet, nur um mir meine Zähigkeit zu beweisen? Warum fragte ich mich immer noch, wie ich John eine bessere Partnerin sein könnte?

»Meinst du, du hast mich einer Gehirnwäsche unterzogen?« Hoffentlich sah ich in der Wanne wenigstens ein bisschen verführerisch aus.

»Wovon redest du?«

»Die vielen Frauen. War es eine Gehirnwäsche? Dass ich es zugelassen habe?«

»Du hast es selbst vorgeschlagen.«

»Vor sehr langer Zeit.«

»Wir wollten keine konventionelle Ehe führen. So haben wir es damals beschlossen. Du hast das beschlossen.«

Ja, das hatte ich. Und ja, ich hatte es nicht anders gewollt. Seltsamerweise hatte ich seit Monaten nicht mehr über konventionelle und andere Ehen nachgedacht – nicht seit der Petition. Wahrscheinlich hatte ich mich in die Rolle der betrogenen Ehefrau drängen lassen. Wir hatten unkonventionell leben wollen, auf eine neue Weise, nach eigenen Regeln, aber nun fand ich mich in der ältesten aller Rollen wieder.

Eigentlich standen wir nicht dahinter, sonst hätten wir Sid eingeweiht. In einer wirklich unkonventionellen Ehe hätte ich nicht das Essen gekocht und die Spielenachmittage organisiert und die Freizeit geplant. Wir hatten hier und da gezündelt, aber alles niederbrennen wollten wir nicht.

»Hey.« Er war gerührt, das konnte ich sehen, er schwoll an vor Wichtigkeit. »Ich habe gehört, was der Fachbereich von dir verlangt. Es tut mir wirklich leid, dass du nun darunter zu leiden hast. Ich finde das wirklich idiotisch.«

»Wo gehst du abends immer hin?«

Er warf die Zahnseide weg, spülte sich den Mund aus und spuckte etwas blutigen Speichel ins Waschbecken.

»Nirgendwo.« Er zog die Ellenbogen zurück und drückte die Brust durch, furzte und verließ das Bad. Aus reiner Gewohnheit machte er im Hinausgehen das Licht aus, und ich lag gestrandet in der Dunkelheit.

Ich hatte nicht geplant, mich so abzuschießen, dass ich nicht mehr über meine Antwort an den Fachbereich nachdenken konnte, aber nun hatte ich bis in den späten Nachmittag Watte im Kopf und Schweiß an den Handflächen. Das, was womöglich zwischen mir und Cynthia vorgefallen war, erfüllte mich mit brennender Scham, egal, wie oft Sidney mir versicherte, alles sei in Ordnung. »Sie ist heiß«, sagte sie. »Ja«, sagte ich, und dann stellte ich mir wieder vor, wie lächerlich ich beim Tanzen ausgesehen haben musste und dass ich wahrscheinlich gelallt hatte. Dass ich sie, die doch nur gekommen war, um nett zu sein, absurderweise bedroht hatte.

Gegen sechs war ich wieder halbwegs klar im Kopf, und sofort meldete sich das Verlangen nach mehr Alkohol. Ich setzte mich hin und schrieb allen Beteiligten, dass ich auch am nächsten Tag noch ausfallen würde, denn leider habe meine Erkältung sich verschlimmert. Die Hausarbeiten für das »Gothic-Novel«-Seminar waren fällig; ich schrieb den Teilnehmern eine strenge Mail, sie hätten bis zum Ende der Seminarstunde Zeit, mir ihre Essays zu schicken. Als Dozentin habe ich die Erfahrung gemacht, dass nichts die eigene Faulheit besser kaschiert als Strenge. Sid mixte Martinis und machte uns gar nicht üble Baguettes mit Röstzwiebeln und Steakresten (meinen Vorsatz, nur Flüssiges und Gemüse zu mir zu nehmen, ließ ich um drei Uhr nachmittags fallen, als mich der Hunger überwältigte). Ich riss mich zusammen und beschränkte mich auf einen Martini und ein großes Glas billigen Rotwein. Wir aßen die Kuchenreste und schauten Billy Wilders *Das Appartement*. Sid hatte den Film nie gesehen.

»Verstörend«, sagte sie, als Shirley MacLaine und Jack Lemmon während des Abspanns Karten spielen. Ich fragte mich, ob *Das Appartement* der erste Film war, dessen letzte Szene die Liebe als Kameradschaft zeigte statt als Leidenschaft. MacLaine und Lemmon hatten sich nicht einmal geküsst. Inzwischen schienen alle Filme die wahre Liebe als das Zusammenfinden zweier gut gelaunter Kumpels darzustellen, es sei denn, sie hatten Titel wie *Verlangen*, geschrieben in dicken roten Lettern auf schwarzem Grund. Kein Wunder – aus den Kurzgeschichten meiner Studierenden wusste ich, dass sie nichts romantischer fanden als eine platonische Beziehung zu jemandem aus dem Freundeskreis.

Doch Sid hatte an einer Diskussion kein Interesse. Verstörend fand sie vor allem das Frauenbild, mit dem der Film kein Problem zu haben schien. Shirley MacLaine hatte Liebe und ein besseres Leben verdient, weil sie vernünftig, lustig, schön und eloquent war. Alle anderen Frauen, die Affären der beiden Geschäftsmänner, waren naive Schlampen. Sie waren kurvig, redeten wie Landeier, waren weniger schön und hatten unseren Spott verdient, während Shirley MacLaines Figur, knabenhaft und kultiviert, unser Mitgefühl und unsere Unterstützung verdiente.

Bis vor Kurzem hatten das natürlich alle so gesehen. Wir alle waren der Meinung gewesen, dass bestimmte Frauen es verdient hatten, ernst genommen zu werden, die Kolleginnen aus dem Büro beispielsweise, und andere eher nicht – zum Beispiel die aus dem Striplokal. Wir alle, Männer wie Frauen, hatten geglaubt, dass zwischen den einen und den anderen ein Unterschied bestand. Dass man sein Urteil problemlos zweiteilen konnte. Dass es möglich war, die einen zu respektieren und die anderen abzuwerten. Ich verstand, warum Sid und ihre Generation die alte Ausrede von »das waren andere Zeiten damals« nicht mehr hören konnten. Derlei Ausreden tragen zur kulturellen Verdummung bei, sie stärken Frauenfeindlichkeit und Rassismus, sind verallgemeinernd und einfallslos. Ich fand nicht, dass Billy Wilder ein Ausbund an Moral war oder überhaupt nur ein guter Mensch.

Aber was mich so frustrierte und warum ich immer weniger Lust auf die Lehre hatte, war meine Überzeugung, dass Kunst nichts mit Moral zu tun haben sollte. Moralische Kunst entstand, wenn die Kirche oder der Staat sich einmischten. Kunst moralisch aufzuladen bedeutete, sie zur Lüge anzustiften und ihr Grenzen zu setzen. Die Wahrheit lag außerhalb der moralischen Grenzen. Die Kunst wollte zu ihren eigenen Bedingungen angenommen oder abgelehnt werden. Die Kunst war nicht der Künstler. Waren das einfach nur Plattitüden, die ich unhinterfragt übernommen hatte? In letzter Zeit beschlichen mich immer öfter Zweifel. Sollten wir nur die Welt abbilden, in der wir leben wollten? Sollten wir gewissen Geschichten den Stempel »schädlich« aufdrücken und das Publikum vor ihnen schützen, trauten wir dem Publikum nicht mehr zu, eine Geschichte zu lesen, ohne ihre Botschaft zu verinnerlichen? Hatten wir uns denn nicht darauf geeinigt, dass die Moral in der Kunst nichts zu suchen hat? Kunst konnte tatsächlich schädlich sein; als Kind hatten manche Filme mich sehr belastet, und ich schämte mich jedes Mal, wenn ich alte Filme noch einmal sah und plötzlich merkte, wie rassistisch sie waren. Für diese Scham war ich wirklich dankbar. Aber mussten wir uns in jeder Darstellung wiederfinden? Musste ich in jeder Ehefrau und Mutter das allumfassende Narrativ der Ehefrau und Mutter erkennen, das meine eigene Erfahrung spiegelte oder ihr zuwiderlief?

An dem Abend hatte Sid Nachsicht mit mir. Sie sagte, ich sei ganz eindeutig eine gute Dozentin, weil ich diese Fragen nicht abtäte, sondern mich damit auseinandersetzte. Für sie war die Frauenfeindlichkeit in *Das Appartement* vor allem ein lästiges Nebengeräusch, das sie davon ablenkte, den Film so zu genießen, wie er gemeint war. Man sollte sie akzeptieren, und dazu war sie nicht bereit. Ich sagte, der Film sei doch vielleicht als Zeitdokument wertvoll, er zeige das Selbstbild Amerikas in jenen Jahren, die Entwicklung des Kinos, eine neue Art von Komödie, neue Helden und meisterhaft choreografierte Massenszenen, aber da antwortete sie, sie verstehe durchaus, warum ich es so sehen wolle, könne meine Sicht aber nicht teilen. Sie war Anwältin, sie erwartete etwas anderes von einem Film. Als ich sie darauf hinwies, Ruth Bader Ginsburgs Lieblingslehrer sei Nabokov gewesen, weil er ihr gezeigt habe, wie Literatur auf der formalen Ebene funktioniere – die Tricks und Kniffe des Autors, die Gestaltung des Romans, der mehr sei als nur eine erzählte Geschichte –, zuckte Sid nur die Schultern; sie habe keine Sekunde daran gezweifelt, dass Ruth Bader Ginsburg schlauer sei als sie.

12

Am nächsten Morgen war ich wieder klar, wenn nicht gar energiegeladen, und ich hatte mich entschieden. Nach der Unterhaltung mit Sid war mein Bedürfnis erneuert, mich um meine Studierenden zu kümmern und mich als Professorin zu beweisen. Ich begriff, dass ich in meinen Seminaren und überhaupt auf dem Campus eine devote, entschuldigende Haltung eingenommen hatte. Ich hatte mich im Unterricht verängstigt gezeigt, als wäre ich auf Zustimmung angewiesen und keine erfahrene Lehrkraft, die es aushält, dass unterschiedliche Meinungen im Raum stehen. Ich würde zuhören, ich würde mich öffnen und für alles empfänglich sein. Natürlich fühlten die anderen sich unwohl – ich hatte den Skandal nicht offen thematisiert. Öffentlich hatte ich mich nie direkt zu den Vorwürfen geäußert.

Ich schrieb eine E-Mail an alle Festangestellten.

Liebe Kolleginnen und Kollegen,
ich möchte mich herzlich für euren Einsatz für das Wohl unserer Studierenden bedanken. Ich hege gar keinen Zweifel, dass euer Wunsch nach meiner Suspendierung (denn

vermutlich ist es das, was ihr verlangt) allein in eurer Fürsorglichkeit gründet.

Ich werde, um es direkt klarzustellen, eurer Empfehlung, eurer Bitte oder wie auch immer ihr es nennt, nicht nachkommen. Ich werde weiterhin meine Seminare abhalten. Falls ihr darauf besteht, dass ich meine Lehrtätigkeit aufgebe, lasst ihr mir keine andere Wahl, als mich mit juristischen Mitteln zu wehren.

Dennoch weiß ich, dass sich in unserem Fachbereich ein tiefer Riss aufgetan hat, unter den Studierenden ebenso wie im Lehrkörper. Ich gebe zu, dass ich mich der Verantwortung entzogen und es versäumt habe, offen über die Gründe für diesen Riss zu sprechen. Zu schmerzlich erschien mir die Vorstellung, an den Ereignissen beteiligt zu sein, und so habe ich sie um jeden Preis ignorieren und ausblenden wollen.

Ich war zu stolz. Dank eures Eingreifens weiß ich nun, dass ich meinen Stolz überwinden und das Schweigen brechen muss. Ich werde in meinen Seminaren über die Anschuldigungen und die bevorstehende Anhörung sprechen, außerdem werde ich eine Rundmail an alle verschicken, die Literatur im Hauptfach studieren, und sie zu einer Kaffeerunde einladen, bei der ich wenig sagen und viel zuhören werde.

Anbei findet ihr meinen Stundenplan. Falls jemand von euch vorbeischauen und meine Ansprache hören möchte, seid ihr herzlich willkommen. Ebenso freue ich mich über Fragen und Anmerkungen, wobei ich euch im Interesse der Kolleginnen und Kollegen in cc bitten möchte, nicht auf »allen antworten« zu klicken.

Ab dem Moment fühlte ich mich zwei Wochen lang stark, war geerdet und konzentriert. Vor meinen beiden Gruppen hielt ich die folgende Rede (ich hatte sie schriftlich vorbereitet und dann auswendig gelernt):

»Zunächst einmal möchte ich Ihnen sagen, wie sehr ich Sie bewundere. Während meiner, ähem, vielen Jahre am College habe ich keine Generation junger Menschen erlebt, die sich noch beherzter als Sie dafür eingesetzt hätte, Strukturen, Institutionen und, ja, die Welt zu verbessern. Ich bin tief beeindruckt, Sie machen mir geradezu Angst.

Ich möchte mich bei Ihnen entschuldigen: Es tut mir sehr leid, dass ich die Vorwürfe gegen meinen Mann nicht schon am ersten Vorlesungstag angesprochen habe. Zu schweigen war eine krasse Fehlentscheidung meinerseits. Als meine Tochter noch klein war, habe ich ihr immer gesagt, dass sie, falls ihr auf dem Spielplatz oder in der Schule etwas Blödes passiert, darüber reden soll, weil schlechte Gefühle sich auflösen, sobald man darüber spricht. Es ist magisch, sagte ich zu ihr, reden ist die reinste Magie.

Also gut, um es selbst einmal zu versuchen: Vor vielen Jahren, lange bevor Sie an dieses College gekommen sind, hatte mein Mann einvernehmliche Affären mit mehreren Studentinnen. Das war bevor Beziehungen zwischen Studierenden und Lehrenden ausdrücklich untersagt wurden. Und ich kann Ihnen versichern, er war nicht der Einzige.

Ich möchte nicht ins Detail gehen, aber ich war damals im Bilde. Ich bin dafür, dass er am College bleibt. Er hat gegen keine Regel verstoßen, und er ist seither keine Beziehungen mit Studentinnen mehr eingegangen. Wir können darüber sprechen, und Sie können gern versuchen, mich vom Gegenteil zu überzeugen. Das Ergebnis der Anhörung, bei der sicherlich noch Dinge herauskommen werden, von denen ich bislang nichts wusste, werde ich selbstverständlich akzeptieren.

Ich möchte noch einmal betonen, dass ich, um es mit Beyoncé zu sagen, eine ›Independent Woman‹ und nicht für Johns Verhalten verantwortlich bin. Ich hoffe, Sie können das verstehen und akzeptieren.

Das war's von meiner Seite. Ich möchte nicht reden, ich möchte zuhören. Um jegliche Machtstruktur auszuhebeln, würde ich vorschlagen, dass Sie Ihre Fragen und Anmerkungen anonym notieren und nach vorn durchgeben, und ich werde mein Bestes tun, darauf einzugehen.«

Meine Rede war ein Erfolg. Die Studierenden reichten ihre Zettelchen durch, und ich las ihre Fragen mit getragener Stimme vor. Der Tonfall reichte von aggressiv – »Wie können Sie mit einem Sexualstraftäter zusammenleben?«, was ich mit einem ausweichenden »Mal sehen, ob die Anhörung ergibt, dass John ein Sexualstraftäter ist« beantwortete – bis übergriffig: »Sind Sie polyamourös?«, woraufhin ich sie augenzwinkernd fragte, ob sie wirklich glaubten, das gehe sie etwas an. Ich ermunterte sie, eigene Antworten zu formulieren, und ließ sie geschlagene neunzig Minuten lang diskutieren. Derweil saß ich da, nickte und kniff mir gelegentlich in den Oberschenkel, um ihnen nicht ins Wort zu fallen. Nun, da sie Gehör fanden, gaben sie ihren Widerstand auf. Ich schaffte es sogar, die Studentin zu überzeugen, die Kate Chopin kritisiert hatte; nach der

Doppelstunde kam sie zu mir und fragte schüchtern, ob ich eine ihrer Kurzgeschichten lesen wolle. Vom Kollegium war niemand erschienen, womit ich gerechnet hatte; sie schafften es ja nur mit Mühe und Not zu ihren eigenen Veranstaltungen. Entsprechend kamen auch zu der von mir vorgeschlagenen Kaffeerunde nur drei Personen, meine Lieblingsstudentinnen, die mir ihre Solidarität und Sympathie bekunden wollten. Ich wunderte mich ein bisschen, dass Edwina nicht dabei war, sie hatte sich ja nicht einmal auf die Rundmail zurückgemeldet, und ganz kurz fragte ich mich, ob ich irgendetwas gesagt oder getan hatte, was sie kränkte. Aber wahrscheinlich war sie gerade selbst mit irgendeinem privaten Problem beschäftigt, mit einer Trennung oder einem Streit mit einer Freundin. Als Lehrkraft sollte man seine Rolle im Leben der Studierenden nicht überschätzen; ihre Freunde und Geliebten bedeuten ihnen viel mehr als man selbst. Das darf man nie vergessen. Egal, ob sie einen hassen oder lieben – normalerweise ist man im Drama ihres Lebens nicht mehr als eine Randfigur.

Ich ging mit demonstrativ hocherhobenem Kopf über den Campus, wich keinem Blick aus und grüßte alle. Vladimir begegnete ich oft auf dem Flur, in der Cafeteria und am Kaffeestand. Wir nahmen uns jedes Mal ein paar Minuten, um über einzelne Studierende zu reden, über überschätzte Neuerscheinungen und unterschätzte Klassiker. Und auch über den Zwanzigsten und wie sehr wir uns beide auf die Gelegenheit zu einem langen, ungestörten Gespräch freuten. Immer, wenn wir auseinandergingen, war es, als müssten wir uns voneinander losreißen.

Ich war bereit, mich allem zu stellen, was ich bislang

gemieden hatte. Ich arbeitete täglich an meinem Buch (ich hatte die erste Hälfte der Rohfassung fertig und wagte es nun, von einem Buch zu sprechen) und las die Auszüge aus Cynthias Memoir. Es war gut geschrieben, prägnant und bissig und kreiste um den Tag, an dem ihre Mutter Selbstmord begangen hatte. Cynthia war damals zehn Jahre alt gewesen. Ich glaubte nicht, dass ihr Buch ein kommerzieller Erfolg werden würde, dafür war es zu gut, vollkommen frei von jeder Rührseligkeit. Ich schickte ihr eine Mail und zitierte darin einige meiner Lieblingssätze. Im Fitnessstudio meldete ich mich zu einem Intensivkurs an, der morgens um halb sieben begann. Ich ging zum Zahnarzt und ließ mir die Zähne aufhellen. Ich bestellte Handwerker und holte Kostenvoranschläge ein, um die Hütte am See winterfest zu machen. Ich eröffnete ein eigenes Konto, weil ich, meine Freundinnen konnten es nicht fassen, seit der Hochzeit keins mehr hatte, und dann leitete ich mein Gehalt darauf um und überwies die Hälfte unserer Ersparnisse. Ich verwendete jeden zweiten Tag eine Gesichtsmaske.

Im Sommer hatte John Wilomena Kalinka angeheuert, eine Anwältin aus unserer Stadt, die laut Sid »ganz okay« war. »Hauptsache, es ist eine Frau, Hauptsache, du bereitest dich vor.« Ursprünglich hatte er sich bei der Anhörung selbst vertreten wollen, aber Sid hatte ihn zu einem Rechtsbeistand überredet. Sein Argument war, dass er ohnehin entlastet würde und es daher sinnlos sei, Geld auszugeben, aber Sid sagte ihm, selbst in dem Fall müsse er sich auf Zivilklagen gefasst machen. Der Termin der Anhörung rückte näher, und John verbrachte immer mehr Zeit in Wilomenas Kanzlei, einem Erkerzimmer im Erdgeschoss eines denkmalgeschützten Gebäudes; auf der Bleiglastür stand »Dr. jur. W. Kalinka, American Bar Association« in weißen Lettern. Er kam erst gegen Abend nach Hause, zog sich um und verschwand wieder. Sid wurde immer unruhiger deswegen, sie flehte ihn an, ihr zu sagen, wohin er gehe. Anfangs machte sie noch einen Witz daraus, später jedoch wirkte sie ernsthaft frustriert, weil er ihren Fragen ebenso auswich wie meinen.

Nachts gab ich mich fieberhaften, intensiven Meditationen hin, in denen ich mir meine lustvollen Treffen mit Vladimir ausmalte. Er strich mir mit den Fingerspitzen vom Ohrläppchen abwärts über den Hals. Er schob sich von hinten an mich, drückte mich gegen das Waschbecken und packte meine Brüste. Ich fuhr Auto, seine Hand wanderte an meinem Oberschenkel aufwärts. Das reichte, um mich in einen erotischen Wahn zu versetzen. Ich masturbierte, kam zum Orgasmus, ging nach draußen und rauchte eine Zigarette, kehrte in mein Arbeitszimmer zurück, legte mich auf den Futon und wiederholte den Vorgang zwei- oder dreimal. Wenn ich träumte, dann immer von ihm. Manchmal erstach er mich im Traum mit einem Küchenmesser; kurz vorm Aufwachen sah ich Blut auf den Fliesen, so dunkelrot wie Schwarzkirschen.

Zwei Tage vor Johns Anhörung überredete mich Sid, ihn zu beschatten und herauszufinden, wo er seine Abende verbrachte. Sie hielt es nicht mehr aus, ausgeschlossen zu werden, und war so aufgelöst wie früher als Kind, wenn ihr Vater und ich uns im Badezimmer eingesperrt hatten, weil sie nichts von unserem Streit mitbekommen sollte. Ich hielt es für keine gute Idee, willigte aber ein, weil ich froh war, abermals ihre Verbündete zu sein. Offenbar hatte unser Verhältnis eine neue Stufe erreicht. Ich sah uns beide schon in Argentinien, wo wir die Geburtshäuser von Borges und Cortázar besuchten und in Straßencafés vor Rotwein und Bergen von Reis mit Meeresfrüchten saßen, oder in Norwegen, wo wir nachts aufblieben, um das Polarlicht zu betrachten, oder in einer New Yorker Lesbenbar, im Henrietta's, falls das noch existierte. »Das ist meine Mutter«, stellte Sid mich vor. Ihre Freundinnen würden mich aufmerksam, zugewandt und interessant finden, in ihren Augen wäre ich kein Elternteil, sondern ein vollwertiges Gruppenmitglied.

Beim Beschatten stellten wir uns nicht sonderlich geschickt an, aber John war zum Glück ein eher unachtsamer Mensch. Sobald er losgefahren war, sprangen wir in mein Auto. Auf der Main Street scherte ein Pick-up direkt vor uns ein. Wir fuhren über eine lange, einsame Straße, die zum College führte, und als mir klar wurde, wohin er wollte, machte ich eine Vollbremsung und fuhr zum anderen Eingang des Campus. Sid war im Jagdfieber, ihr zuliebe tat ich so, als fände ich das alles furchtbar aufregend, aber als ich merkte, dass sein Ziel die Englische Fakultät war, spürte ich einen dicken Kloß im Hals. Der Arme hatte sich die ganze Zeit in seinem Büro versteckt? Da saß er also, in seinem zugegebenermaßen luxuriös ausgestatteten Sprechzimmer, mal am Schreibtisch, mal in einem der beiden Ledersessel, oder er streckte sich auf dem Chesterfieldsofa mit dem karierten Bezug aus und trauerte dem Leben hinterher, das er verlieren würde. Ich hatte jetzt mein Buch, aber John hatte nur das College. Er hatte den Studiengang zu dem gemacht, was er heute war, er hatte den Kursplan entwickelt und die meisten Lehrkräfte persönlich eingestellt. Er hatte vielen Studierenden zum Masterabschluss oder zu einem Doktortitel verholfen, und nun waren sie angesehene Schriftsteller und einflussreiche Gelehrte auf ihrem Gebiet. Im landesweiten Vergleich der kleineren Colleges rangierte unser Studiengang auf dem zweiten Platz. Er war stolz darauf, er fühlte sich verantwortlich dafür. Wir galten als divers und progressiv, weil er auf proaktiver Rekrutierung beharrt hatte. Im Internet nannten Studierende und Alumni unser Institut einen »ganz besonderen Ort«.

Vom großen, tiefer gelegenen Parkplatz aus waren die Personalstellplätze der Englischen Fakultät gut zu erkennen. Sid und ich kamen rechtzeitig an, um zu sehen, wie John von seinem Auto zum Hintereingang lief. Kurz bevor er an der Tür war, wurde sie von innen geöffnet, und in der tiefen, abendlichen Dunkelheit tat sich ein gleißend helles Rechteck auf. Dort im Türrahmen, eine Hand an den Hals gelegt und die andere auf die Metallklinke, stand Cynthia Tong.

Ich betete, dass es ein Zufall war, dass sie nur ein paar Worte wechseln würden und Cynthia dann zu ihrem Auto weiterging, aber da berührte John ihr Gesicht, und sie zog ihn am Hosenbund hinein. Die Tür fiel zu, und es war, als hätte die Nacht sie verschluckt.

Schweigend sahen wir zu, wie das Licht in Johns Büro anging. Ich startete den Motor, setzte den Wagen zurück, ohne nach hinten zu sehen, und hätte um ein Haar einen Subaru gerammt. In einem verantwortungslosen Tempo rasten wir vom Parkplatz.

»Wo fahren wir hin?«, fragte Sid.

»Nach Hause«, sagte ich. Das Bild von John und Cynthia zuckte durch meinen Kopf wie unter Stroboskoplicht. Um meine Gedanken unter Kontrolle zu bringen, richtete ich die Augen auf die weiße Mittellinie, wie man es bei dichtem Nebel tun soll.

»Findest du nicht, wir hätten reingehen sollen?« Sid drehte sich auf dem Beifahrersitz um und versuchte, durch die Heckscheibe das Gebäude im Blick zu behalten.

»Wozu?«

»Um nachzusehen, was sie machen.«

»Wir wissen beide, was sie machen, Schätzchen.«

»Nein, so eindeutig war das nicht.«

»Sid, es ist neun Uhr.«

»Und?«

»Und deswegen ist es eindeutig.«

Sid drehte sich wieder nach vorn und sah mich an. Sie biss sich auf die Lippe, eine alte Gewohnheit. »Das war die Frau von neulich, oder?«

»Ja.« War Cynthia auf dem Weg zu John gewesen, als sie an dem Abend bei uns angehalten hatte? Schlimmer noch, hatte sie ihn gesucht? Hatte er ihr unsere Adresse gegeben, war sie schon einmal dort gewesen, zu einem Schäferstündchen im Ehebett, als der Rest der Familie nicht zu Hause war?

»Warum sollte sie was mit Dad anfangen?«

»Sie ist ein komplizierter Mensch.« Sid wartete darauf, dass ich weitersprach, also fügte ich schwach hinzu: »Frauen mögen deinen Vater.«

»Igitt«, sagte sie, aber ihre Stimme war belegt, als verstopfte Traurigkeit ihr die Nase.

Im selben Moment fing ihr Handy an zu vibrieren. Sie japste. Alexis würde in einer Viertelstunde am Bahnhof ankommen und wollte abgeholt werden. Sie hatte sich angekündigt, aber keine Uhrzeit genannt. Ich war erleichtert. Normalerweise war ich über spontanen Besuch nicht erfreut, aber ich wollte mich jetzt nicht mit dem beschäftigen müssen, was Sid und ich gesehen hatten. Aus reiner Nachlässigkeit hatte ich es zu diesem Showdown kommen lassen; ich hätte ihr erklären müssen, dass es nicht zulässig war, ihrem Vater nachzustellen. Doch gewärmt von ihrer Aufmerksamkeit, von unserer neuen Komplizenschaft, hatte ich sogar die uralte Abmachung mit mir selbst gebrochen, John niemals nachzuspionieren. Warum hatte ich Sid da mit reingezogen? Sie war vielleicht erwachsen, was aber noch lange nicht bedeutete, dass das Verhalten ihrer Eltern keine Auswirkungen auf ihre Psyche und ihr Wohlbefinden hatte. Waren es nicht vor allem die Vorwürfe gegen John und die Enthüllungen über seine Vergangenheit gewesen, die sie in die Arme der neuen Kollegin getrieben und ihr Leben auf den Kopf gestellt hatten, die sie gezwungen hatten, ihren Job zu kündigen und ihr ehemaliges Kinderzimmer in der alten Heimatstadt zu beziehen? Ohne ihre Arbeit war sie verloren. Die Mengen, die sie derzeit aß und trank, würden nicht auszugleichen sein, da konnte sie laufen, so viel sie wollte. Sie sah aufgedunsen, schwabbelig und kränklich aus.

Während der zehnminütigen Fahrt war Sid über ihr Handy gebeugt und schrieb fieberhaft Textnachrichten an Alexis. Wie schnell die jungen Leute ihre Daumen bewegen konnten! Ich zwang mich, beim Fahren auf die Umgebung zu achten. Die Grundschule, die alte Post, der Sandwichladen. Erst, als wir in der Ladezone geparkt hatten und der Zug in den Bahnhof einfuhr, sah Sid mich an und fragte aus reinem Pflichtgefühl: »Und wie geht es dir damit?«

Nicht besonders gut, sagte ich ihr, aber sie solle sich keine Gedanken machen. Sie habe genug damit zu tun, ihre Beziehung zu kitten, falls sie es denn wolle. Sie fasste es als Vorwurf auf.

»Was soll das denn jetzt heißen, *falls* ich das will?«

Ich sagte, sie habe mir den Eindruck vermittelt, sie sei unsicher, ob sie sich an Alexis binden wolle. »Kein Kind zu wollen heißt nicht, sich nicht binden zu wollen«, fuhr sie mich an.

Ich nickte. Die Verbindung, die wir in den vergangenen Wochen aufgebaut hatten, würde nicht gegen ihr »echtes« Leben ankommen, das sich nun in Gestalt von Alexis näherte. Gerade schob sie ihren Hartschalenkoffer über den Parkplatz. Sie trug ein fabelhaft geschnittenes Businesskleid und weiche Wildlederballerinas, und ihre Zöpfe wurden von einer auffälligen Spange gehalten, die aussah wie ein goldener Zweig mit Juwelenblättern.

Sie trat zuerst an meine Seite des Wagens, begrüßte mich und sagte, sie habe eigentlich damit gerechnet, von Sid abgeholt zu werden. Es war ihr offensichtlich unangenehm; sie hatte nicht bedacht, dass ich deswegen so spät noch einmal aus dem Haus müsste.

Ich sagte ihr, sie solle sich keine Gedanken machen, das passe mir wunderbar und sei gar kein Problem. Sid sprang aus dem Auto und half ihr, das Gepäck im Kofferraum zu verstauen. Während die beiden Einkäufe, Handfeger und

Eiskratzer zur Seite räumten, um Platz für den Koffer zu schaffen, belauschte ich sie.

»Du siehst schön aus, Lexi.« Ich sah, wie Sid eine kleine, anerkennende Verbeugung andeutete.

»Ich hatte einen Gerichtstermin. Heute wurde das Urteil verkündet.« Alexis hielt inne. »Jetzt musst du fragen: ›Wie ist es gelaufen?‹.«

»Sorry, Babe. Wie ist es gelaufen?«

»Ich habe gewonnen.«

»Du bist unglaublich!«

»Tim hat mir für den Rest der Woche freigegeben.«

»Ich bin so froh, dass du gekommen bist.«

»Vielleicht. Vielleicht auch nicht.«

Sie schwiegen kurz, möglicherweise, um sich zu umarmen oder um sich zu küssen.

»Du siehst ganz schön mitgenommen aus«, murmelte Alexis sanft.

»Ich weiß. Ich habe dich vermisst.«

Alexis stieg hinten ein, Sid setzte sich zu ihr. Im Rückspiegel sah ich, wie Alexis sie knuffte. »Babe, deine Mutter ist doch kein Chauffeur!«

Ich sprach in den Spiegel. »Danke, Alexis. Warum kommst du nicht nach vorn?« Es war ein kleines Spiel, wie Eltern es gern spielen. Ich tat so, als stünden wir uns näher als sie und Sid.

»Ja gern«, sagte sie und bedankte sich noch einmal fürs Abholen. Ich wünschte mir, Alexis wäre weniger höflich, denn das sorgte für einen gewissen Abstand. Bei ihren gemeinsamen Besuchen verschmolzen sie und Sid zu einer verschworenen Einheit; sie führten, so stellte ich es mir vor, aufrichtige Gespräche im Gästezimmer, und dann kamen sie heraus und machten höflichen Small Talk mit John und mir. Trotzdem mochte ich die höfliche Alexis immer noch lieber als Sids Schulfreundinnen von damals – verwöhnter Akademikernachwuchs, der ohne zu fragen an den Kühlschrank ging, sich ohne etwas zu sagen Bücher auslieh und im Sommer zum Schwimmen vorbeikam, ob Sid nun da war oder nicht.

»Tolle Haarspange«, sagte ich. Weil ich im Beisein von Frauen schnell verlegen wurde, hatte ich mir angewöhnt, ein Detail ihrer Kleidung wahrzunehmen und ihnen ein Kompliment dafür zu machen. Ein Kompliment lässt einen unterwürfig, ebenbürtig und überlegen erscheinen, alles zugleich. Unterwürfig, weil man einer Person seine volle Bewunderung zeigt; ebenbürtig, weil man ihren Geschmack teilt; überlegen, weil man ihr großzügig lobende Worte schenkt. Komplimente hatten mich immer mehr verletzt als jede Beleidigung. (Einmal hatte ich jemanden aus unserem Bekanntenkreis nach seiner Meinung zu meinem zweiten Roman gefragt, und die Person hatte geantwortet: »Man merkt, wie viel Mühe du dir gegeben hast.«)

»Danke«, sagte sie. »Eine Freundin hat sie für mich gemacht.«

»Wer?«, fragte Sid vom Rücksitz. Sie diskutierten über die Freundin, von der Sid glaubte, sie von einem Picknick zu kennen, aber dann stellte sich heraus, dass es um eine andere Freundin ging, die sie auf einer Party getroffen hatte.

Das Gespräch lief ohne mich weiter, und ich konnte mich gedanklich wieder John und Cynthia widmen. Das Bild der beiden in der Tür wurde immer surrealer; sie waren biblische Figuren, umgeben von goldenem Licht. Hatte Cynthia ein schulterfreies Cocktailkleid getragen? War sie barfuß gewesen, hatte sie sich auf die Zehenspitzen gestellt? Hielt sie ein Champagnerglas in der Hand? War da eine Rosenranke mit blutigen Dornen auf ihren Oberarm tätowiert? Nein, Cynthia trank keinen Alkohol. Ich hatte nicht gesehen, was sie trug. Aber sie war so attraktiv, dass die Vorstellung, wie John ihre festen, sinnlichen Oberschenkel berührte, sogar mich erregte. Standen sie und Vladimir kurz vor der Scheidung? Wäre er bald frei?

»Babe«, sagte Alexis streng. »Wir reden morgen weiter, okay? Ich bin fix und fertig. Heute möchte ich nur feiern.«

In zwei Tagen waren Vladimir und ich verabredet. Wusste er es noch? Sollte ich ihn daran erinnern? Schlagartig wurde mir klar, dass Cynthia mich um Edwinas Zuneigung gebracht hatte, und hätte ich mich nicht gewehrt, hätte sie mir auch mein Seminar weggenommen. Sie war mit Vladimir zusammen, den ich für mich haben wollte, und nun hatte sie sich John geschnappt. Warum? Aus reiner Gehässigkeit? Sie war jung und hatte den Körper, den ich mir immer gewünscht hatte, einen Körper, der bis weit ins mittlere Alter schlank und muskulös sein würde. Sie hatte ebenmäßige, faltenfreie Haut und gerade weiße Zähne. Sie hatte den renommiertesten Schreibkurs des Landes besucht, und ihr Buch würde öfter besprochen werden als alles, was ich je geschrieben hatte. Sie hatte ein schweres Trauma überlebt und *etwas zu sagen*. Ich beneidete sie um jede Zelle ihres Körpers, jeden Moment ihrer Vergangenheit. Ihr Verhalten war völlig unberechenbar, und auch darum beneidete ich sie – um ihre Furchtlosigkeit, die Tatsache, dass sie sich auf John eingelassen hatte, der momentan der schlimmste Finger auf dem gesamten Campus war, das ultimative Tabu. Sie war gerade erst dazugestoßen und jetzt schon rücksichtslos. Was würde erst geschehen, wenn einmal drei Jahre des wahren, langweiligen Kleinstadtlebens auf sie eingewirkt hatten? Ich wollte sie in den Schlamm stoßen und auf und ab springen, bis ihr Gesicht, ihre Kleidung und die schicken Schuhe völlig besudelt waren. Außerdem wollte ich ihr auf Knien huldigen und sie anflehen, mir ihr Geheimnis zu verraten, ihre Methode, ein komplett selbstbestimmtes Leben zu führen.

Zu Hause setzten Alexis und Sid sich vor die Wärmelampen im Garten und tranken Wein. Sie fragten mich halbherzig, ob ich mich dazusetzen wolle, aber ich lehnte ab. Sie wollten mich eigentlich nicht dabeihaben, und ich hatte keine Lust auf Gespräche. Ich war so überfordert, dass ich beschloss, ein paar Essays zu benoten. Ich brauchte eine Aufgabe, die mich vollkommen in Anspruch nahm, bei der ich nicht zu viel denken musste und nicht abschweifen konnte. Während meiner Doktorarbeit hatte ich manchmal mehrere Stunden am Stück komplexe Texte lesen müssen, und damals hatte ich gelernt, mich wirklich zu konzentrieren. Die meisten Leute wollten sich in Bücher hineinziehen lassen, umgekehrt war es möglich, seine gesammelte Aufmerksamkeit auf ein Buch zu richten. In der ersten halben Stunde war es ein ständiges Hin und Her, aber wenn man sich anstrengte, ließen sich alle Gedankenfransen zu einem stabilen Konzentrationsseil verdrehen. Ich druckte die

Essays aus, tackerte sie zusammen und legte sie auf dem Schreibtisch aus, und dann machte ich mich ans Lesen und Korrigieren. Mein Körper wollte aufspringen, aber ich klemmte mir einen Igelball zwischen die Oberschenkel und drückte ihn zusammen. Irgendwann kam mein Verstand zur Ruhe, und ich konnte arbeiten. Ich unterstrich interessante Sätze, glättete wirre Passagen, kritisierte an manchen Stellen die ungenaue Wortwahl und verfasste jeweils eine schriftliche Bewertung auf einem separaten Blatt, das ich an den Ausdruck heftete. Nach zweieinhalb Stunden stand ich mit knirschenden, steifen Gelenken auf. Die Mädchen waren zu Bett gegangen, unter der Schlafzimmertür war kein Licht zu sehen. Alexis hatte ihre Einschlafhilfe mitgebracht, ich hörte Donner und Regengüsse, und ganz kurz verschlug mir die akustische Barriere den Atem, und ein Schluchzen stieg in mir hoch. Vor meinem geistigen Auge zog Alexis Sid ins Schlafzimmer, wie Cynthia John ins Gebäude gezogen hatte. Alle waren vor mir zurückgewichen, und nun war ich allein in der Dunkelheit. Ich warf einen Blick ins Gästebad, um mich zu vergewissern, dass noch genug saubere Handtücher da waren. Alexis hatte ihren schicken Kulturbeutel an den Haken hinter der Tür gehängt, und weil ich mich an diesem Abend so ungeliebt fühlte, sah ich trotzig hinein.

Ich hätte mir denken können, dass die übernervöse, perfektionistische, energetische Alexis auf pharmazeutische Produkte zurückgriff. In einem durchsichtigen Einzelfach steckten mehrere Tablettenfläschchen. Ich untersuchte sie. Die meisten Namen kannte ich nicht, aber dann entdeckte ich Xanax und Seconal, beide noch fast voll. Vermutlich teilte die disziplinierte Alexis sie sich ein, wozu ich niemals fähig gewesen wäre. Sie gönnte sich nur hin und wieder eine Tablette – unter besonderen Umständen, im Flugzeug oder wenn sie vor einer wichtigen Gerichtsverhandlung nicht schlafen konnte. Nur im Notfall.

Ich sah die Tabletten, und ein Gedanke nahm Gestalt an. Ich dachte an Johns weiße, knittrige, rissige Hände, die gierig über Cynthias Hüfte fuhren. Ihr verlockender, straffer Körper hatte ihn verhext und in ein Kind verwandelt, in einen Tonklumpen, den sie nach Belieben formen, in ein Objekt, das sie besitzen konnte. Selbst als ich in ihrem Alter und, nun ja, einigermaßen schön gewesen war, hätte ich es niemals gewagt, einen Mann so für mich zu beanspruchen, wie sie es anscheinend für sich tat. Als David mich vor all den Jahren sitzen ließ, weil er am Ende doch nicht mit mir durchbrennen wollte, hatte ich ihn weder zur Rede gestellt noch versucht, ihn zurückzugewinnen. Ich hatte die sexuelle Macht, die ich fraglos über ihn hatte, nicht genutzt, um das Schicksal nach meinen Vorstellungen hinzubiegen. Nein; nach einer halben Stunde auf der Friedhofserde war ich losgegangen und hatte mir ein Submarine-Sandwich gekauft, wie ich es mir normalerweise nie gestattete. Ich hatte es noch im Auto gegessen, wo mir Mehlstaub und Salatfetzen auf den Schoß rieselten, und dann war ich nach Hause gefahren und hatte meinen Koffer wieder ausgepackt. Nachdem unsere Verabredung, uns bei einem Kaffee auszusprechen, zweimal geplatzt war, gab ich es auf und redete mir ein, Verarbeitung sei ein Mythos, ein Konzept, das Leute unter dreißig zum Fetisch erhoben hatten.

Was für eine verpasste Gelegenheit, dachte ich jetzt. Als ich im Badezimmerspiegel die Krähenfüße an meinen Augen sah, die Hängebacken und die faltige Haut zwischen meinen Schlüsselbeinen, überkam mich die verzweifelte Befürchtung, niemand könnte mich je wieder begehren. Möglicherweise würde irgendein ähnlich zerknitterter Mann die Abstriche aufgrund gegenseitiger Sympathie in Kauf nehmen, aber in meinen Bann könnte und würde ich ihn nicht mehr schlagen. Ich erinnerte mich auch an die zweijährige Sid, die mich verfolgt und bestaunt hatte wie die Sonne, wie den Mittelpunkt der Welt, wie Anfang und Ende des Bewusstseins. All das war für immer verloren. So war es doch, oder etwa nicht? Nie wieder in meinem Leben würde ich Macht über einen anderen Menschen haben. Ich dachte an Vladimir und stellte mir vor, was er jetzt gerade tat, in seinem natürlichen Lebensraum. Er war im Bett, trug ein College-T-Shirt mit abgeschnittenem Kragensaum und war im Sitzen eingeschlafen, eine kratzige, alte Campingdecke über den Knien, in einer Hand ein Buch und in der anderen seinen Schwanz.

Während ich sein Bild in mir heraufbeschwor, machten meine Hände sich an Alexis' Kulturbeutel zu schaffen, schraubten die Fläschchen auf und stahlen zwei Xanax und zwei Seconal. Wie bei einer Malerin, die über die Komposition ihres nächsten Bildes nachdenkt, formte sich in meinem Kopf ein Plan mit verschwommenen, aber deutlichen Konturen. Doch, ich konnte durchaus etwas tun. Ich hatte keinen Grund, mich mit dem zu begnügen, was man mir zugeteilt hatte, und dafür auch noch dankbar zu sein. Ich legte die Tabletten in eine antike Pillendose, die ich auf Reisen verwendete, und ließ sie in meiner Wäscheschublade verschwinden. Nein, ich würde die Ablehnung der Welt nicht kampflos hinnehmen. Ich ging nach draußen und rauchte eine Zigarette, wobei ich versuchte, meinen Blick und meine Gedanken auf die Sterne zu richten. Ich zog mein Nachthemd an und absolvierte das Gesichtspflegeprogramm; und weil ich fürchtete, meine rasenden Gedanken könnten mich vom Schlafen abhalten, holte ich mir noch eine Seconal aus Alexis' Beutel, schluckte sie, trank drei große Gläser Wasser hinterher und las, bis mir die Augen zufielen.

Am darauffolgenden Morgen, einen Tag vor unserem (wie ich es im Nachhinein nenne) schicksalhaften Treffen, bereitete ich alles vor. Ich packte Kleidung von mir und John in den großen Koffer und meine Toilettenartikel in einen eleganten Weekender. Für Bücher und sonstige Unterlagen wählte ich einen stabilen Jutebeutel, den ich einmal auf einer Konferenz bekommen hatte. Ich lud alles in den Kofferraum meines Autos, zusammen mit einer Kiste Wein, einer Flasche Wodka, trockenem und süßem Wermut, Bourbon, Angostura und einer Flasche Cachaça. Die restlichen Vorräte würde ich kurz vor unserem Treffen im Supermarkt kaufen. Ich beantwortete ein paar Mails, benotete die letzten Essays, fuhr zum Campus und hinterlegte sie samt meinen Anmerkungen im Sekretariat, wo die Studierenden sie, wenn sie denn wollten, abholen konnten. Ich fuhr zum Fitnessstudio und riss wie eine Besessene an den Griffen des Crosstrainers, bis ich nach fünfundsiebzig Minuten schweißgebadet war. Am Abend rauchte ich die letzte Zigarette aus der Schachtel. Ich drückte sie aus, leerte den Blumentopf, der mir als Aschenbecher gedient hatte, in die große Tonne, zog die Tonne an den Straßenrand, weil am nächsten Morgen der Müll abgeholt wurde, und nahm mir fest vor, nie wieder zu rauchen.

13

Am Morgen des zwanzigsten Oktober duschte ich, anschließend schaltete ich die grellste Leuchte im Badezimmer ein und rasierte, zupfte und kürzte alle unnötigen Haare, die ich an mir finden konnte. Ich massierte Öl auf meine Cellulite und schnitt mir die Fingernägel. Ich verwendete einen Fön, Glättungsbalsam, Lockenstab und Ansatzpuder. Um das Make-up aufzutragen und zu verblenden, brauchte ich doppelt so lange wie üblich: Primer, Concealer, Fixierspray.

In der letzten Zeit hatte John oft bis nach elf oder zwölf geschlafen, doch heute war er so früh aufgestanden wie ich. Er passte mich in der Küche ab, wo ich gerade meinen Kaffeebecher leerte. Ich wollte zum Supermarkt. Er hatte sich rasiert, trug einen Anzug und sah ehrlich gesagt ziemlich gut aus.

»D-Day«, sagte er. »Vor der Anhörung treffe ich Wilomena in der Stadt.« Ich konnte sehen, wie nervös er war: Sein blasses Gesicht wirkte starr, er atmete flach.

Ich betrachtete den Ahorn draußen vor dem Fenster. Die rot-gelben Blätter zappelten im Wind. Ich wusste, wenn ich mich jetzt zu sehr auf seine Stimmung einließ, würde ich einknicken und ihn aus Mitleid doch noch zu der Anhörung begleiten. »Wann fängt es noch mal an?«

»Um elf.«

»Und wie lange wird es dauern?«

»Eine Woche, einen Monat, drei Monate? Keine Ahnung.«

»Wie geht es dir?« Ich berührte die Kante des Küchentresens an der Stelle, wo das Laminat aufgeplatzt war. Ich wollte es schon seit Jahren ersetzen.

»Ich dachte, das willst du gar nicht wissen.«

»Erzähl's mir oder nicht, ich habe ja nur gefragt.« Ich legte einen Finger in die Lücke.

John wischte meine Hand vom Tresen. »Nicht dran herumzupfen«, sagte er und stapfte dann geräuschvoll aus der Küche.

Auf der Terrasse blieb er kurz vor der Bank stehen, um sich die Budapester zu schnüren. Ich folgte ihm hinaus und legte ihm eine Hand auf die Schulter. Ich wollte ihn auf Cynthia ansprechen und ihm sagen, was ich an dem Abend gesehen hatte, aber ich schämte mich zu sehr, ihm nachspioniert zu haben.

»Schreibst du mir kurz, wenn es vorbei ist?«, fragte ich stattdessen. »Ich weiß noch nicht, wann ich heute nach Hause komme.«

»Ich auch nicht«, sagte er verärgert, aber dann, vielleicht, weil er beim Gedanken daran, dass wir verheiratet waren, nostalgisch wurde, glättete sich seine Stirn wieder und wölbte sich über seine Augenhöhlen. Er sah alt und geschlagen aus. »Ich schreibe dir, wenn ich da raus bin.«

Er versetzte den Schnürsenkeln einen letzten Ruck, richtete sich auf, umarmte mich linkisch von der Seite, drückte mir einen Kuss auf den Scheitel und ging.

Zielstrebig eilte ich durch den Supermarkt. Obst der Saison, Trauben, Bananen, Zitronen und Limetten, Karotten, Kopfsalat, Tomaten, Avocado, Knoblauch, Zwiebeln. Guter Käse, gute Cracker, gutes Brot. Bacon, Würstchen, ein Brathähnchen, vorgeschnittener Salat und Coleslaw in der Plastikschale. Nüsse, Schokolade, einige große Flaschen Wasser mit Kohlensäure, Kaffee. Eier, Milch, Joghurt, Popcorn, Essig, Olivenöl, Butter, Mehl, Zucker. Das meiste davon verstaute ich in Tiefkühltaschen mit Eisbeuteln; alles sollte bis zum späten Nachmittag halten.

Meine letzte Doppelstunde vor der Studienwoche – »Frauen in der amerikanischen Literatur« – war inspirierend und energiegeladen, die Diskussion lebhaft. Wir besprachen einzelne Abschnitte aus *Mrs. Spring Fragrance*, einem Buch, von dem ich sicher sein konnte, dass sie es nicht schon in der Highschool gelesen hatten (es war immer besser, ihnen Unbekanntes vorzusetzen). In ihrem Kurzgeschichtenband von 1912 analysierte Sui Sin Far die Erwartungen Amerikas an die Assimilierungsleistung von Migranten. Nach dem Seminar wollte ich schnell noch meine Unterlagen wegbringen. Vor meinem Büro erwartete mich Edwina.

Es war albern und kindisch, aber ich konnte nicht anders, als mich zu verhalten wie eine verschmähte Geliebte. In den vergangenen zwei Wochen hatte sie mehrere Nachrichten von mir erhalten, entweder persönlich oder als Rundmail, aber sie hatte auf keine einzige geantwortet. Ich grüßte geistesabwesend und bat sie nicht freundlich herein, sondern ließ einfach nur die Tür offen stehen. Sie setzte sich auf eine Stuhlkante, ich trat hinter den Schreibtisch und ordnete in garstiger, demonstrativer Geschäftigkeit irgendwelche Dokumente.

»Ich weiß, wie kurzfristig das kommt«, sagte sie, »aber ich wollte fragen, ob Sie jetzt vielleicht Zeit für den Kaffee hätten?«

»O nein, absolut nicht!«, sagte ich und richtete einen Stapel Blätter gerade aus, indem ich ihn hochkant auf die Schreibtischplatte knallte. Ich benahm mich wie eine Heuchlerin, und die Enttäuschung war ihr anzusehen.

»Okay«, sagte sie und sah auf ihre Hände hinunter, als würde sie gleich anfangen zu weinen. »Na ja, ich wollte Ihnen auch nur erzählen, dass ich von der Filmproduktion eine Einladung zum Vorstellungsgespräch bekommen habe. Also, vielen Dank.«

Sofort bereute ich meine Kälte. Ich hielt inne und sprach mit tiefer, ernster Stimme weiter. »Das freut mich sehr«, sagte ich. »Ich habe gar nichts gemacht, außer die Wahrheit zu sagen.«

Da verzog sie das Gesicht und fing tatsächlich zu weinen an. Die Tränen flossen so schnell, dass sie auf die Beine ihrer Jeans tropften.

»Was ist denn?«, fragte ich. Dass Studentinnen in meinem Büro weinten, war ich gewohnt, aber Edwina war kaum der Typ dafür. »Edwina, ist alles in Ordnung?« Ich schloss die Tür, zog einen Stuhl heran und setzte mich neben sie.

»Es ist zu dumm«, sagte sie. »Ich schäme mich so.«

»Aber Sie wollen drüber reden, sonst wären Sie nicht hier. Bitte, sagen Sie mir, was los ist.«

Sie brauchte einen Moment, um sich zu sammeln. »Ich …

ich habe für meine erste Hausaufgabe im Memoir-Kurs von Professorin Tong eine Sechs bekommen.«

»Sie ist keine Professorin, sie hilft hier nur aus.«

»Nun, sie … ich habe eine Sechs bekommen. Sehen Sie sich das an. Ich habe noch nie im Leben eine Sechs geschrieben. Nicht mal eine Fünf. Die letzte Drei war in einem Algebratest in der Highschool.« Sie holte ein paar Zettel aus ihrem Rucksack und hielt sie mir unter die Nase.

Ich kam nicht dazu, Edwinas Text zu lesen. Auf die erste Seite hatte jemand »ALLES LÜGE!« geschrieben, einmal quer über die getippten Zeilen. Die zweite Seite sah genauso aus. Ich wollte lachen, aber dann sah ich Edwinas Gesicht und schluckte den Impuls hinunter. Oh Gott, Cynthia war die Größte.

»Warum hasst sie mich?«, jammerte Edwina. »Als sie neu war, haben wir uns so gut verstanden! Wir waren mittagessen, und sie hat mir ihre Nummer gegeben und gesagt, ich dürfe sie jederzeit anschreiben, und ich … ich weiß auch nicht, ich habe mich wirklich gefreut.« Dann hatte Cynthia sie also tatsächlich umworben. Mit Absicht? Oder hatte sie einfach meinen Geschmack? Wir Lehrenden hatten alle unsere Lieblinge, und wir wollten zurückgeliebt werden.

»Ach, Edwina«, sagte ich, »sie hasst Sie nicht. Jede Wette, dass sie bei den anderen genau dasselbe gemacht hat? Und falls nicht, sollten Sie es als Kompliment verstehen.«

»Warum?«

»Sie ist eine Unruhestifterin, sie will Sie aufrütteln. Sie will, dass Sie genau hinschauen und gnadenlos ehrlich zu sich selbst sind.«

Edwina schüttelte den Kopf. »Aber das habe ich getan.«

»Ich rede hier nicht von den Tatsachen, sondern von Ihren Emotionen. Sie haben doch eine gute Menschenkenntnis. Denken Sie mal nach. Sie will Sie nur ein wenig aufrütteln.«

»Soll ich den Kurs abbrechen? Ich will gleich nach dem College meinen Master machen. Wenn ich durchfalle ...«

»Nein«, sagte ich, obwohl ich, wollte ich ihre Lieblingsdozentin bleiben, damit vielleicht gegen meine eigenen Interessen argumentierte. »Ich meine, ja, natürlich können Sie abbrechen, wenn es Ihnen keinen Spaß macht. Aber hatten Sie noch nie so eine Lehrerin?«

»Noch nie«, sagte sie. »Ich hatte welche, die streng benotet haben, aber damit konnte ich umgehen.«

»Glauben Sie mir, sie will Sie nur irritieren. Ich finde, Sie sollten in dem Kurs bleiben. Sie möchte, dass Sie es ihr zeigen. Betrachten Sie es als eine spannende Herausforderung. Glauben Sie mir, wenn das Semester um ist, wird sie Sie lieben. Versprochen.«

Edwina seufzte, betrachtete die Seiten und legte sie in die Mappe zurück. Sie saß da und schien zu überlegen, und dann sagte sie, ohne mich anzusehen: »Heute hat Johns Verfahren begonnen, nicht wahr?«

Sie hatte das Thema noch nie angesprochen. Auf einmal wurde ich nervös, denn ich merkte, dass sie durchaus eine eigene Meinung dazu hatte. »Es ist eine Anhörung, kein Verfahren. Aber ja.«

Sie sah mich immer noch nicht an. »Hoffentlich bekommen Sie das, was Sie sich wünschen.«

»Was sollte denn Ihrer Meinung nach geschehen?«, fragte ich. Edwina war ein ausgeglichener Mensch, sie neigte weder zu Melodramatik noch zu Wutanfällen. Sie war belesen, sie war um einen guten Eindruck bemüht und hatte sich in meinen Literaturseminaren besonders hervorgetan. Ich hielt sie für eine Ausnahmeerscheinung; sie wollte lieber erfolgreich sein, als ihre Wunden zu lecken.

»Das alles hat mit mir nichts zu tun«, sagte sie. Ihr Ausdruck war angespannt, sie atmete durch die Nase aus.

»Warum nicht?«, fragte ich. »Es ist auch Ihr Fachbereich. Sie können sich eine Meinung bilden. Wie alle anderen auch.«

»Ich kann mir keine Meinung bilden, weil mir so etwas nie passieren würde.«

»Ich möchte jetzt keine unappetitlichen Details auspacken, aber dass John sich zuletzt auf eine Studentin eingelassen hat, ist Jahre her.« Ich ärgerte mich ein bisschen. Wie oft musste ich das noch wiederholen?

»Trotzdem. Es hat nichts mit mir zu tun. Es betrifft nur die weißen Mädchen. Weiße … Frauen.« Sie atmete tief und zittrig ein, und dann hob sie den Kopf und sah mich herausfordernd an.

»Verstehe«, sagte ich. Ich nickte, und in meiner Brust, direkt unter meinem Herzen, breitete sich eine dumpfe Angst aus. Mit dieser Antwort hatte ich nicht gerechnet. Falls ich sie richtig verstand, machte der Skandal sie aus einem ganz anderen Grund wütend. Sie ärgerte sich über die Komplizenschaft zwischen weißen Professoren und weißen Studentinnen, die Geheimnisse teilten, einander auf die Schulter klopften und manchmal eben miteinander ins Bett stiegen, während alle anderen, die nicht weißen, aus dem inneren Zirkel ausgeschlossen blieben.

Ich suchte nach Worten, ich wollte John verteidigen, der, wie schon gesagt, ein Schuft war, aber kein Fanatiker. »Nein, Edwina, es wäre Ihnen nie passiert. Aber nicht, weil Sie nicht weiß sind, sondern …«

»Bitte«, unterbrach sie mich. »Darum geht es mir nicht. Eigentlich will ich gar nicht darüber reden.«

»Nein«, sagte ich, »lassen Sie mich das erklären. Es könnte Ihnen nicht passieren, weil Sie …« Ich rang nach Worten. Ich wollte »ernst zu nehmen« sagen, aber was hätte das impliziert? Dass die Frauen, mit denen John etwas gehabt hatte, nicht ernst zu nehmen waren?

»Ich muss gehen«, sagte sie und lehnte sich vor, wie um aufzustehen.

»Nein, hören Sie. Es liegt daran, dass Sie wissen, was Sie wollen«, sagte ich. »Er hat Erfolg bei Frauen, die zerrissen, verloren und orientierungslos sind. All das sind Sie überhaupt nicht. Er wüsste gar nicht, wie er bei Ihnen landen sollte. Und vergessen Sie eins nicht – er flirtet sehr gern, verstehen Sie mich nicht falsch, er hat einen Ruf –, aber meistens war es so, dass die Frauen etwas von ihm wollten. Für Sie käme so etwas nie infrage.«

Sie lehnte sich zurück, verschränkte die Arme, schlug die Beine übereinander und sah kopfschüttelnd zu Boden. »Das waren junge Mädchen. Die wussten nicht, was sie tun.«

»So denken Sie über sich selbst? Dass Sie nicht wissen, was Sie tun? So wollen Sie behandelt werden?«

»Wenn es mir erlaubt wäre, würde ich alle möglichen Dummheiten machen, da bin ich mir sicher. Aber dieses Privileg besitze ich nicht.« Sie riss sich zusammen, doch ich konnte sehen, dass ihr trotzdem wieder die Tränen in die Augen stiegen.

»Hätte ich mich jemals an einen meiner Professoren rangeschmissen? Nein«, sagte ich. »Aber jeder Mensch hat das Privileg, eigene Erfahrungen und eigene Fehler zu machen und danach auf Vergebung zu hoffen.«

Sie schniefte. Die Verletztheit trübte ihren Blick, sie musste tief durchatmen, um sich zu beruhigen. »Nein, das stimmt definitiv nicht.« Sie verzog verächtlich den Mund.

Ich wusste, ich hatte mich vergaloppiert. Sie war umgeben von weißen Kids, die auf kein Stipendium angewiesen waren, Kids mit so viel Geld, dass sie sich Fehler erlauben konnten, denn am Ende würde sich alles irgendwie ausbügeln lassen. Für Edwina sah die Sache anders aus. »Ich verstehe, was Sie meinen, aber es sollte doch stimmen, oder?«

»Jetzt bin ich verwirrt«, sagte sie, obwohl sie kein bisschen verwirrt war. Sie benutzte das Wort wie alle anderen hier: um zu signalisieren, dass sie mit einer Aussage nicht ganz einverstanden war oder sie sogar rundweg ablehnte. »Sie finden, John sollte verziehen werden? Oder den Frauen?«

Ich wusste selbst nicht mehr, was ich fand; ich hatte den Faden verloren, und die Worte kamen anders heraus als beabsichtigt. »Ich habe wohl die Frauen gemeint. Vielleicht beides?«

»Erst sagen Sie, er hat junge, orientierungslose Frauen belästigt, und dann sagen Sie, die Frauen hätten es selbst so entschieden. Sie sagen, Sie persönlich hätten so etwas niemals getan, aber allen Beteiligten soll vergeben werden?«

Ich bebte innerlich, zwang mich aber zu lächeln. »Sie sind ziemlich schlagfertig. Sie erinnern mich an meine Tochter.«

»Ehrlich gesagt habe ich weder die Zeit noch die Energie, mich damit zu beschäftigen«, sagte sie, hob beide Hände, schloss die Augen, kehrte die Handflächen nach unten und senkte die Arme, als stemmte sie sich in die Höhe. »Ich will einfach nur in einer Welt leben, wo ich so tun kann, als gäbe es das alles nicht. Ich habe Wichtigeres zu tun.«

Sie stand auf und griff nach der Schlaufe ihres Rucksacks. »Noch mal vielen Dank für die Empfehlungsschreiben«, sagte sie. »Ich bin nicht sauer auf Sie, ich bin nur … es ist mir egal.«

Und damit ging sie hinaus.

Ich saß da und starrte aus dem Fenster. Mir war übel, und ich fürchtete, Edwinas Bewunderung für immer verloren zu haben. Ich begriff, was ich mir vorher nicht hatte eingestehen wollen: wie spalterisch das System von Auswahl und Bevorzugung war. Für mich war Johns Verhalten nicht zwangsläufig verstörend oder schmerzhaft gewesen, genauso wenig wie für die jungen Frauen damals. Seine Affären schmerzten mich, weil sie eine Atmosphäre geschaffen hatten, in der Frauen auserwählt werden konnten oder eben nicht. Das meiste davon war Klatsch und Tratsch, trotzdem bewirkte sie, dass alle Studentinnen des Fachbereichs Englische Literatur zu Kandidatinnen wurden, die rein theoretisch ausgewählt, abgelehnt oder ignoriert werden konnten.

Aber eigentlich, dachte ich plötzlich, war das während meiner ganzen Ausbildung der Fall gewesen; wir Frauen hatten schulterzuckend unser Verhalten angepasst in dem Glauben, es läge an uns, unsere männlichen Vorgesetzten auf Abstand zu halten oder ranzulassen, diese Form von Aufmerksamkeit zu verdienen oder eben nicht. Außerdem – war nicht jede Auswahl automatisch diskriminierend, nicht nur die romantische? Wir diskriminierten Studierende, indem wir anderen Studierenden besondere Ehren zuteilwerden ließen und ihnen am Ende des Semesters Preise und Auszeichnungen verliehen; Edwina hatte etliche erhalten. Die Auswahl war dem Konzept Hochschule immanent, denn dies war ein Ort, wo junge Leute nach Höherem streben und sich von anderen absetzen konnten. Wir mussten einigen den Vorzug geben, und zumindest in meinen Augen richtete unsere Auswahl größeren Schaden an als die amourösen Besessenheiten eines abgehalfterten Professors.

Ich konnte den Gedanken nicht ganz zu Ende denken, weil Vladimir »klopf, klopf« sagte und in mein Büro trat. Er war eine Augenweide – schwarzes Shirt mit V-Ausschnitt, schwarze Jeans, abgewetztes Ledersakko, Halskette, hohe Stiefel. Er war so modisch gekleidet, dass es fast ironisch wirkte, als spielte er einen italienischen Intellektuellen in einem späten Antonioni-Film.

»Sie sehen aber gut aus«, sagte ich und stand auf.

»Ich habe mich extra für Sie schick gemacht«, sagte er. »Außerdem ist das Sakko neu, ich konnte es gar nicht abwarten, es anzuziehen.«

»Hinreißend«, sagte ich, und er stellte sich den Kragen auf, kniff leicht die Augen zusammen und schürzte die Lippen wie ein Model, schämte sich aber sofort und ließ es sein.

»Jedenfalls passen wir gut zusammen«, sagte er schnell. Über mein Outfit hatte ich wochenlang nachgedacht. Ich hatte mich für einen langärmeligen Einteiler entschieden; schlicht, aber, wie ich fand, jugendlich geschnitten. Der Einteiler war schwarz, dazu trug ich taupefarbene Plateausandalen. Hoffentlich knickte ich nicht um.

»Fertig?«, strahlte ich ihn mit frisch gebleichten Zähnen an und warf mir mit zu viel Schwung die Tasche über die Schulter; als mir das Gewicht auf den Rücken schlug, wäre ich fast gestolpert.

Wir verließen das Gebäude und gingen zum Parkplatz. Johns Auto stand neben meinem. Ich stellte mir vor, wie er jetzt in der Anhörung saß, in den Händen eine verbeulte, halb leere Wasserflasche mit abgezupftem Etikett; schweigend und mit rotem Kopf hörte er zu, wie seine Kollegen über das Ende seiner Laufbahn berieten.

Sobald wir im Auto saßen, fragte Vladimir, wo wir hinfahren würden. Ich tat so, als müsste ich noch die Klimaanlage einstellen, und antwortete möglichst beiläufig, um seine Reaktion abschätzen zu können.

»Ich dachte, wir fahren ein bisschen weiter raus«, sagte ich. »Ich kenne da ein kleines Farmrestaurant an einem Bachlauf, die haben einen Wintergarten mit Kamin, einfach wunderbar.« Meine Nerven flatterten, meine Stimme klang angespannt und falsch.

»Toll«, sagte er. »Heute Nachmittag habe ich ausnahmsweise nichts weiter vor. Na ja, nicht bis um fünf.«

»Mal sehen«, sagte ich, startete den Motor und fuhr los. Er lachte, und dann wiederholte er vorsichtig, um fünf müsse er wirklich zurück sein, dann äßen Cynthia und er mit Phee zu Abend und lösten einander ab.

»Was heißt *ablösen*?« Nun, da ich fahren und den Blick

auf die Straße richten musste, ließ meine Befangenheit nach. Ich entspannte mich.

»Cynthia arbeitet in meinem Büro. Sie versucht, möglichst schnell ihr Buch fertigzuschreiben. Sie steht mit dem Rücken zur Wand. Der Verlag hat schon gedroht, den Vorschuss zurückzuverlangen, wenn sie nicht bald die erste Fassung einreicht.«

Das war es also, was sie seiner Ansicht nach abends tat. »Sie kommen um fünf nach Hause, und sie geht, um eine weitere Nachtschicht einzulegen? Was ist, wenn Sie mal ins Kino wollen oder Freunde besuchen?«

Er zuckte die Schultern. »Es ist ja nur vorübergehend. Ihr Buch ist wichtiger als mein Sozialleben. Wenn sie das Manuskript abgibt, zahlen sie uns die nächste Rate. Wir haben uns bis über beide Ohren verschuldet. Sorry, ich sollte das nicht erzählen.«

»Warum nicht?« Wir waren jetzt auf der Landstraße, nach allen Seiten erstreckte sich weites Ackerland mit frei stehenden Farmhäusern.

»Von Geldproblemen will doch niemand was hören.«

»Doch, alle!«, sagte ich. »Geld regiert die Welt.«

»Danke«, sagte er. »Ich bin froh, nicht der Einzige zu sein, der das so sieht.« Ich freute mich über seinen verbitterten Unterton, mit dem er wohl auf seine Frau anspielte, die mit Geld nicht umgehen konnte.

Ich wurde mutiger. »Die Ehe ist heute ganz etwas anderes«, sagte ich. »John und ich hatten damals keinen Terminplan. Er kam und ging, wie es ihm passte. Ich war zufrieden damit, ihm *das Essen aufzuwärmen*«, sang ich, dann fügte ich hinzu: »Na ja, also nicht wirklich, aber …«

Er unterbrach mich. »Woher ist das noch mal? Kommt mir bekannt vor.«

»Oh Gott, aus einem Musical. *Wie man Erfolg hat, ohne sich besonders anzustrengen.*«

»Genau. Damals in der Highschool war ich im Chor.«

»Mein Vater hatte die Langspielplatte. Er hat Musicals geliebt.«

»Ich liebe Musicals auch«, sagte er. »Cynthia kann sie allerdings nicht ausstehen. Ich sage ihr immer, Musicals sind wie Romane, aber das ist ihrer Meinung nach keine Entschuldigung.«

Er erläuterte mir seine Theorie. Während Theaterstücke eher wie Gedichte aufgebaut sind – in sich geschlossen, hermetisch, symbolhaft –, lassen Musicals sich aufgrund ihrer Länge, der melodischen und harmonischen Motive, der Höhepunkte, Tiefpunkte und »Nummern« strukturell mit dem Roman vergleichen.

Ich nickte begeistert und murmelte Zustimmung, aber nachdem er fertig war, schwiegen wir uns an. Wie der Rest der Bevölkerung werden auch wir amerikanischen Intellektuellen schüchtern, sobald eine Unterhaltung zu ernst wird. Das ist einer der Gründe, warum ich Gespräche mit Europäern liebe und gleichzeitig fürchte: Im Gegensatz zu uns Amerikanern untergraben sie ihre Aussagen nie durch das Unbehagen, möglicherweise zu emphatisch gewesen zu sein.

Und Vlad mochte russische Eltern haben, doch er war durch und durch Amerikaner. »Hat es Sie nicht gestört«, sagte er, wie um uns wieder in vertrautere Gefilde zu führen, die des Persönlichen, »dass John tun und lassen konnte, was er wollte, während Sie mit Ihrer Tochter daheim saßen?«

»So war das nicht. Seine Freiheit war auch meine Freiheit«, erklärte ich. »Außerdem hatten wir mehrere Babysitter. Die Eltern von heute sind ja so erpicht darauf, möglichst viel Zeit mit dem Nachwuchs zu verbringen. Ich liebe Sid, aber ich hatte nie ein schlechtes Gewissen, eine billige Studentin als Betreuung anzuheuern und meinem Leben nachzugehen. Ich habe geschrieben, Freunde getroffen und bin zum Sport gegangen.«

»Ja«, seufzte er und deutete damit an, dass seine persönliche Situation zu komplex für einfache Lösungen war. War sie nicht, dachte ich im Stillen. Wir alle machen uns das Leben unendlich schwer, wo es doch nichts weiter braucht als ein bisschen Abstand und etwas Zeit. Ich warf einen Blick auf seine starken Knie, die den dunklen Jeansstoff ausbeulten und gegen das Handschuhfach stießen. Ich versuchte, mit einem Lächeln in der Stimme weiterzusprechen, denn ich wollte unwiderstehlich unterhaltsam und boshaft klingen:

»Ich finde, Sie sollten Cynthia schreiben, dass Sie noch nicht genau wissen, wann Sie wieder zu Hause sind.«

Er schnaubte. Ich konnte praktisch hören, wie er die Augen verdrehte. »Sie würde durchdrehen.«

Ich bemühte mich, den leichten, unbekümmerten Ton zu halten. »Dann gönnen Sie ihr das Privileg, einmal diejenige zu sein, die zu kurz kommt. Wissen Sie, es ist schon fast zwei, und wir werden noch eine ganze Weile brauchen. Machen Sie sich mal los. Ich glaube, das würde Ihnen beiden guttun, Vlad. Glauben Sie einer alten Frau.«

Er schwieg. Ich wusste, er überlegte. Ich starrte auf die Straße und hörte, wie er auf seinem Handy herumtippte.

»Okay«, sagte er, und dann kicherte er, als könnte er es selbst nicht fassen.

»Gut gemacht«, sagte ich, obwohl ich diese Phrase hasste, diese schale Würdigung von bequemem oder zumindest eigennützigem Handeln.

Ich hörte ein leises elektronisches Sauggeräusch. Sie hatte geantwortet. Vlad atmete aus und tippte wieder.

»Und, was sagt sie?«

»*Viel Spaß, Süßer!*«

Und da spürte ich, wie die Spannung im Auto sich löste. Wir waren frei. *Danke, Cynthia,* dachte ich. Die souveräne, humorvolle Cynthia.

Ich tätschelte den schmalen Streifen Polster neben seinem Bein. »Wenn wir da sind, schicken wir ihr die Nummer einer Studentin von mir, die als Babysitter arbeitet. Das geht auf meine Rechnung.«

»Ich weiß nicht. Ich möchte Phee ungern jemandem überlassen, den ich nicht kenne.«

Ich tätschelte noch einmal den Sitz, und als ich die Hand wieder wegzog, erlaubte ich mir, ganz sacht seinen Oberschenkel zu streifen. »Vlad, Sie müssen ein bisschen loslassen. Sie können nicht Vater, Akademiker *und* Autor sein, wenn Sie nicht lernen loszulassen. Ich kenne das Mädchen. Sie arbeitet Teilzeit in der Kinderkrippe auf dem Campus. Wahrscheinlich hat Phee sie längst kennengelernt. Ich würde meine Hand für sie ins Feuer legen.«

Er nickte. »Okay. Vielen Dank. Ich glaube, das könnte Cynthia gefallen.« Ich nahm mir einen Moment, um darüber zu staunen, wie reibungslos alles klappte.

Wir hielten an einer Kreuzung mit Stoppschild und ließen

einen absurd langsamen Trecker queren. Zu unserer Rechten drängelte sich eine Herde dreckverkrusteter Kühe mit geschwollenen Eutern am Zaun. Vlads Stimme wurde fest. »Wissen Sie, das Loslassen fällt mir schwer. Ich muss alles irgendwie zusammenhalten. In den letzten Wochen, seit sie wieder an ihrem Buch arbeitet, ging es ihr viel besser. Noch vor wenigen Monaten hätte ich mir das nicht vorstellen können. Allerdings schläft sie zu wenig, was immer ein Warnzeichen ist, und manchmal habe ich das Gefühl, alles könnte jederzeit – zusammenbrechen. Eine falsche Bewegung, und …« Er verstummte, damit die Gefühle ihn nicht überwältigten.

Ich blinzelte in die Sonne, nur um irgendetwas mit meinem Gesicht zu machen, dann war der Traktor endlich vorbei, und ich fuhr wieder an. So bezaubert ich von Vladimir auch war – für meinen Geschmack sah er das alles zu dramatisch und nahm Cynthias seelische Gesundheit ein bisschen zu persönlich. Er tat so, als hätte *er allein* diese schwere Last zu tragen. Als Frau nahm ich Anstoß daran, dass Vladimir sie fast nur in Zusammenhang mit ihren Problemen erwähnte. Es roch nach Herablassung, nach der schnulzigen Fetischisierung ihres Leids.

»Wie schön, dass es ihr besser geht«, sagte ich und musste dabei an sie und John in der Tür denken. Zweifellos beflügelte sie die kleine Affäre. Nichts wirkt belebender, als sich auf geheime Pläne, Abmachungen und Treffen zu fixieren, auf neue Hände und einen fremden Mund. Sicher half es ihr auch in kreativer Hinsicht. Wahrscheinlich schrieb sie mit neuer Energie, wie ich, wenn ich an Vlad dachte. Wobei ich noch nichts erlebt hatte, während sie sich an Berührungen erinnerte, die die Gestaltung ihrer Sätze befeuerten. Wie würde es sich anfühlen, von Vladimir berührt zu werden? Würde ich mich komplett vergessen? Dahinschmelzen? Mich in meine Einzelteile auflösen?

»Vladimir Vladinski«, sagte ich, probehalber in einem neuen Tonfall.

»Ja, meine Liebe?«, konterte er.

»Heute möchte ich, dass Sie *nur an sich* denken. Wollen wir jetzt über Ihr Buch reden? Oder erst im Restaurant?«

»Keine Ahnung.« Er klang erfreut und bescheiden, und obwohl ich den Blick auf die Straße gerichtet hatte, wusste ich, dass er lächelte. »Vielleicht warten wir, bis wir am Tisch sitzen?«

»Gern«, sagte ich. »Aber ich kann Ihnen jetzt schon verraten, dass Sie ein Genie sind und einmal sehr berühmt sein werden.«

Er lachte. »Literarischer Ruhm. Dafür kann ich mir auch nichts kaufen.«

»Sie würden sich wundern«, sagte ich. »Ihnen steht Großes bevor, das weiß ich.«

»Sie sind nett.«

Ich erlaubte mir einen flüchtigen Blick. Die Haut spannte sich über seine Wangenknochen, seine Augen strahlten zufrieden. »Ich wollte Sie nicht in Verlegenheit bringen. Wir reden weiter, wenn wir da sind.«

Ich bat ihn, *Wie man Erfolg hat, ohne sich besonders anzustrengen* zu suchen und sein Handy über Bluetooth mit den Lautsprechern zu verbinden. Wir hörten das ganze Musical und sangen mit, zaghaft zunächst und dann aus vollem Hals. Ich übernahm die weiblichen Partien und er die männlichen, wir verhaspelten uns beim Text, aber bei den Refrains drehten wir auf. Je länger wir sangen, desto dreister, mutiger und selbstbewusster wurde ich. Er war glücklich, das konnte ich sehen. An diesem Nachmittag war er glücklich darüber, frei zu sein, ein Genie zu sein, ein schöner Mann zu sein, der den Ellenbogen aus dem Autofenster hängt und in die Oktobersonne blinzelt.

14

Nachdem wir Cynthia die Nummer der Babysitterin geschickt hatten, führte uns ein beflissener Italiener zu einem Tisch, nahm unsere Bestellung auf und öffnete den Wein (ich schenkte Vladimir doppelt so viel ein wie mir, was er, weil er ein Mann war, nicht bemerkte), und dann redeten wir über sein Buch. In den vergangenen Wochen hatte ich es noch einmal gelesen und mir ausführliche Notizen zum Thema, zur Symbolik, zur geschickten Verwendung von Ironie, der verblüffenden Wortwahl, dem metaphorischen Plot und der überaus anschaulichen Szenerie gemacht. Vor vielen Jahren, als ich noch eine junge und unerfahrene Dozentin war, war mir klar geworden, dass ich meinen Studierenden den größten Dienst erwies, indem ich ihnen meine ungeteilte Aufmerksamkeit schenkte. Mach sie fertig mit deiner Zuwendung, lautete mein Motto. Wenn du dir deiner Brillanz nicht sicher bist, schenk ihnen deine Zeit. Studierende, die sich gesehen fühlen, gehören dir für immer. Und obwohl es mich viele Stunden Schlaf gekostet hat und wahrscheinlich zu Lasten meiner literarischen Karriere ging, entwickelte sich das aufmerksame Lesen zu meiner Lehrmethode und war der Grund, warum ich trotz des ganzen

Traras um John immer noch eine der beliebtesten Professorinnen auf dem Campus war.

Von unserem Tisch am Rand des Wintergartens aus hatten wir einen direkten Blick auf den Bachlauf. Vlad konnte gar nicht aufhören, mir zu versichern, wie bezaubernd das alles sei. Die Einrichtung war ein bisschen übertrieben – rot karierte Tischdecken, alte Chianti-Flaschen mit Tropfkerzen, an den Deckenbalken Stroh und riesige Käselaibe aus Kunststoff –, doch der offene Kamin und die ländliche Umgebung ließen die Deko originell erscheinen statt albern.

Ich holte meine Zettel heraus. Während ich meinen Vortrag hielt, konnte ich Vlad kaum in die Augen sehen, so gespannt und eifrig wirkte er. Ich blickte abwechselnd auf meine Notizen und betrachtete den Bachlauf draußen, wo ein langschnabeliger Vogel einen toten Frosch zerpickte und an dessen gallertigem Kadaver zog und zerrte.

»Was ich an Ihrem Buch so bemerkenswert finde, Vlad, ist, dass es so zurückhaltend bleibt, ohne verknappt zu wirken. Sie bewegen sich so geschickt von Szene zu Szene, dass ein kontinuierlicher Erzählfluss entsteht, und deswegen habe ich auch erst *nach* der Lektüre bemerkt, auf welch beeindruckende Weise Sie die Handlung vorangetrieben haben. Wie Sie mit den Erzählzeiten umgehen, ist faszinierend, ebenso der Wechsel zwischen der ersten und der dritten Person. Ich habe ihn als Ausdruck der unterschiedlichen Bewusstseinsstufen des Erzählers gedeutet, als die grundlegende Unmöglichkeit, sich selbst zu kennen. Wir reflektieren, wir identifizieren uns, wir schaffen Abstand und suchen Nähe, aber jedes Kalkül scheitert an der eigenen Wahrnehmung, denn der Blick auf uns selbst ist immer ein konditionierter. Ihr Text ist wie eine Falltür; man bekommt ein Gespür für eine Welt jenseits dessen, was Ihre Prosa präsentiert – ein faszinierender Kunstgriff. Die wiederholte Erwähnung von Gemälden und Fotos brachte mich dazu, über Darstellung als Erfahrung im Moment der Darstellung nachzudenken; ich war ebenso benebelt wie berauscht davon. Ich musste oft an John Berger denken, nicht nur an *Sehen: Das Bild der Welt in der Bilderwelt*, sondern auch an seinen Fotoband. Kennen Sie den? Ich werde ihn Ihnen ausleihen. Die Figur des Jungen ist mitleiderregend, liebenswert, urkomisch und tragisch zugleich, die Beziehung zum Vater erscheint mir innig und belastbar. Kennen Sie diese Karussells, die sich so schnell drehen, dass man an die Wand gedrückt wird? Ja, wie in *Außer Atem* von Godard, oder wie hieß der noch? Nein, genau, *Sie küssten und sie schlugen ihn* von Truffaut. Ich weiß, die beiden Filme haben nichts miteinander zu tun, aber ich verwechsle sie immer, weil ich sie damals kurz hintereinander gesehen habe. Wie dem auch sei, ich habe den Eindruck, dass der Körper im Mittelpunkt steht; wir fürchten, darauf zurückgeworfen zu sein, und kreisen unaufhörlich um nichts anderes. Um das körperliche Gefühl des Lebendigseins, das Tierische, das Menschliche. Und doch ist der Körper da, er ist die Substanz, das Zentrum, er lebt und hat einen flüssigen Kern. Bewundernswert, wie Sie es schaffen, den Körper, der doch immer da ist, nie zu erwähnen. Seit Roth und Updike hat wohl kein Mann mehr ein Buch geschrieben, in dem das Körperliche so präsent, aber nicht belehrend ist …«

Und so ging es immer weiter. Einmal unterbrach mich Vlad und fragte, ob er das, was ich sagte, aufzeichnen dürfe. Selbstverständlich nicht, sagte ich, er könne später aber gern meine Notizen haben. Das Essen wurde gebracht. Wir hatten beide Suppe und Salat bestellt. Während ich sprach, schenkte ich ihm unauffällig Wein nach und sah, wie seine Augen vom Alkohol glasig wurden. Ich arbeitete mich weiter durch meinen Vortrag – drei Schreibblockseiten – und lehnte mich anschließend selbstzufrieden zurück. Meine Analyse war detailliert und schmeichelnd, ohne schmeichlerisch zu sein. Ich sagte ihm, den Beginn des letzten Drittels hätte er etwas straffen können, aber das sei meine einzige nennenswerte Kritik.

»Ich möchte Sie küssen«, sagte Vladimir. Und obwohl ich wusste, dass es nur eine Floskel war, wurde mir schwindelig. Er sagte, dass er zuletzt so ein Feedback erhalten habe, sei schon lange her, in der Tat habe er geglaubt, die Zeiten, in denen sein Werk auf diese Weise aufgenommen oder analysiert werde, seien vorbei. Ja, man werde seine Bücher auch in Zukunft rezensieren, Freunde würden ihm Tipps für Änderungen geben, damit ein Manuskript sich besser verkaufen lasse, die Verleger würden unklare Passagen monieren und die Lektorinnen Sprachgebrauch und Grammatik, aber nie hätte er damit gerechnet, dass jemand ihm sein Werk so gründlich widerspiegeln und sich die Mühe machen würde, genau in Augenschein zu nehmen, was er da eigentlich versucht habe.

»Cynthia ist eine gute Leserin«, sagte er. »Aber ihre Tipps sind immer so holistisch. Sie sagt: ›Lass das weg‹, oder: ›Diese Figur wirkt künstlich.‹« Er wedelte mit beiden Händen, um mir zu zeigen, wie überwältigt er war. »Ich wusste schon, warum ich so gespannt auf unsere Verabredung war.«

»Na ja, eigentlich hatte ich Ihr Buch gar nicht lesen wollen. Und als ich es dann begonnen hatte, war ich neidisch. Aber am Ende musste ich einsehen, wie gut es ist, und wenn etwas *so* gut ist, bin ich nicht mehr neidisch, sondern einfach nur froh, dass es existiert.«

»Hören Sie bloß auf, sonst schwebe ich noch auf meinem aufgeblasenen Ego davon.«

Ich stützte die Ellenbogen auf den Tisch und das Kinn in die Hand, eine Geste totaler Aufmerksamkeit. »Wie kommen Sie mit dem neuen Buch voran?«

Gar nicht gut, sagte er. Er habe zu wenig Zeit zum Schreiben und finde einfach nicht in den Rhythmus, den es für einen ehrlichen Anfang brauche. In der neuen Wohnung hatte er keine Ruhe, und er vermisste sein altes Arbeitszimmer. Eigentlich war es nur eine Abstellkammer gewesen, ziemlich unromantisch, er hatte eine nackte Wand angestarrt und sich auf dem Klappstuhl den Rücken ruiniert, aber immerhin war dort sein erstes Buch entstanden. Außerdem sah er sich als Juniorprofessor mit Aussicht auf eine Festanstellung gezwungen, in Fachzeitschriften zu veröffentlichen. Er arbeitete gerade an einem Essay über Samjatins *Wir*, Huxleys *Schöne neue Welt* und den Trend zur Apokalypse, den er in neueren Fernsehserien erkannte. Er brauchte so lange dafür, weil er während des Schreibens immer wieder vergaß, was er an der Fragestellung ursprünglich so interessant gefunden hatte. Außerdem glaubte er, mit seinem nächsten Buch »aufs Ganze gehen« und etwas Großes abliefern zu müssen – einen historischen Roman vielleicht oder einen mit vielen verschiedenen Perspektiven oder einem dringenden sozialen Anliegen. Er war zerstreut, wechselte immer wieder das Thema und konnte sich nicht auf das Wesentliche konzentrieren.

»Ich frage mich, was mir wirklich am Herzen liegt. Ganz kurz glaube ich, es könnten die Afghanistan-Veteranen sein oder Drohnenpiloten oder russische Hacker oder Sexsklavenhändler oder Sekten oder die Freundschaft zwischen Babel und Gorki. Ich recherchiere mir einen Wolf und denke, das ist es, das wird mein großer Roman. Aber wenn ich dann zu schreiben anfange, wirkt alles so tot und falsch, dass ich nicht weitermachen kann. Ich frage mich, ob ich mir ein bestimmtes Genre vorknöpfen oder etwas sehr Persönliches schreiben sollte, und *dann* frage ich mich, warum ich so verzweifelt nach einem Thema suche. Gibt es nicht schon genug Bücher auf der Welt? Vielleicht sollte ich es einfach bleiben lassen.«

Der Kellner trat an den Tisch und erkundigte sich nach unseren Dessertwünschen. Vlad wollte einen Cappuccino, aber auf die Gefahr hin, zu dominant zu erscheinen, bestellte ich die Rechnung und bat ihn, sich noch ein wenig zu gedulden. »Der Kaffee hier ist schrecklich«, sagte ich, als der Kellner gegangen war. »Der lohnt sich nicht. Außerdem …« Ich zögerte. Das Mittagessen war besser verlaufen, als ich zu träumen gewagt hatte. Mein Gegenüber war, das konnte ich sehen, in geneigter Stimmung und sehr betrunken. Falls ich jetzt den nächsten Schritt wagte, würde ich höchstwahrscheinlich Erfolg damit haben. Wollte ich das wirklich? Ich stellte mir die Alternative vor: Ich fuhr ihn nach Hause, setzte ihn vor seinem Wohnblock ab und schaute zu, wie er hineinging, und in meiner Brust würde eine Bombe aus hohler Traurigkeit hochgehen. So nah würden wir uns wahrscheinlich nie wieder kommen. Er würde passendere Freunde finden, andere junge Eltern auf diesem »sexy Spielplatz«, wie Grace Paley es genannt hatte. Ich würde altern, wir würden uns aneinander gewöhnen und uns bei Fakultätssitzungen auf den Geist gehen, und schon bald würde sich unser Umgang auf ein gequältes »Leider-so-viel-zu-tun«-Lächeln reduzieren, wenn wir einander auf dem Flur begegneten. Es würde ungefähr so sein wie zwischen mir und David.

Nein, das wäre unerträglich. Ich gestattete mir einen langen, gründlichen Blick in sein Gesicht und gab mich dem wärmenden Gefühl der Zuneigung hin. Ich liebte die leichten Schwellungen unter seinen Augen, die großen Poren an seinem Kinn, das borstige Nasenhaar, seine Selbstzweifel, seine Bedürftigkeit …

»Ich möchte Ihnen etwas zeigen«, sagte ich, als wollte ich ein intimes Geheimnis beichten. »Darf ich Sie hinbringen?«

Er sagte, das klinge sehr mysteriös, er sei gespannt. Und ja, er würde mich begleiten, wohin ich auch wolle. Er seufzte schwer. »So entspannt war ich seit Ewigkeiten nicht«, sagte er. »Erinnern Sie sich an das Märchen, wo der Soldat oder der Prinz oder der Bettelknabe, ich vergesse immer, wer es war, sich ein Band um die Brust legt, damit ihm nicht das Herz bricht?«

»Hören Sie auf«, sagte ich, »ich habe neulich erst an die Geschichte gedacht!«

»So fühle ich mich manchmal. Als bräuchte ich ein eisernes Band, das mich zusammenhält. Meiner Tochter zuliebe, meiner Frau zuliebe. Ich muss mal zur Toilette.«

Er schwankte davon. Ich hatte ein einziges Glas getrunken und er den ganzen Rest. Der Herbstsalat und die Minestrone – keine Brotsticks für Low-Carb-Vlad – konnten wenig gegen den Wein ausrichten, denn er hatte einen Alkoholgehalt von erstaunlichen fünfzehneinhalb Prozent. (Bis vor ein paar Jahren noch gab es keine Weine mit mehr als elf; irgendwann während des letzten Jahrzehnts hatten wir anscheinend beschlossen, uns schneller und kostengünstiger zu betrinken.) Vladimir hatte schon wieder seine Frau erwähnt. »Meine Frau.« »Meine.«

Ich warf einen Blick aufs Handy. Ich hatte einen Anruf von John verpasst, aber er hatte mir nicht auf die Mailbox gesprochen. Stattdessen hatte er ein Foto von hübsch angerichteten Wraps auf einem Tablett geschickt: *Für Speis und Trank während der Exekution ist gesorgt.* Ich suchte im Internet nach der Geschichte von dem eisernen Band und fand heraus, dass es sich um ein Detail aus dem *Froschkönig* der Gebrüder Grimm handelte. Als der Königssohn in einen Frosch verwandelt wird, lässt sich sein Diener aus Verzweiflung drei eiserne Bande ums Herz legen. Der Königssohn wird geküsst und erhält seine menschliche Gestalt zurück, und als der Diener das Paar nach Hause kutschiert, ist er so froh, dass die Bande abspringen. Wie seltsam, dass ein Diener seinen Herrn so lieben sollte. Homoerotik vielleicht, interessanter Gedanke oder einfach nur ein Lehrstück in Sachen Unterdrückung.

Als Vladimir zurückkam, hatte ich die Rechnung schon bezahlt. Er protestierte, aber ich winkte ab und sagte ihm, ich sei hier nicht diejenige, die auf die Anzahlung für ein eigenes Haus sparen müsse. Als wir unsere Sachen zusammensammelten, legte der Restaurantbesitzer kubanische Musik auf; Vlad straffte die Schultern und tänzelte in anmutigem Cha-Cha-Cha-Schritt zum Ausgang.

»Auf der Highschool war ich verrückt nach Salsa«, erklärte er. »Florida in den Neunzigern. Ich war ein dünner, pickliger Junge, aber in diesem einen Lokal war ich ziemlich beliebt. Ich habe den Boden gewischt und durfte mit dreißigjährigen Frauen, die enge Schlaghosen und Hüftkettchen trugen, tanzen. Es war« – sein Gesicht nahm einen verträumten, sexualisierten Ausdruck an – »prägend.«

Vom Restaurant waren es mit dem Auto keine zwanzig Minuten zur Hütte. Als wir ankamen und Vlad rief, das sei ja das perfekte Idyll, hätte ich ihm am liebsten gesagt, er könne sie haben. Ich meinte es ehrlich. Früher war ich meinen Freundinnen und später dann meinen festen Freunden gegenüber übertrieben großzügig gewesen. Ich gab meine Puppe her, nur, weil ein anderes Kind sie mochte, kaufte absurd teure Weihnachtsgeschenke für Mädchen, die ich anhimmelte, ohne je etwas dafür zurückzubekommen, und verlieh mein Auto oder meine Wohnung an irgendwelche Männer, was immer in einem Desaster endete.

Ich sagte ihm, er solle sich den See ansehen, und sobald er vorausgegangen war, öffnete ich den Kofferraum und ließ meinen Kulturbeutel, die Limetten und den Cachaça unauffällig in meiner riesigen Handtasche verschwinden. Ich rief ihm zu, ich würde drinnen auf ihn warten, und eilte in die Küche. Falls ich es durchziehen wollte, war jetzt der richtige Moment. Ich hatte keine Ahnung, wie diszipliniert Vlad war. Er war Russe und vertrug wahrscheinlich viel, ganz offensichtlich trank er gern, doch er war auch ehrgeizig und ein Vater. Ich wusste nicht, ob er mehr als einen Cocktail akzeptieren würde. Ich holte die Pillendose aus dem Kulturbeutel und drehte eine Seconal zwischen meinen Fingern. Könnte ich ihn auch ohne verführen? Anscheinend flirtete er mit mir, er hatte das Thema Sex indirekt erwähnt und angedeutet, wir zwei hätten eine besondere Verbindung. Aber nein – das war bloß meine Projektion, er war vermutlich zu allen Menschen so, außerdem war ich im Vergleich zu Cynthia eine abstoßende, alte Frau. So lief das im echten Leben nicht, derlei Wechselseitigkeit war selten, eine jugendliche Fantasie, eine naive Wunschvorstellung. Ich beschloss, mich an den Plot zu halten. Ich blendete alle bewussten Gedanken aus, als wäre ich beim Sport und hätte Anweisungen zu befolgen, besser noch, ich würde es machen wie beim Schreiben und die kritischen Stimmen abstellen. Ich zerstieß die Tablette mit Zucker, zerquetschte die Limetten und mischte alles mit Eis und Cachaça. Ich war gerade dabei, auch mir einen Drink zu mixen, als er an die Glastür im Wohnzimmer klopfte.

»Wass chaben Sie da?«, fragte er mit übertriebenem russischem Akzent. Ich reichte ihm das Glas.

»Irgendein Mieter hat Cachaça dagelassen.« Ich zeigte auf die Flasche. »Und Limetten. Sie haben über Salsa gesprochen, und da dachte ich: Das muss jetzt sein.«

Dass ich den Cachaça mitgebracht hatte, war reiner Zufall (ich hatte noch andere Optionen dabei, für jede erdenkliche Stimmung das passende Getränk). Aber Caipirinhas waren die Drinks, bei denen John und ich uns nähergekommen waren. In der Nähe unserer Uni hatte es eine Tapas-Bar gegeben, und manchmal gingen wir nach den Seminaren hin und betranken uns bis zur Besinnungslosigkeit. Zunächst in der Gruppe, später rein freundschaftlich zu zweit, und eines Abends konnte ich ihn dann überzeugen, mich mit nach Hause zu nehmen. Ich erinnerte mich an die schummrigen, prickelnden, schwülwarmen Nächte, als mein Körper ins Verliebtsein verliebt war. Als ich während meiner Vorbereitungen die Flasche in der Hausbar entdeckt hatte, war mir mein überbordendes, spritziges Selbstbewusstsein von damals wieder eingefallen, und wie unwiderstehlich ich mich in jenen Nächten gefühlt hatte. Außerdem waren Caipirinhas unfassbar süß. Falls das Seconal einen medizinischen Beigeschmack hatte, würde der Zucker ihn überdecken.

Vlad trank schnell. Er saß auf dem altertümlichen Bierhallenstuhl, las die Schnitzereien laut vor und fühlte sich wie ein Lord. Ein kalter Wind pfiff durch die Ritzen zwischen den Holzbalken, deswegen schloss ich die beiden Heizlüfter an. Ich hatte sie zu dem Termin mit den Handwerkern mitgebracht, die die Hütte winterfest machen sollten, und dann hier stehen lassen.

»Das war immer mein Traum«, sagte Vlad. »So etwas wie das hier. Nicht als Zuhause, sondern als einen Ort für mich allein, wo ich zum Schreiben hinkann. Einfach mal zwei Tage fieberhaft durcharbeiten, Tag und Nacht, alles raushauen.«

Genauso sei es gedacht gewesen, sagte ich. Doch dann sei uns klar geworden, wie teuer so ein Studium sei – idiotisch, immerhin seien wir Akademiker –, selbst für Doppelverdiener. Wenn Sid sich nicht bis an ihr Lebensende verschulden sollte, würden wir eine zusätzliche Einkommensquelle brauchen. Am besten zahlten die Langzeitmieter, Leute, die einen Monat oder länger blieben; in manchen Sommern verbrachten wir nicht einmal eine Woche am See. Später hatte Sid an der NYU ihren Abschluss in Jura gemacht, was trotz Studienkredit, Förderung und eines kleinen Stipendiums ein Vermögen gekostet hatte, und dann war sie einen Sommer lang Praktikantin in einer großen Kanzlei und kreuzunglücklich gewesen; so wollte sie nicht leben, sie brauchte einen sinnvolleren Job. Mit dieser Schuldenlast bei einer gemeinnützigen Organisation anzufangen wäre eine ziemliche Plackerei geworden – wir hatten es zusammen durchgerechnet und waren schockiert –, und außerdem, nun ja, ich wollte natürlich, dass sie glücklich war *und* etwas bewegte. Sie war weder faul noch egoistisch. Wozu war ich auf der Welt, wenn nicht, um mein einziges Kind zu unterstützen, das Gutes tun wollte? Was die Pläne für eine winterfeste Hütte anging, so ließ die Ausgabe sich nicht rechtfertigen. Während des Semesters war ich ohnehin zu beschäftigt, um viel Zeit hier zu verbringen, außerdem hätte es zu viel Arbeit gemacht – bei Schnee räumte die Gemeinde nicht einmal die Zufahrtsstraße.

Aber nun, sagte ich, sei alles anders. Ich hätte einen neuen Plan und wolle die Hütte ganzjährig nutzen. Ich hätte vor, in Zukunft öfter herzukommen.

»Wegen John?« Er hatte den Cocktail fast ausgetrunken, war aber immer noch bei klarem Verstand. Ich hatte noch nie jemanden unter Drogen gesetzt und wusste daher nicht, wie lange so etwas dauerte. Am Boden seines Glases, unter dem Eis, hatte sich der Zucker abgesetzt, und vermutlich auch die zerstoßene Tablette. Mit jedem Schluck, den er trank, schlug mein Herz ein wenig schneller. »Möchten Sie noch einen?«, fragte ich.

»Sie sind schlimm«, sagte er und dann, wieder mit Akzent: »Ja, chär damit.« Ich rührte den Bodensatz kräftig durch, gab aber diesmal weniger Alkohol dazu, aus Angst vor einer möglichen Wechselwirkung mit der Tablette. Meine Handflächen waren schweißnass, mein Magen krampfte sich zusammen. Vlad war aufgefallen, dass ich meinen Drink kaum angerührt hatte. Eigentlich hatte ich mir vorgenommen, nur daran zu nippen, aber nun nahm ich den Hinweis dankbar an und leerte fast das Glas. Schweigen senkte sich auf uns herab, ein Bewusstsein dafür, dass wir ganz allein waren.

»Wie heißt die Gemeinde?«, fragte er. Ich nannte ihm einen falschen Namen. Die Worte kamen mir über die Lippen, noch bevor ich sie mir überlegt hatte.

»Nie gehört.« Er warf einen Blick auf sein Handy. »Cynthia schreibt, die Babysitterin ist da.« Er runzelte die Stirn, tippte auf dem Display herum. »Gibt es hier keinen Empfang?«

»Der ist schlecht«, sagte ich, »aber wir haben WLAN.«

Er steckte das Handy in seine Jacke zurück. »Ach, wozu.«

Ich reichte ihm den frischen Drink, wir stießen an, er trank einen großen Schluck. Wir führten die obligatorische Unterhaltung darüber, wie selten es heutzutage noch vorkam, dass man einmal nicht erreichbar war. Er erzählte von seiner Zeit beim Friedenskorps, als er eine Offenbarung gehabt hatte. Er hatte in der Nähe eines kleinen Dorfes gezeltet, und da war ihm bewusst geworden, dass niemand auf der ganzen Welt eine Ahnung davon hatte, wo er sich aufhielt; es gab keine Möglichkeit, ihn ausfindig zu machen. In dem Moment hatte sich zum ersten Mal in seinem Leben die Last des Erfolgsdrucks von seinen Schultern gehoben, und er hatte verstanden, dass er nur ein Tier unter Tieren war, eine wundersame, bedeutungslose Lebensform, derselben Erde entsprungen, die ihn irgendwann wieder absorbieren würde. Ich sagte, ich könne mit keiner vergleichbar glamourösen Anekdote aufwarten, doch wenn Sid früher in der Schule gewesen sei und John nicht zu Hause, hätte ich lange Autofahrten in andere Städte unternommen, oder ich hätte mich in den Zug gesetzt, sei nach Norden gefahren und in irgendein Lokal gegangen, das ich unter normalen Umständen nie betreten hätte; ich hätte einfach nur an einem Ort sein wollen, wo niemand mich vermutet habe. Aber ich sei immer in Sicherheit gewesen, sagte ich; selbst, wenn ich mich verlieren wollte, wagte ich mich nie zu weit vom Vertrauten weg. Im Grunde meines Herzens sei ich keine Entdeckerin, sondern nur eine Frau, der man beigebracht habe, auf ihren Körper achtzugeben. Und ich schrieb natürlich; ich führte das unspektakuläre Leben einer Autorin – an den Schreibtisch gekettet, ans Sofa, ans Bücherregal, an meine Gedanken.

»Ich muss unbedingt Ihre Bücher lesen«, sagte Vladimir. »Cynthia ist begeistert davon.« Er lallte noch nicht, aber sein Kopf begann, ganz leicht und rhythmisch zu nicken.

Nein, auf keinen Fall, sagte ich. Die Bücher seien Misserfolge gewesen, es wäre mir peinlich. Doch ich widersprach zu schnell und mit zu viel Nachdruck. Ich hatte nicht von ihm erwartet, mein Werk zu kennen, aber dass er den

Umstand so beiläufig erwähnte, bewies nur, wie wenig er an mich dachte. Seine Frau hielt offensichtlich mehr von mir. Was einen Sinn ergab, denn so gesehen war ich eine Konkurrentin. Ich erinnerte mich, wie ich auf dem Höhepunkt meiner Fixierung auf David einmal vor der Firma seiner Frau gewartet hatte. Sie verließ das Büro, und ich folgte ihr zum Supermarkt. Anschließend holte sie Wäsche aus der Reinigung, kaufte sich bei McDonald's einen ungesunden Snack, holte ihre Tochter ab und fuhr nach Hause. Aus der Ferne schaute ich zu, wie sie ihr Auto in die angebaute Garage lenkte. Ich war wütend und fühlte mich erbärmlich, aber es war auch aufregend, ihre schemenhafte Gestalt hinter den geschlossenen Jalousien zu sehen und mir vorzustellen, wie sie den Becher wegräumte, aus dem David seinen Kaffee trank; wie sie das Kissen aufschüttelte, das sein geliebter Kopf platt gedrückt hatte.

Vlad wollte aufstehen, setzte sich aber sofort wieder hin. »Das war zu schnell«, sagte er. Ich sagte ihm, er solle kurz warten, ließ das Wasser laufen, bis es nicht mehr trüb war, und brachte ihm ein Glas. Er trank es aus, ich brachte ihm ein zweites, das er ebenfalls leerte. Er versuchte, sich zu sammeln und aufrecht zu sitzen. Ich spürte Bedauern. Das war falsch. Ich sollte ihm alles beichten, seinen Hass auf mich ziehen, die Verbindung für immer kappen.

»Sie liegen auf meinem Nachttisch«, sagte er.

»Was?«

»Ihre Bücher. Ich will sie lesen, aber ich ackere mich gerade durch diese …« Er hielt inne und kniff die Augen zusammen, um seine Gedanken zu ordnen und die Worte zu fassen zu kriegen. Er griff zum Wasserglas, ich sprang auf, um es erneut zu füllen. Ich hatte einen riesigen Fehler gemacht. Was ich sah, gefiel mir gar nicht, ich wollte nicht miterleben müssen, wie er gegen seinen Willen das Bewusstsein verlor.

Ich versuchte, meine Sorge mit Fröhlichkeit zu überspielen. »Na ja, solange mein Name das Letzte ist, was Sie sehen, bevor Sie das Licht ausmachen …«

»Ihr Name und das sexy Autorinnenporträt.«

Mein Mund erstarrte zu einem schiefen Oval, und ich riss die Augen auf, als hätte man mich beim Lügen erwischt. Wieder fragte ich mich, ob mein Plan überflüssig gewesen war. Wäre er auch ohne … Nein. Sicher lag es nur am Medikament. Er flirtete gern, das wusste ich. Außerdem war er vollkommen betrunken. Er meinte es nicht so.

»Lang ist's her«, sagte ich. Ich rang immer noch um Fassung; wahrscheinlich hörte er mich keuchen.

»Nee«, sagte er, und dann schürzte er die Lippen nach der tranigen, trunkenen Art eines schwer alkoholisierten Menschen.

Ich verdrehte die Augen, klimperte gleichzeitig mit den Lidern und schüttelte den Kopf, was vermutlich sehr unvorteilhaft aussah. Auf einmal überkam mich das heftige Verlangen nach einer Zigarette. Vlad warf mir einen benommenen, schwankenden Blick zu.

»Was?«, sagte ich.

»Du wolltest abhauen.« Er richtete einen unsicheren Finger auf mich.

Ich zuckte die Schultern, spielte die Ertappte. »Ja, sicher, was sonst?«

»Deswegen hast du mich gekidnappt.«

»Wie bitte?« Mir stockte der Atem. Ich blinzelte schnell und verzog den Mund zu einem schwachsinnigen Grinsen.

Er zeigte unbeirrt nickend in meine Richtung, als hätte er mich durchschaut; aber dann schien sich eine weitere Bewusstseinsschicht abzulösen, und er begann, unwillkürlich zu nicken, verhandelte mit sich selbst, murmelte unverständlich vor sich hin. Nach einer gefühlten Ewigkeit neigte er den Kopf zur Seite und lallte: »Ich hab's übertrieben.« Aus dem Nicken wurde ein Kopfschütteln, das sich ebenfalls ewig hinzog und irgendwann seinen gesamten Körper erfasste; seine Wirbelsäule schien sich zu winden, die Hände verdrehten sich, die Lider flatterten. Es war, als führte er einen unheimlichen Tanz auf – selbst unter Drogen besaß er noch Anmut, ein zitternder Nijinsky. Die Schüttelbewegungen waren ebenso faszinierend wie Furcht einflößend und verlangsamten sich schließlich zu einem ruhelosen Schaukeln. Ich versuchte, ihn anzusprechen, aber es war, als wäre auch die nächste Schicht abgetragen worden. Vor Panik zog sich mir das Herz zusammen. Sollte ich den Notruf wählen? Als ich mich ihm näherte, stemmte er sich wie zur Antwort aus dem Stuhl hoch und warf dabei seinen Drink und das Wasserglas um. Ich beugte mich über ihn, hielt seine Arme fest und versuchte, ihn wieder nach unten zu drücken. Der arme Junge, seine Muskeln waren so stark und so hart, und trotzdem klammerte er sich an mich wie ein Kind; er klammerte sich an mich, weil er mich brauchte. Wohlige Schauder durchliefen mich, während ich ihn sanft und mit aller Kraft auf den Stuhl drückte. Beim ersten Versuch verfehlten wir das Ziel. Vladimir ging zu Boden und kam auf der Seite zum Liegen, und ich musste flehen, locken, schieben, zerren und ihn am Ende ohrfeigen, um ihn wieder auf den Stuhl zu bekommen. Er zappelte, ich legte mich mit vollem Gewicht auf seine unglaubliche Brust, um ihn unten zu halten. »Alles in Ordnung, Liebling, alles okay«, murmelte ich immer wieder und presste mich an ihn, bis er sich der Übermacht der Tablette ergab, zusammensackte und in einen tiefen, bewegungslosen Schlaf fiel.

15

Weil ich im Umgang mit Medikamenten eher unerfahren war, hatte ich nicht mit einer so sichtbaren und heftigen Reaktion gerechnet. Ich hatte die zugegebenermaßen sehr verträumte Vorstellung gehegt, er würde einfach auf dem Sofa dösen, während ich die Vorräte auspackte und ihn dann (irgendwie, ich hatte es nicht genauer durchdacht) ins Bett schaffte und mich danebenlegte. Einmal dort angekommen, hätten die rohen Kräfte körperlicher Nähe und Anziehung sowie seine Trunkenheit das Kommando übernommen. Und danach? Danach hätte ich ihn ganz für mich allein gehabt, er wäre kompromittiert gewesen, schuldbewusst, bedürftig und beschämt, und ich hätte seinen inneren Konflikt ausgenutzt und ihn getröstet, ich hätte ihm geholfen und damit genügend Raum für die ewige, wenn auch körperlich nur flüchtige Vereinigung unserer Seelen geschaffen.

Aber mit dieser Gegenwehr hatte ich nicht gerechnet. Er hing, zu einem üblen Winkel verdreht, über der Stuhllehne und erinnerte an Sid als Kleinkind, wenn sie im Autositz eingeschlafen war. Manchmal war ich, während John fuhr, nach hinten geklettert und hatte sie wieder aufgerichtet. In der Hütte gab es viel zu tun, aber ich wollte ihn nicht allein lassen. Da fiel mir ein, was ich einmal über Bäuerinnen in vorindustrieller Zeit gelesen hatte: Einige hatten ihr Baby mit Stoffstreifen fixiert, bevor sie ihren Pflichten im Haus oder auf dem Feld nachgegangen waren. Wenn ich es nur irgendwie schaffte, dass er aufrecht sitzen blieb, würde ihm nichts passieren.

Angesichts seines Umfangs und seiner Kraft, würde ich, wenn ich ihn wirklich fesseln wollte, etwas Stabileres brauchen als Stoffstreifen. In der Krimskramsschublade entdeckte ich eine angebrochene Packung Kabelbinder, die ich einmal gekauft hatte, um die Fernsehkabel zu bändigen. Ich kniete mich neben ihn und stemmte ihn mit dem Rücken hoch, und sobald er gerade saß, schob ich einen Kabelbinder durch die Lehne und einmal um seinen rechten Bizeps und zog ihn fest, wobei ich darauf achtete, keine Haut einzuquetschen. Zur Sicherheit legte ich direkt darüber noch einen zweiten an. Zunächst sah es gut aus, Vlad saß aufrecht, aber dann kippte er in die andere Richtung, über den fixierten rechten Arm. Ich spielte mit dem Gedanken, seinen linken Arm ebenfalls festzubinden, aber er sollte wenigstens eine Hand frei haben, das erschien mir ungefährlicher und auch freundlicher – was, wenn er sich kratzen musste? Ich stand ratlos vor ihm; der Alkohol, den ich im Laufe des Nachmittags getrunken hatte, vernebelte mein Denken. Auf einmal fiel mir die Kette ein, mit der wir den Kajakschuppen sicherten. Ich eilte hinaus, öffnete das Zahlenschloss und zerrte die Kette heraus. Ich ging in die Hütte zurück und wickelte sie Vladimir mehrmals um den Oberkörper, immer mit drei Fingern Luft dazwischen, damit sie nicht zu eng saß. Zuletzt drückte ich das Schloss zu. Sein Kopf kippte zur Seite, aber das war in Ordnung; er hatte einen stabilen Puls und atmete normal. Ich konnte sicher sein, dass er nicht ersticken oder sich irgendwie selbst verletzen würde.

Ich trat einen Schritt zurück und begutachtete ihn, und sofort heulte meine Freude wieder auf wie ein Automotor, wenn das Gaspedal durchgetreten wird. Der Anblick des gefesselten Vladimir, angekettet in meiner versteckten Hütte im Nirgendwo, war fantastisch und absurd. Hätte man mich gefilmt, hätte man sehen können, wie ich mir ungläubig in die Handkante biss; ich bedeckte mir die Augen, fuhr mir mit den Fingern durchs Haar, lachte, ging in die Hocke, richtete mich wieder auf und rieb mir fassungslos übers Gesicht; ich war schockiert über das, was ich getan hatte, über die Ausbeute meines Verlangens, das Resultat meiner Obsession. Ich lebte meine Gefühle ganz für mich allein aus, wie ein Kind, das einen Preis gewonnen hat und nicht aufhören kann zu triumphieren, und vergewisserte mich immer wieder, dass ich diese außergewöhnliche Szene nicht bloß träumte. Dann hätte man sehen können, wie ich mich beruhigte, zu dem gefesselten Mann trat, vor ihm niederkniete, den Kopf auf seinen Oberschenkel legte und den metallischen Geruch seiner Jeans einatmete wie Weihrauch an einem Altar.

Ich blieb ein paar anbetungsvolle Sekunden so hocken, dann erhob ich mich und räumte die Hütte auf. Hin und wieder sah ich nach ihm wie nach einem schlafenden Baby. Ich lud die Lebensmittel aus dem Kofferraum und räumte meine und Johns Kleidung in die Schlafzimmerkommode.

Ich legte im Bad Handtücher, Waschlappen und Badematten aus. Ich holte Decken und Bettwäsche aus den Rubbermaid-Tonnen und bezog nach einigem Zögern beide Betten. Wenn er aufwachte, sollte er die Möglichkeit haben, in einem eigenen Zimmer zu schlafen. Ich wischte Staub, fegte den Boden und holte die Ameisenköder aus den Ecken.

Ich wusste nicht genau, was ich mit Vladimir machen sollte, wenn er aufgewacht war. Um meine Nerven zu beruhigen, schenkte ich mir ein großes Glas Wein ein und trank, so schnell mein Magen es zuließ. Ich spürte kaum eine Wirkung. Ich verband beide Handys mit dem WLAN nur für den Fall, dass er oder ich verzweifelte Textnachrichten erhalten hatten, die wir besser beantworten statt ignorieren sollten. Es war früh am Abend. Sid fragte, wo ich bliebe, und ich schrieb zurück, ich sei auf einem Ausflug, und sie solle sich keine Sorgen machen, ich würde sie auf dem Laufenden halten. John schrieb, er habe erfahren, dass keine der Anklägerinnen – keine der sieben Frauen, die die Beschwerde eingereicht hatten – persönlich aussagen wollte. »Das dürfen die?«, hätte ich beinahe zurückgeschrieben, aber dann fiel mir ein, dass eine Antwort weitere Nachrichten nach sich ziehen würde. Ich bat Sid, ihrem Vater auszurichten, dass ich noch nicht wisse, wann ich nach Hause käme. *Viel Spaß*, schrieb sie, und dann schrieb sie noch, mit Alexis laufe es gut, obwohl sie sich körperlich »beschissen« fühle und nicht verstehe, warum. Sie schickte zwei gekreuzte Finger und ein grünes Gesicht, ich antwortete mit einem Kuss und einem Herz.

Dann setzte ich mich wieder hin und betrachtete ihn, den stattlichen Mann, meine Beute, meinen Hauptgewinn, meinen Vladimir. Ja, er war mein. Ich beschloss, nichts mehr zu beschließen. Ich würde mich ganz spontan dem lebendigen Augenblick hingeben. Ich hatte nicht vor, ihn so bald freizulassen. Zu seiner eigenen Sicherheit nicht, wie ich mir sagte, wobei ich nicht verleugnen konnte, wie gut der Anblick mir gefiel. Wenn er aufwachte, würde sich alles Weitere aus der Stimmung ergeben. Vielleicht würde er aufgebracht oder wütend sein, nein, er würde schäumen vor Wut, aber ich würde seinen Ärger körperlich absorbieren, ihm nachspüren und ihn verarbeiten, bis er abgeflaut war. Falls er sich sorgte, würde ich seine Ängste aufnehmen, und sie würden sich auflösen wie Nebel über einem See. Er würde mir Beschimpfungen entgegenschleudern, ich würde sie auffangen und einstecken wie eine Jongleurin die Bälle und mir sagen, dass er es nicht besser wisse.

Das größte Problem stellte natürlich Cynthia dar. John und Sid hatten sich abspeisen lassen, sie waren sauer oder auch nicht und glaubten, ich wäre auf einem Trip à la Thelma und Louise, nur eben ohne Louise. Sie hatten mit eigenen Sorgen und den eigenen Geliebten zu tun und dachten nicht weiter an mich. Cynthia hingegen war einen guten, verlässlichen Partner gewohnt. Bestimmt war sie sonst immer diejenige, die auf sich warten ließ. Vlad bildete das Sicherheitsnetz der Familie, er sorgte dafür, dass Phee etwas zu essen bekam und rechtzeitig im Bett war. Sie würde nach Hause kommen, die Babysitterin bezahlen und sich schlafen legen, aber wenn sie morgen aufwachte und er immer noch nicht zurück war, würde sie vielleicht etwas Unüberlegtes tun, wie zur Polizei zu gehen. Einen Erwachsenen konnte man erst als vermisst melden, wenn er zweiundsiebzig Stunden verschwunden war, war es nicht so? Oder behaupteten sie das in den Fernsehserien nur, um die Spannung zu steigern? Abgesehen davon wusste sie, dass Vlad und ich einen Ausflug machten – er hatte ihr die Nummer der Babysitterin auf meine Empfehlung hin geschickt. Falls sie sich an John wandte … Nun, ich musste zugeben, dass er mich manchmal besser kannte als ich mich selbst; wahrscheinlich würde er sie direkt zur Hütte führen.

Dann dämmerte es mir – John und Cynthia, natürlich. Vlad war bei mir, und ich wusste über sie Bescheid, auch wenn sie das nicht wussten. Was, wenn ich es ihm erzählte? Vielleicht würde er sich furchtbar aufregen und Zeit zum Nachdenken brauchen. Möglicherweise würde er etwas Abstand benötigen, um den Betrug zu verarbeiten. Das wäre ziemlich kindisch von ihm, eine Retourkutsche, aber dennoch verständlich. Die Frage war nur, wie ich es ihm beibringen sollte. Ich entsperrte sein Handy mit seinem Daumen und las mir die Nachrichten durch, die er und Cynthia sich geschrieben hatten. Es waren die Nachrichten junger Eltern, alles drehte sich um Abholzeiten, Ankunftszeiten, Treffpunkte, Arzttermine, Einkaufslisten. Darunter waren ein paar niedliche Aufnahmen von Phee und selten mal ein Link zu einem Artikel, noch seltener ein Zeichen von Liebe oder Dankbarkeit. Ständig musste er sie an irgendetwas erinnern – geh zur Kfz-Behörde, füll das Formular aus, fahr zu diesem oder jenem Termin. Anscheinend tendierte keiner von beiden zu wortreichen, intimen Botschaften oder langem Hin- und Hergeschreibe.

Ich griff nach meinem Handy und entwarf ein paar

Nachrichten an mich selbst, nur um zu sehen, wie sie auf dem Display wirkten.

Ich weiß über John und dich Bescheid. Wie konntest du mir das antun? Ich brauche Zeit zum Nachdenken. Versuch nicht, mich zu erreichen. Ich werde nicht antworten.

Das war angemessen knapp, aber einen Hauch zu melodramatisch.

Cynthia, du Schlampe.

Nein – Vlad war ein respektvoller Mann, nicht einmal in seiner Wut würde er sie beschimpfen.

Cynthia, ich weiß alles. Versuch nicht, mich zu erreichen. Wie konntest du unserer Familie das antun? Nach allem, was wir deinetwegen durchgemacht haben?

Das drückte ziemlich gut aus, was ich an Vlads Stelle empfinden würde, allerdings war die Botschaft die falsche, und die vielen Andeutungen und Fragen luden zu einer Antwort ein. Idealerweise würde es im Anschluss möglichst wenig zu kommunizieren geben. Vlad hatte angefangen zu schnarchen, ich hörte ein leises, niedliches Schnurren. Warum hatte ich sie namentlich angesprochen? Das würde er nicht tun.

Ich weiß über dich und John Bescheid. Ich kann nicht mehr klar denken. Ich werde verreisen. Kontaktiere mich nicht – ich brauche Zeit. Bestell die Babysitterin, wann immer du sie brauchst, wir werden das Geld schon auftreiben.

Besser. Sich Gedanken um die praktischen Fragen zu machen sah Vlad schon viel ähnlicher. Es wäre typisch für ihn, Vorkehrungen zu treffen – wie diese Abschiedsbriefe, in denen von offenen Gasrechnungen die Rede ist –, und er würde sich nicht komplett von ihr lossagen; er wüsste gar nicht wie. Ja, das war die richtige Taktik. Vielleicht sollte ich seine Fürsorglichkeit sogar noch stärker betonen. Ich betrachtete seine reglosen Hände und stellte mir vor, wie sie seine Tochter in den Himmel hoben. Ich entschied mich für Folgendes:

Ich weiß über dich und John Bescheid. Ich kann nicht mehr klar denken. Ich werde für eine Weile verreisen. Kontaktiere mich nicht, bitte, ich brauche Zeit. Sag Phee, dass ich sie lieb habe und bald zurückkomme. Vergiss nicht ihren Schwimmkurs am Mittwoch. Bestell die Babysitterin, wann immer du sie brauchst, ich werde das Geld schon auftreiben.

Ich würde noch ein bisschen warten und die Nachricht später von seinem Handy verschicken in der Hoffnung, dass Cynthia bereits schlief. Den Schwimmkurs hatte ich in seinem Terminkalender entdeckt, »Phees 1. Schwimmstunde«, das machte alles noch glaubwürdiger.

Um das Chaos in der Küche würde ich mich später kümmern. Ich setzte mich vor den schlafenden Vladimir und klappte den Laptop auf, um an meinem Roman weiterzuschreiben. Doch zum ersten Mal, seit ich vor vielen Wochen in dieser Hütte damit angefangen hatte, fehlte mir der Schwung. Ich kam von dort, wo ich zuletzt aufgehört hatte, nicht weiter – dieses Problem war neu. Ich öffnete eine zweite Datei und versuchte es mit etwas Autofiktion, möglicherweise dem Beginn eines Memoir. Ich schrieb ein paar Absätze über alte Männer und Begehren, schaffte jedoch nicht einmal eine Seite. Die stille Szene war zu bezaubernd, um sie durch zwanghaftes Nachdenken und Tastengeklicke zu stören. Eine Weile betrachtete ich ihn einfach nur, sah zu, wie das Licht über seine Gestalt hinwegging und verblasste. Hatte ich mich verflucht, indem ich mein Begehren im Text manifestierte? Hatte ich den Anlass für meinen Feuereifer an einen Bierhallenstuhl gekettet? Es war zu seiner eigenen Sicherheit geschehen, sagte ich mir, nicht zu meinem Vergnügen. Dennoch konnte ich meine Gefühle beim Anblick seiner geschmeidigen, kraftlosen Gestalt nicht verleugnen, bei dem Gedanken, dass ich ihn nach einem Aussetzer meines Urteilsvermögens ganz für mich hatte. Aber was wollte ich mehr, Vladimirs Körper oder meinen Roman abschließen? Ja, nein – in dem Moment wusste ich nicht, was großmütiger wäre: mich der fleischlichen Begierde hinzugeben und für eine echte, persönliche Begegnung alles zu riskieren oder an dieser Stelle aufzugeben und stattdessen etwas von Dauer zu erschaffen. Dann wiederum ließ sich das Erlebnis jetzt in diesem Augenblick nicht in Text umsetzen, aber irgendwann später vielleicht doch; vielleicht könnte ich den Moment später, wenn ich meine Schüchternheit, meine Tugend und meine permanente Gefallsucht, all diese (um mir die akademische Wortfülle zu gestatten) Konstrukte meiner Weiblichkeit überwunden hatte, noch einmal heraufbeschwören, um meinem Schreiben so etwas wie echte Stärke, erlebte und gefühlte Macht zu verleihen. Oder, sagte ich mir, ich kürzte das Ganze ab, schaffte Vlad irgendwie ins Auto, legte ihn vor einer Notaufnahme ab und kehrte zur Reinheit und Produktivität unerfüllter Sehnsucht zurück.

Das gedankliche Hin und Her machte mich zittrig und nervös. Wie eine Mutter, die weiß, dass ihr Kind nicht böse ist, sondern einfach nur hungrig, schob ich diese Überlegungen beiseite. Ich war einfach nur erschöpft. Der Alkohol am Nachmittag bescherte mir Kopfschmerzen und eine große Unruhe. Das ist alles, sagte ich mir, ich brauche nur etwas Anständiges zu essen und etwas Schlaf. Ich war nicht mehr die Jüngste und so eine Aufregung zu viel für mich.

Froh über meine eigene Umsicht und meine vorausschauende Planung, holte ich das Brathähnchen heraus und bereitete aus Erbsen, Käse und dem fertigen Brokkolisalat ein schnelles Abendessen zu. Ich stellte mich an den Wasserhahn und trank mehrere große Gläser Wasser hintereinander. Ich schenkte mir einen winzigen Schluck Bourbon in ein Saftglas ein und aß im Stehen am Küchentresen. Der Bourbon tat gut, deswegen schenkte ich mir nach und dann noch einmal, bis meine verschwommene Zufriedenheit einer allgemeinen Unschärfe wich. Ich nahm mich zusammen, duschte, ohne mir die Haare nass zu machen, und schlüpfte dann in mein schönstes Nachthemd (weiß und mit einer körperbetonten, gehäkelten Korsage, die ab der Taille in einen fließenden, weiten Rock überging). Darunter trug ich einen nahtlosen, hautfarbenen BH. Ich hoffte, dass der BH sich am Rücken nicht abzeichnete, denn egal, wie sehr man sich bemüht, derlei Unfälle zu vermeiden, egal, wie oft man sich vergewissert, dass die Hose am Bund nicht kneift oder die Nähte der hässlichen Miederhose sich nicht durchdrücken: Irgendwann später sieht man sich auf einem Foto und merkt, dass man trotzdem lächerlich aussah, bauchig, beulig und bemüht.

Bevor ich mich schlafen legte, lehnte ich mich in den Türrahmen, legte die Wange an die rauen Holzbohlen und warf einen letzten Blick auf Vladimir. Ich ließ eine kleine Lampe brennen; falls er aufwachte, sollte er sich nicht in absoluter Finsternis wiederfinden. In der schwachen Beleuchtung erinnerte er an ein Gemälde von Francis Bacon, genauer gesagt an eine der sitzenden Gestalten, eingezwängt und bloßgestellt. Ich erinnerte mich an das Gerücht, George Dyer, Bacons Geliebter und oft das Sujet seiner Bilder, sei ein Gauner gewesen und habe den Maler bei einem Einbruch in sein Haus kennengelernt. Ich spielte mit dem Gedanken, Vlad umzubetten, aber dann wurde mir klar, dass ich, selbst wenn ich gewollt hätte, zu benebelt und erschöpft für die Aufgabe war. Ich legte mich ins Bett und fing einen Roman an, der kürzlich einen Preis gewonnen hatte. Vladimir hatte ihn mir empfohlen, vielleicht könnten wir am Morgen bei einem Kaffee darüber sprechen. Die Laken fühlten sich weich an, genießerisch drückte ich meine frisch rasierten Beine in den Stoff. Ich masturbierte, weniger aus einem Bedürfnis heraus als aus Gewohnheit; ich wollte meine Muskulatur trainieren und straffen und die Schleimhäute befeuchten. Nun, da er mir körperlich nah war, kamen die Fantasien mit Vladimir nicht infrage, also griff ich auf ein paar bewährte Szenarien aus ferner Vergangenheit zurück. Ich amüsiere mich immer über die Masturbationsszenen in Filmen, die Frauen auf dem Bauch zeigen; eine unbequeme Position, die der Hand wenig Bewegungsspielraum lässt.

Ich wandte mich wieder dem Buch zu, bereute zutiefst, dass ich mit dem Rauchen aufgehört hatte – zu dumm –, und kämpfte mich durch dicht gedrängte, rätselhafte Sätze, die anscheinend eine dystopische Welt entwarfen. Der Roman war witzig, aber meine Aufmerksamkeit stockte und driftete ab, bis ich merkte, dass ich mit dem Buch in der Hand eingenickt war. Ich machte das Licht aus und lag im Dunkeln. Anfangs sah es danach aus, als wollte der Schlaf nicht kommen, aber dann war ich weg. Durchs geöffnete Fenster wehte kühle Luft herein, der See plätscherte vor sich hin.

16

Um drei Uhr morgens fing Vladimir an zu schreien. Ein bestialischer Laut, und je länger er sich hinzog, desto deutlicher hörte ich einzelne Worte heraus, hauptsächlich Obszönitäten. Ich sammelte mich und griff zu seinem Handy. Cynthia hatte geschrieben; sie war schlafen gegangen und bat ihn, sie nicht zu wecken, wenn er nach Hause kam. Ich schickte die vorbereitete Nachricht ab, ließ das Handy in das volle Wasserglas auf dem Nachttisch fallen und versteckte das Glas unter dem Bett.

Als ich ins Wohnzimmer kam, sah ich, wie er sich mit aller Kraft in die Kette warf. Er stemmte die Füße auf den Boden in dem Versuch, den Stuhl anzuheben, und riss zuerst mit der linken Hand und dann mit den Zähnen an den Kabelbindern. Er hatte sich eingenässt, der Arme, da war eine Pfütze am Boden. Als er mich sah, reckte er mir alle freien Körperteile entgegen. Ich war mir sicher, hätte er sich losmachen können, wäre er mir an die Kehle gegangen.

»Was zur Hölle geht hier vor sich? Mach mich sofort los – du bist ja geisteskrank, was zur Hölle soll das?«

Er machte mir Angst. Nichts ist beängstigender als der Zorn eines sanftmütigen Mannes. Sein Gesicht war verzerrt und weiß vor Wut. Jede Ader an seinem Gewichtheberkörper war geschwollen und pochte unter der Haut. Ich sah den Puls an seinem Hals flattern wie den eines gefangenen Hasen.

»Okay, okay, okay, okay, okay«, sagte ich.

»Schsch, schsch, schschsch«, machte ich.

»Okay«, sagte ich.

Und aus irgendeinem Grund, vielleicht aus einem uralten, mütterlichen Instinkt heraus, hatten meine Worte einen beruhigenden Effekt. Er hielt still und atmete tief ein und aus. Er stieß einen Laut aus, der an ein Lachen erinnerte, schnappte dann panisch nach Luft und begann zu hecheln. Gleich würde er hyperventilieren.

»Schsch, schsch, schschsch«, machte ich noch einmal.

»Atmen, Schätzchen«, sagte ich im festen Tonfall einer strengen Krankenschwester.

Er ließ den Kopf hängen und zwang sich, langsamer zu atmen.

»Ein auf fünf«, leitete ich ihn an, »und auf fünf wieder aus. Genau.«

Ich holte ihm ein Glas Wasser, stellte es auf die linke Armlehne und wich schnell zurück für den Fall, dass er mich packen wollte. Aber er hielt ganz still und atmete konzentriert weiter, und nach ein paar Durchgängen nahm er das Glas und trank.

»Danke«, sagte er.

War das niedlich? Berechnend? Ich wusste es nicht. Er schloss die Augen, ordnete seine Gedanken, öffnete die Augen wieder und sah mich einigermaßen belustigt an.

»Ist das jetzt wie in dem Film? Der, äh, du weißt schon.

Die Romanverfilmung? Mit dieser alten« – er korrigierte sich – »mit dieser Schauspielerin, die so unglaublich gut ist? Ich habe den Titel vergessen. Sie kettet ihn ans Bett und zertrümmert ihm die Beine mit einem Hammer?«

»*Misery*«, sagte ich. »Kathy Bates.«

»Kathy Bates«, wiederholte er. »Unglaublich gut.« Eine Welle der Müdigkeit überrollte ihn, sein Kopf kippte nach vorn. Er schüttelte sich, offenbar war er fest entschlossen, wach zu bleiben.

»Wirst du mich umbringen?«, fragte er und sah dabei aus wie ein ängstliches Kind.

Sein flehender Blick erfüllte mich mit Zuneigung und Sorge. Allein die Vorstellung, welche Furcht womöglich gerade durch seine Brust und seine Gedärme flutete! Wie gesagt, ich hatte mir nicht überlegt, wie es weitergehen sollte, wenn er aufgewacht war; ich hatte noch nicht entschieden, was ich ihm sagen würde oder wie oder ob ich ihn weiterhin festhalten wollte. Doch als ich ihn da angekettet im Halbdunkel sitzen sah, erfasste mich ein lüsterner Einfallsreichtum. Ich konzentrierte mich auf seinen harten, flachen, an den Stuhl geketteten Bauch, und eine Geschichte begann, in mir aufzusteigen. Wann immer ich von Autoren las, die sich »den Stimmen öffnen«, verdrehte ich die Augen, weil ich das für kitschig und überzogen hielt. Aber ob es nun am Adrenalin lag oder ob mein Überlebenstrieb sich meldete: Plötzlich zogen meine Frontallappen sich zurück und gaben eine Geschichte frei, die nicht aus mir, sondern von woandersher zu kommen schien.

Ich erzählte ihm, wir hätten uns hier in der Hütte betrunken und zu meiner äußersten Verlegenheit heftig geflirtet, auch wenn ich wisse, dass dies allein unserem starken Alkoholkonsum geschuldet gewesen sei. Vlad protestierte höflich. Wir seien rotzbesoffen gewesen, sagte ich, und in seinem Vollrausch, und dabei betonte ich nochmals, wie sehr ich mich schämte, ihm dies beichten zu müssen, in seinem Vollrausch habe er vorgeschlagen, BSDM auszuprobieren. Dabei verdrehte ich die Augen, als täte es weh, die Buchstaben auch nur auszusprechen. An dem Punkt unterbrach er mich und brachte sie mit einem verständnisvollen Lächeln in die richtige Reihenfolge, BDSM. Ich zuckte die Schultern, errötete, nickte und schloss die Augen. Er hörte mir zu, und ich hatte richtig getippt – Vlad, der Patriarch, der Versorger, der ebenso selbstzufrieden wie widerwillig seine Familie ernährte und der (ich erinnerte mich an Cynthias Besuch in meinem Büro) zu seiner Frau sexuell auf Abstand gegangen war, hegte heimliche Dominanzfantasien. Danach, sagte ich, könne ich mich an nichts mehr erinnern, nur an vereinzelte, unzusammenhängende Bilder; wir seien übereingekommen, dass wir es ausprobieren würden und ich ihn fesseln sollte, rein spielerisch und nur zum Spaß. Ich hätte ihm Kabelbinder um den Arm gelegt, aber das hätte ihm nicht gereicht, und im Suff hätten wir beschlossen, ihn anzuketten.

»Ich kann mich nicht daran erinnern«, sagte er.

»Du hast wahnsinnig schnell getrunken«, sagte ich.

»Und dann? Haben wir … haben wir irgendwas …«

Er sah an sich hinunter, wahrscheinlich, um zu überprüfen, ob sein Hosenstall offen war.

»Keine Ahnung«, sagte ich, aber dann sah ich sein Gesicht und bekam Mitleid. »Nein, ich glaube nicht.«

Ich sagte ihm, es sei mir unendlich peinlich, dies zugeben zu müssen, aber ich hätte wohl ebenfalls einen Blackout erlitten. Irgendwann in der Nacht sei ich auf dem Fußboden aufgewacht; wahrscheinlich hätte ich mich umgezogen und ins Bett geschleppt, ohne zu merken, dass er immer noch gefesselt gewesen sei. Es tue mir schrecklich leid, das sei mit Abstand das Absurdeste, was ich je erlebt hätte. Ich sei wahrlich kein Unschuldslamm, sagte ich, aber so etwas sei mir noch nie passiert. Es müsse am Stress liegen – die Anhörung und so weiter. Zu meiner Erleichterung schien er mir alles abzukaufen.

»Das hätte ich mir niemals zugetraut«, sagte er.

»Was?«

»Fremdzugehen.«

Ich sagte ihm, hier lägen mildernde Umstände vor. Welche denn, wollte er wissen, und nach einigem Herumdrucksen sagte ich, ich hätte ihm etwas Unangenehmes erzählt. Ich zögerte, aber er bedrängte mich, bis ich sagte, ich sei dahintergekommen, dass John und Cynthia eine Affäre hätten. Ich sagte, dass ich ihm niemals etwas davon erzählt hätte, wäre ich nicht so betrunken gewesen, ich gab dem Cachaça die Schuld, das Ganze tue mir furchtbar leid, denn er hätte es von seiner Frau erfahren sollen, nicht von mir.

Sein ganzes Gesicht legte sich in Falten. »Bist du sicher? Ich weiß, dass John ihr mit dem Memoir hilft. Sie haben eine kleine Schreibgruppe gegründet.«

Hastig antwortete ich, ich sei mir absolut sicher, ich hätte sie praktisch in flagranti erwischt, aber noch während ich das sagte, kamen mir erste Zweifel. War die Begrüßung möglicherweise rein freundschaftlich gewesen? Aber nein, ich war mir sicher, dass Cynthia ihn am Hosenbund gepackt und an sich gezogen hatte, er hatte seine Hände in ihr Haar geschoben, beide hatten den Kopf zur Seite geneigt. Außerdem war das mit der Schreibgruppe unmöglich, John hatte seit Jahren nichts mehr geschrieben.

Vlad schwieg eine Weile, dann sagte er: »Ich muss jetzt schlafen.« Er betrachtete die Pfütze zu seinen Füßen und fügte hinzu: »Tut mir leid wegen der Sauerei.« Ich sagte ihm, er solle sich keine Gedanken machen, John habe Kleidung hier, er könne sich umziehen und sich ins Gästezimmer legen, und morgen würden wir weitersehen. Er nickte, als wäre sein Widerstand gebrochen, und dann fragte er, ob ich bitte die Kabelbinder durchschneiden könne. Ich tat schockiert, als hätte ich es vollkommen vergessen. Ich kniete mich zwischen seine Beine (wobei ich die Urinpfütze mied) und öffnete das Zahlenschloss, nahm die Kette ab, holte eine Küchenschere und schob die Schneide unter einen der Kabelbinder. Der Kunststoff war sehr stabil, und ich wollte Vlad nicht wehtun. Ich kam ihm aufregend nah, und als ich den ersten Kabelbinder durchgeschnitten hatte und mich an den zweiten machte, flüsterte er leise und ein bisschen traurig, ich röche gut. Ich lächelte und küsste ihn spontan auf die Schläfe, wie eine Mutter, und da schob er seine linke Hand in meinen Nacken, zog meinen Kopf an sich heran und küsste mich auf den Mund. Ich wich überrascht zurück.

»Sorry«, sagte er. Schweigend durchtrennte ich den zweiten Kabelbinder. Ich zeigte ihm das Gästezimmer und gab ihm eine von Johns Pyjamahosen. Er wartete nicht, bis ich gegangen war, sondern zog sich sofort die durchnässte Jeans und die Unterhose aus. Ich schaute weg. Als er fertig war, kickte ich die Jeans in den Flur und sagte ihm, ich würde sie später waschen. »Aber nicht in den Wäschetrockner legen«, murmelte er, zog sich den Blazer aus, hängte ihn über die Stuhllehne und streckte sich auf dem Bett aus. Ich streichelte behutsam sein Gesicht. Er packte mein Handgelenk und zog mich an sich.

»Bleibst du hier?«, fragte er. Er war fast schon eingeschlafen und schob das Becken unbewusst vor und zurück. Ich setzte mich auf die Bettkante, drückte seine Hand und sagte ihm, allein würde er besser schlafen. Ich zog die Vorhänge zu. Draußen dämmerte es bereits, die Dunkelheit lichtete sich.

Ich ging ins Schlafzimmer, schob die Kissen zusammen und setzte mich ins Bett. Eine traurige, seltsame Enttäuschung drückte mir auf die Brust. Auf einmal vermisste ich John, seinen Zynismus und seine massige Gestalt. Ich vermisste Sid, die jung und ungebunden war und sich immer noch die Freiheit nahm, an mich heranzurücken und sich von meiner Körperwärme trösten zu lassen. Ich stand auf, stellte mich vor den Spiegel und kniff das Gesicht zusammen, bis ausnahmslos jede Falte sichtbar war. Vladimirs Atem hatte furchtbar gestunken, aber meiner wahrscheinlich auch. Bei unserem Kuss war ich nicht gerade dahingeschmolzen, eigentlich hatte ich gar nichts gefühlt, was aber vielleicht auch an meiner Überraschtheit gelegen hatte. Er war so müde gewesen, dass ich nicht sagen konnte, wie viel er mir glaubte und wie viel von der Wahrheit er sich zusammenreimen konnte. Waren der Kuss und die Einladung in sein Bett Gesten der Zuneigung gewesen? Oder der Herablassung für eine lahme alte Frau, die es nicht einmal schaffte, eine Entführung durchzuziehen? Verbrachte John seine Abende tatsächlich damit, Cynthia mit ihrem Memoir zu helfen, statt seinen Mund auf ihre intimsten Körperstellen zu pressen? *Meine* Manuskripte hatte er nie gelesen. Als wir jünger waren und ich ihn bat, sich etwas anzusehen, hatte er stets abgelehnt und behauptet, er wolle meine Stimme nicht stören oder meinen Stil übermäßig beeinflussen. Immer schon hatte mein Schreiben ihm Probleme bereitet. Obwohl er von uns beiden die illustrere Erscheinung war und seine Publikationsliste und sein Unterrichtsstil (inklusive der Affären) ihm die Statur und Gesetztheit eines Harold Bloom verliehen, gingen er und ich demselben Beruf nach und hatten unser Leben lang vergleichbare Positionen bekleidet, erst als Berufseinsteiger, dann als Dozenten mit Erfahrung und zuletzt in leitender Funktion. Als er zum Fachbereichsleiter ernannt wurde, wuchs sein Einfluss, außerdem kam er mit den Betriebsabläufen am College besser zurecht als ich; aber diese Art von Macht hatte ich nie gewollt. Ich hatte gelehrt und nebenbei meine beiden Romane veröffentlicht. Gelegentlich hatte er sich seine ersten Versuche wieder vorgenommen, aber am Ende hätte es nicht einmal für einen schmalen Lyrikband gereicht. Ich wusste, wenn er meine Texte las, schwankte er zwischen dem Wunsch, mich zu unterstützen, und dem Wunsch, mich scheitern zu sehen, und sei es nur, um sich das eigene jämmerliche Scheitern erträglicher zu machen. Trotzdem, dachte ich. Er hätte mich retten können. Er nahm nie ein Blatt vor den Mund, und meine Bücher, besonders das zweite, hätten von seiner spitzen Feder nur profitiert. Cynthia war jetzt schon die bessere Autorin. Wie sollte ich mit meiner Eifersucht fertigwerden, wenn ihr Buch ein Bestseller oder auch nur ein Achtungserfolg wurde?

Wie mit einem Lautstärkeregler dimmte ich meine Gedanken auf ein leises Brummen herunter und konzentrierte mich auf die Vögel, die Energie aus dem Sonnenaufgang schöpften. Wahrscheinlich gab es irgendwo vor dem Fenster ein Nest. Ich schloss die Augen und schlief etwa eine Stunde lang. Als ich wieder aufwachte, war es in der Hütte still. Vielleicht war Vladimir weg, vielleicht hatte er das Weite gesucht, per Anhalter oder mit meinem Auto, Hauptsache, weg von mir, der Irren. Aber dann sah ich nach, und er war immer noch da. Er schlief tief und fest. Er hatte das Shirt ausgezogen und das Laken weggestrampelt, sein gerippter Oberkörper glänzte.

17

Um kurz nach zwölf wachte er auf. Ich hörte Geräusche aus seinem Zimmer, löffelte Kaffeepulver in die Espressokanne und stellte sie auf den Herd. Das Wasserglas hatte ich unter meinem Bett hervorgeholt, das Handy geborgen und in eine Schale mit Reis gelegt. Falls er fragte, würde ich sagen, ich hätte es aus der Toilettenschüssel gefischt.

In der Hütte war es kalt. Ich trug eine weite Cordhose und einen seidenen Rollkragenpullover unter einem schmalen Hemd aus Ramie und einem übergroßen Wollcardigan. Ich hatte mir die Haare geflochten und oben auf dem Kopf zusammengesteckt wie eine Deutsche. Als ich am frühen Vormittag gemerkt hatte, dass Vlad so bald nicht aufwachen würde, hatte ich übermäßig viel Zeit vor dem Spiegel verbracht und mich so geschminkt, dass es aussah, als wäre ich ungeschminkt.

»Brr«, sagte Vlad beim Hereinkommen. Er trug seinen Blazer und die Pyjamahose und hatte die Arme vor dem zitternden Körper verschränkt. Ich deutete auf einen von Johns Pullovern, den ich ihm herausgelegt hatte, aus Schafwolle und wie gemacht für kalte Wintertage. Er zog den

Blazer aus und streifte den Pulli über, der mädchenhaft weit seine Hüften umspielte.

»Der Kaffee ist fast fertig«, sagte ich. Er bedankte sich und stellte sich dann an die Glastüren, die auf den See hinausgingen. Anscheinend war er in gedämpfter, beinahe philosophischer Stimmung. Ich schenkte ihm Kaffee ein; weil ich nicht wusste, wie er ihn trank, und zu schüchtern war, um zu fragen, füllte ich ein Kännchen mit Sahne und eine Schale mit Zuckerwürfeln und trug alles auf einem Tablett zum Sofatisch. Er hörte mich, drehte sich um, setzte sich wortlos hin und rührte eine obszöne Menge Sahne und Zucker in seinen Kaffee. Er wirkte welk und blutleer, wie ein Filmstar, der einen Kranken spielt.

»Der ist gut«, sagte er, als er ausgetrunken hatte, und ich holte ihm einen zweiten. Ich wartete darauf, dass er nach seinem Handy fragte oder vorschlug, nach Hause zu fahren, irgendeine Maßnahme, die uns wieder mit dem Rest der Welt in Verbindung bringen würde, doch er trank einfach nur schweigend seinen Kaffee.

»Möchtest du Eier?«, fragte ich zaghaft.

»Ich werde essen, was du mir vorsetzt«, sagte er.

Ich schaltete das Radio ein, suchte den Klassiksender und machte ihm schweigend Rühreier mit Speck, Würstchen, Rosinentoast und dazu ein Glas Orangensaft. Wir hörten Ravels »Boléro«, Vlad summte mit und starrte ins Nichts.

Als das Essen fertig war, setzte er sich an den Tisch und aß mit großer Konzentration. Es war, als sähe man einen Kranken im Zeitraffer zu Kräften kommen. Während er sich in einem stetigen Rhythmus das Essen in den Mund schaufelte, kehrte die Farbe in seine fahlen Wangen zurück, und seine Gliedmaßen schienen wie aufgepumpt von neuer Energie. Als er fertig war, lehnte er sich zurück und rieb sich mit beiden Händen die Seiten.

»Verzeihung«, sagte er, ging schnell ins Badezimmer und blieb dort zwanzig Minuten lang.

Während er beschäftigt war, sah ich nach seinem Handy im Reisbett. Das Display reagierte immer noch nicht. Ich holte meins heraus, John hatte eine weitere Nachricht geschickt, ein Foto von einem Tablett mit Spießen aus Kirschtomaten, Basilikum und Mozzarella. Der Satz darunter lautete: *Der Dienst am Gedanken fordert strengste Caprese*. Pedantisch, wie er war, schickte er einen zweiten hinterher: *Lacordaire, verstehst du*? Und noch einen: *Es ist die reinste Farce. Ich könnte jetzt einfach aufgeben und zurücktreten. Würde uns viel Geld sparen.*

Ich schrieb zurück: *Mach doch.*

Zivilklagen. Wir haben die ganzen Aussagen erst mit Beginn der Anhörung bekommen. Alexis und Sid sehen sie sich heute an.

Ok

Wo bist du? Mache mir Sorgen. Ich vermisse dich.

Ich vermisste ihn auch, irgendwie. Die Vorstellung, wie er, Sid und Alexis zusammensaßen, Bier tranken und die Aussagen durchgingen, erschien mir plötzlich heiter und heimelig. Ich nahm mehrere Anläufe, ihm zu antworten, aber dann hörte ich die Badezimmertür und schaltete das Handy schnell aus.

»Mein Gott«, sagte Vladimir, »ich fühle mich wie von einem Laster überrollt.«

Ich fragte ihn, ob er eine Schmerztablette wolle, aber er sagte, nein, nur Wasser. Ich zeigte ihm, wo die Gläser standen. Er bat um etwas Apfelessig. In der Tat hatte ich welchen da; er gab einen Teelöffel voll ins Glas. »Gegen Blähungen«, sagte er scherzhaft, dabei meinte er es ernst. Während er trank, schob ich ihm die Schale mit seinem Handy hin.

»Ich habe es in der Toilette gefunden«, sagte ich. »Ist dir bestimmt aus der Tasche gerutscht.«

»Super gemacht, Vlad«, sagte er. »Danke, dass du es gerettet hast.«

»Ist es ... willst du mal nachsehen, ob es noch funktioniert?«

Er schüttelte den Kopf und schürzte verbittert die Lippen. »Nein.«

»Möchtest du meins benutzen?« Seine Mattigkeit verwirrte mich.

»Ich möchte Boot fahren«, sagte er. »Habt ihr ein Boot?«

Ich zog ein Kajak aus dem Schuppen und wischte die Spinnweben von den Rudern und den Rettungswesten. Ich schob ihn an, er winkte zum Abschied. Sobald er weit draußen auf dem See war und ich die Bewegung seiner rudernden Schultern sah, stellte sich das erotische Pulsieren wieder ein. Ich ging in die Hütte, setzte mich an den Laptop und öffnete das Romandokument. Vielleicht könnte ich fünfhundert Wörter schreiben, bevor er zurück war. Aber dann stierte ich nur den blinkenden Cursor an und schrieb gar nichts.

Was tat er da? Ich verstand es nicht. Nachts, unter dem Einfluss des Medikaments, hatte er natürlich nur schlafen wollen, da konnte er nicht an die Welt da draußen denken, an Frau und Tochter. Aber jetzt, am Morgen (oder am Nachmittag – wie ich merkte, war es schon nach zwei) hätte ich erwartet, dass er so schnell wie möglich nach Hause zu seinem Kind wollte. Falls er glaubte, was ich ihm über John und Cynthia erzählt hatte, müsste er doch wütend sein, über meinen Mann herziehen oder auf seine treulose Frau schimpfen. Dann wiederum verstand ich mich ja selbst nicht. Wollte ich ihn hier bei mir behalten, so handzahm und gefällig, wie er war? Würde es, wenn er blieb und wir später eine Flasche Wein oder zwei tranken, doch noch zur Paarung kommen? Letzte Nacht hatte es ausgesehen, als käme es für ihn tatsächlich infrage, allerdings war er nicht nüchtern gewesen. Ich kaufte es ihm nicht ab. Außerdem würde er spätestens beim Anblick meiner Hängebrüste, der eingedellten Schenkel, der schlaffen Haut am Bauch …

Wieder musste ich daran denken, wie ich mich an dem Tag, als David nicht erschienen war und wir doch nicht nach Berlin durchbrannten, auf dem Friedhof hingelegt hatte. An die Augen der Katze, die auf mir herumgeklettert war. Der Vorfall hatte mich in eine heftige, herzzerreißende Depression gestürzt. Es gibt kein Happy End, hatte ich gedacht, nie. Damals war ich eigentlich schon zu alt für die Erkenntnis gewesen, aber sie hämmerte trotzdem in meiner Brust und trieb mir theatralisch die Tränen in die Augen. Jetzt musste ich mich fragen, was ich getan hätte, wäre David damals aufgetaucht. Möglicherweise hätte ich schon auf dem Weg zum Flughafen einen Rückzieher gemacht. Niemals hätte ich meine Tochter im

Stich gelassen, meinen ganzen Stolz, selbst wenn ich seinerzeit überzeugt war, meine beherzte Flucht könnte ein starkes Zeichen für weibliche Unabhängigkeit und das Streben nach Glück setzen und ihr auf lange Sicht von Nutzen sein.

Weil ich es nicht mehr aushielt, legte ich mit forschen Schritten die zwei Meilen zur nächsten Tankstelle zurück und kaufte mir eine Schachtel Zigaretten. Als ich in die Einfahrt einbog und die Hütte in Sicht kam, rechnete ich fest damit, dass das Auto weg und Vladimir getürmt war. Aber das Auto stand, wo ich es geparkt hatte, und als ich ins Wohnzimmer trat, saß Vladimir auf dem Sofa, in nichts als ein Handtuch gekleidet. Er ließ sich vom Heizlüfter wärmen und las in einer uralten Taschenbuchausgabe von *Lady Chatterley*. Als er mich sah, stand er auf und hielt dabei seine spärliche Bekleidung fest.

»Sorry«, sagte er. »Ich bin ins Wasser gefallen. Ich habe geduscht und das hier entdeckt, und da habe ich die Zeit vergessen.«

»Ich hole dir etwas zum Anziehen.«

»Danke.« Er ließ sich wieder aufs Sofa sinken und hielt das Buch in die Höhe. »Ich hatte vergessen, wie gut Lawrence ist«, sagte er.

»Ja, der Anfang ist sehr gut«, antwortete ich und sah ihm dabei fest ins Gesicht; das Handtuch war verrutscht und entblößte das V seiner Lendenmuskeln. »Aber sobald der Wildhüter und Lady Chatterley sich näherkommen, ist es praktisch unlesbar.«

»Der erste Absatz …«

Ich gab einen zustimmenden Laut von mir und unterbrach

ihn: »›Unser Zeitalter ist seinem Wesen nach ein tragisches, also weigern wir uns, es tragisch zu nehmen.‹«

»So etwas wagen Romane heutzutage nicht mehr«, sagte er. »Vollmundige Aussagen über das Leben zu treffen.«

»Aber er relativiert sich selbst«, erklärte ich. »Etwas später heißt es: ›Ungefähr in dieser Situation befand sich Constance Chatterley.‹«

»Gutes Gedächtnis«, sagte er.

»Ich weiß selbst nicht, warum ich mich daran erinnern kann«, sagte ich. »Anscheinend hat es mich damals tief beeindruckt.«

Ich ging rückwärts aus dem Zimmer, wie, um möglichst schnell von Vladimirs offensiver Nacktheit wegzukommen.

Ich holte eine Jogginghose und ein Hemd, legte sie auf den Stuhl (anscheinend war ich nicht in der Lage, sie ihm in die Hand zu drücken), sagte ihm, er solle sich anziehen, und ging ins Bad. Seine nasse Kleidung lag verdreht in der Wanne, nur Johns Pullover hing am Duschkopf. Wenn er so trocknete, würde er völlig ausgebeult sein. Ich stopfte die Sachen in die Waschmaschine, wobei ich darauf achtete, Abstand zu Vladimir zu halten, und dann ging ich hinaus auf das Deck, wo ich den Pullover auf einem Kissen ausbreitete und in die Sonne legte, um seine Form wiederherzustellen.

Ich setzte mich auf einen der Liegestühle und zündete mir eine Zigarette an. Ich hatte erst ein paarmal gezogen, als Vladimir herauskam. Zu meiner großen Erleichterung war er bekleidet.

»Böses Mädchen! – Kann ich auch eine haben?«, fragte er. »Sieht himmlisch aus.« Aus seinem Mund klangen selbst so alberne Wörter wie *himmlisch* geistreich und raffiniert.

»Ich wusste gar nicht, dass du rauchst«, sagte ich und hielt ihm die Schachtel hin.

»Hin und wieder«, sagte er. »Ich habe aufgehört, als Phee geboren wurde, aber ich schnorre mir eine, wann immer ich kann.«

Und ganz kurz huschte ein schmerzlicher Ausdruck über sein Gesicht, wahrscheinlich weil er an seine Tochter dachte.

Aber dann ließ er den Kopf kreisen, legte ihn auf die Schulter, sah mich an und hob die Augenbrauen. »Ich wusste nicht, dass *du* rauchst.«

»Tu ich auch nicht«, sagte ich und nahm einen Zug.

Und obwohl ich fürchtete, es könnte den Zauber zerstören, unter dem er ganz offensichtlich stand, fragte ich ihn, was er für Pläne habe, und da sagte er, bevor er darauf antworte, solle ich ihm meine verraten.

Ich sagte, ich hätte keine. Ich hätte ihn hergebracht, weil ich ihm die Hütte habe zeigen und als Arbeitsplatz habe anbieten wollen, sobald sie winterfest sei, in der Rolle einer Mäzenin sozusagen, weil mir sein Buch so gut gefallen habe. Leider seien wir vom Thema abgekommen und hätten die Kontrolle verloren. Die Studienwoche habe gerade erst begonnen, ich müsse nicht unterrichten und wolle während der Anhörung nicht mit John unter einem Dach wohnen, deshalb hätte ich beschlossen hierzubleiben, solange das Wetter so mild und es mit Heizlüfter und Decken auszuhalten sei. Ich würde ihn jederzeit nach Hause fahren, falls er das wolle, er könne aber auch gern noch bleiben.

Er fragte, ob noch Wein da sei. Ich ging hinein, füllte zwei kupferne Moscow-Mule-Becher mit Rotwein und brachte sie hinaus.

»Du lebst wirklich ziemlich stilvoll«, sagte er, als ich ihm den Becher reichte.

»Ich bin einfach nur alt«, sagte ich. »Ich hatte genug Zeit, die richtigen Sachen anzuschaffen und die falschen auszusortieren.«

»Du bist nicht alt«, widersprach er, und zum ersten Mal überhaupt klang seine Stimme schroff. »Ständig sagst du das. Hör auf damit.«

An meinem unteren Lidrand sammelten sich Tränen. Ich schluckte sie hinunter und bedankte mich lächelnd.

Er betrachtete den See. Im Profil war er weniger schön als von vorn. Seine Nase war lang und gebogen, die Linie zwischen Kinn und Hals eine Diagonale.

»Weißt du, was uns in New York passiert ist?«, fragte er.

Ich sagte, nein, das wisse ich nicht. Ich war mir nicht sicher, was er meinte.

»Cynthia und mir.«

Ach so. Ich sagte, ich wisse darüber nur, was andere mir zugetragen hätten.

»Ich möchte es dir erzählen. Ich werde den See betrachten und dir die Geschichte erzählen.«

Für Cynthia hatte es schon vor vielen Jahren angefangen – mit diesem Haftungsausschluss eröffnete er seinen Vortrag; aber für ihn beziehungsweise für die beiden als Paar mit seinem ersten Buchvertrag. Bis dahin waren sie einfach nur zwei junge, aufstrebende Akademiker gewesen, die in New York gerade so über die Runden kamen. Sie hatten Gläser mit Erdnussbutter in der Tasche, damit sie sich unterwegs nichts zu essen kaufen mussten, bewahrten ihre Kreditkarten in einer Schublade auf, kauften gebrauchte Kleidung, aßen Gratispizza bei Studierendenveranstaltungen, liehen sich DVDs aus der Bücherei aus, besuchten das Museum an eintrittsfreien Tagen und gingen nur ins Theater, wenn jemand ihnen Freikarten besorgt hatte. So hatten sie gelebt, seit sie achtzehn waren, sparsam und unbeschwert. Sie waren stolz darauf, so wenig auszugeben, und lieferten sich einen regelrechten Wettbewerb, wer im Laufe der Woche mit weniger Geld auskam. Es war einfach, umweltfreundlich und befreiend.

Der Vorschuss für sein Buch war bedeutend, denn plötzlich hatte sein Jahreseinkommen sich verdoppelt. Aber er war vernünftig und wusste, es würde grundsätzlich nichts an ihrer Lage ändern, deshalb behielt er seine zusätzlichen Lehraufträge. Er lud Cynthia zu einem schicken Essen ein, kaufte sich ein Paar Stiefel für dreihundert Dollar, und als sie das nächste Mal seine Eltern in Florida besuchten, fuhren sie nicht mit dem Auto, sondern leisteten sich einen Flug. Auf Spaziergängen gönnten sie sich einen Milchkaffee zu sechs Dollar, ohne ein schlechtes Gewissen zu haben. Sie kauften auf dem Biomarkt ein. Cynthia, die bis dahin an ihrer Universität von Teilzeittherapeutinnen in der Ausbildung behandelt worden war, wechselte zu einem berüchtigten, auf schwere Traumata spezialisierten Psychoanalytiker. In Alltag und Arbeit zeigte sich eine neue Leichtigkeit, eine Aussicht auf neue Möglichkeiten.

Sie hatten nicht an die erhöhte Einkommenssteuer gedacht. Sie hatten nicht bedacht, dass durch den einmaligen Geldsegen ihre Beiträge für die Krankenversicherung in die Höhe schnellten. Sie wurden schwanger, mehr oder weniger geplant, aber sie waren nicht die Sorte Eltern, die in ihrer Planung berücksichtigten, was das zukünftige Baby kosten würde. Als Phee auf die Welt kam, mussten sie längst wieder mit ihren beiden Monatsgehältern auskommen. Und ab da begann der große Aderlass. Cynthia hatte bis zu ihrer Schwangerschaft zwei Kurse unterrichtet, und als sie sich nach den Mutterschutzregelungen für nicht fest angestellte Dozentinnen erkundigte, stellte sich heraus, dass es keine gab. Sie wurde sofort ersetzt. Vlad bemühte sich, zusätzliche Jobs an Land zu ziehen – neben seiner eigentlichen Lehrtätigkeit lektorierte er die Arbeiten seiner Kollegen, gab Nachhilfe und betreute Graduiertenprojekte und Fernlehrgänge. Cynthia saß mit dem Baby zu Hause und wurde unruhig. Sie brauchte einen Babysitter, sie brauchte Ausgang, sie brauchte Zeit zum Schreiben, er konnte sehen, dass sie mit den Nerven am Ende war. Er hätte erkennen müssen, wie schlecht es ihr ging, doch er war selbst mit den Nerven am Ende. Die Stadt machte ihn fertig, alles war so teuer – ein Babysitter kostete zwanzig Dollar die Stunde, der Psychoanalytiker wollte Cynthia dreimal wöchentlich sehen oder nie wieder (letztendlich nie wieder, weil er keine Kassenzulassung hatte), die Rechnungen des Krankenhauses und der Hebamme stapelten sich. Als Vlad sie im Schreibprogramm kennengelernt hatte, war sie bereits trocken; dass sie getrunken und Drogen genommen hatte, wusste er nur aus ihren Texten. Aber dann kam sie eines Abends von einem Spaziergang mit Phee zurück, und im Netz des Kinderwagens steckte eine Weißweinflasche. Sie erlebten eine feierliche, innige Nacht mit humorvollem, enthemmtem Sex. Aber schon bald kippte die Stimmung, was er hätte wissen müssen. Sie wurden zu

Feinden. Wenn sie getrunken hatte, verglich sie ihn mit allen berühmten Männern, die für ihre Arbeit Frau und Kinder verlassen hatten; auf diese Weise könne er Karriere machen, während sie in Vergessenheit gerate. Er flehte sie an, wieder zu den Anonymen Alkoholikern zu gehen, woraufhin sie noch mehr trank. Sie weigerte sich zu stillen, aber Vlad war ohnehin überzeugt, dass Phee nur deshalb so viel spuckte, weil sie Muttermilch mit Schuss bekam. Im Altglas klirrten die Schnapsflaschen, und Cynthia stürzte in eine zornige, undurchdringliche Depression.

An einem Sonntagnachmittag – er war sich des Datums nicht bewusst, sein Fehler; später fragte er sich immer wieder, was passiert wäre, wenn er sich an den zweiundzwanzigsten April erinnert hätte – ging er mit Phee in den Park. Er packte eine Decke, das kleine, neongelbe Dreieck, das Phee so liebte, Windeln, Wechselklamotten, abgepumpte Milch, Kühlpads, Gemüsebrei im Tetrapack, ein Sandwich und ein Buch in die Wickeltasche. Er belud den Buggy. Er war dankbar für die Gelegenheit, von ihr wegzukommen. Von Cynthia und der Tyrannei ihrer Gefühle. Zu der Zeit sprachen sie kaum noch miteinander, weil die Wohnung klein und beengt war und jedes Gespräch im Streit endete. Aber an dem Morgen war sie aufgekratzt, sie alberte mit Phee herum und war zärtlich zu ihm, nannte ihn ihren schönen Mann und küsste ihn auf den Mundwinkel. Er ließ sich nicht darauf ein, vermutlich war sie nur deswegen so gut gelaunt, weil er ihr versprochen hatte, um neun mit dem Baby die Wohnung zu verlassen und nicht vor vier am Nachmittag zurück zu sein. Sie hatte einfach nur ein schlechtes Gewissen, weil sie ihm Phee aufgedrückt hatte, nur deshalb benahm sie sich ausnahmsweise einmal wie eine liebende Ehefrau und nicht wie eine hasserfüllte Zellengenossin.

Sie hatte an alles gedacht. Weil sie wusste, wie tief manche Bilder sich einbrennen, klebte sie einen Zettel an die Wohnungstür: »Bitte setz Phee in den Hochstuhl in der Küche, bevor du ins Schlafzimmer gehst.«

Er nahm den Zettel als Beweis dafür, dass es nur ein Hilfeschrei war. Er wäre mit Phee nach Hause gekommen, hätte die geschlossene Schlafzimmertür gesehen und sich gedacht, dass sie wohl immer noch ihre Ruhe haben wollte. Er hätte es als Signal aufgefasst, dass sie arbeitete und noch nicht fertig war. Er hätte Phee im Buggy weiterschlafen lassen, sich aufs Sofa gelegt und versucht, die neue Kurzgeschichte im *New Yorker* zu lesen. Er wäre nicht ins Schlafzimmer gegangen, wo sie eingeschissen, stöhnend und mit Schaum vorm Mund lag. Den Notruf hatte er da schon gewählt.

Nach dem Krankenhaus, den Entschuldigungen, der Vergebung, der friedvollen Zeit nach dem Tiefpunkt tat sie, was sie ihm vorgeworfen hatte: Sie ließ ihn sitzen. Sie ließ sich in eine geschlossene Klinik für schwer depressive Frauen in Pennsylvania einweisen und blieb für sechs Monate dort. Sie sprach über ihre Mutter, begann mit dem Memoir und bekam für die ersten vier Kapitel einen Buchvertrag. Der Vorschuss war höher als jener, den Vlad bekommen hatte. Seine Eltern boten ihm Geld für eine Kinderfrau an, unter der Bedingung, dass er sich einen festen Job und seiner Familie ein besseres Leben suchte. Sein Buch wurde im literarischen Jahresrückblick erwähnt, er nutzte die Gelegenheit und wärmte seine alten Kontakte wieder auf, und schließlich ergatterte er eine Juniorprofessur mit Aussicht auf Festanstellung an einem kleineren College in Upstate New York. Die Main Street sah aus wie in einer Kleinstadt in Neuengland. Cynthia hatte immer in Neuengland leben wollen.

Er konnte nicht anders, als es auf das Geld zu schieben – das Geld, das sie erst gehabt hatten und dann nicht mehr. Ja, da war die postpartale Depression gewesen und das Gefühl der jungen Mutter, im eigenen Zuhause eingesperrt zu sein. Ja, da war die psychologisch schwerwiegende Tatsache, dass sie jetzt selbst eine Mutter war – wie ihre Mutter, die sich umgebracht hatte, als Cynthia zehn war. Natürlich, es war der Todestag gewesen. Da war Cynthias Gehirnchemie, der Alkoholmissbrauch, die schlecht eingestellten Antidepressiva. Dennoch hatte Vladimir den Eindruck, alles wäre anders gekommen, hätten sie nur jenen unbeschwerten Lebensstil wie in der Zeit nach dem ersten Buchvertrag weiterführen können. Sie hätten ihrem künftigen gemeinsamen Leben optimistisch entgegengeblickt. Aber sie wohnten in New York unter lauter reichen Menschen, mit denen sie auf dem Spielplatz zusammensaßen und die von Privatschulen und Urlauben in der Karibik erzählten, während derer das Baby fremdbetreut war. Er hatte sich zum Finanzminister aufgespielt und alle Bitten nach Babysittern, einem Auto, Essensbestellungen und Therapie abgelehnt. Er war zu ihrem Gefängniswärter geworden und hatte sie nicht weniger eingeengt als die süße, anstrengende Phee.

Und nun, da ein eigenes Haus in Aussicht stand, ein

sicherer Job und eine bezahlbare Kita; nun, da Cynthia selbst ein Buchmanuskript verkauft hatte, könnten sie wieder ein unbeschwertes Leben führen. Doch diesmal war er derjenige, der sich eingesperrt fühlte. Er hatte große Angst vor Cynthia, vor dem, was ein Rückfall bedeuten würde. Dass er auf eine Festanstellung auf Lebenszeit hoffte, setzte ihn zusätzlich unter Druck und gab ihm das Gefühl, immer noch mehr leisten zu müssen. Ihm war nicht bewusst gewesen, wie sehr ihm die öffentlichen Verkehrsmittel und das Zu-Fuß-Gehen entsprochen hatten; er hatte Zeit zum Nachdenken gehabt, einen Puffer zwischen der Arbeit und dem Zuhause. Vom Auto abhängig zu sein deprimierte ihn. Cynthia gefielen ausschließlich jene Häuser, die hundert- oder zweihunderttausend Dollar zu teuer für sie waren. Alle Gespräche über den Immobilienkauf endeten mit Tränen. Nun, da Phee die Campuskita besuchte, hatte er das Gefühl, sich ganz allein den Arsch aufzureißen, während Cynthia in aller Ruhe an ihrem Buch feilen konnte. Sie wollte sogar abends arbeiten, was bedeutete, dass er Phee zu Bett bringen musste (an der Stelle hielt er kurz inne und sagte, die vermeintliche Affäre mit John sei für ihn nur eine Nebensache). Sie steckten in einer Dynamik, in der er ihr nichts abschlagen konnte. Er durfte nicht sagen, dass sie in Anbetracht der Tatsache, dass ihr Memoir-Kurs nicht einmal eine halbe Stelle ausfüllte, mehr als genug Zeit für ihr Buch hatte. Er durfte nicht sagen, dass sie Phee zwar um drei abholen und bis um sechs betreuen musste, wenn er nach Hause kam, diese drei Stunden aber *nichts* waren im Vergleich dazu, dass er jeden Tag um fünf aufstand, nur um nicht abzusaufen, und trotzdem keine Zeit hatte, an seinem neuen Roman zu arbeiten, abgesehen von seiner Tochter das Einzige auf der Welt, was ihm etwas bedeutete.

Es brach sturzbachartig aus ihm heraus, da war keine Gelegenheit, etwas zu fragen oder zu kommentieren.

»Tja«, sagte er, als er fertig war. »Gibt es noch Wein?«

Ich nickte und zeigte nach drinnen. Er sagte, er werde auf den Punkt kommen, sobald er zurück sei, dann ging er hinein. Ich wollte ihm nachrufen, er solle die Nüsse und eine Schale mitbringen, überlegte es mir aber anders. Sicher war seine Frau sehr fordernd. Ich zündete mir noch eine Zigarette an, obwohl ich keine wollte.

Er kam zurück, setzte sich, stemmte sich auf einer Armlehne hoch, um die Beine anzuheben und in einer Art yogischem Schneidersitz unter sich zu falten, ließ sich darauf nieder und sprach weiter.

»Und heute Morgen bin ich aufgewacht und dachte mir: Cynthia musste sich aus dem Staub machen.«

Seine Schroffheit überraschte mich. Einen Selbstmordversuch mit »sich aus dem Staub machen« zu vergleichen erschien mir falsch. »Das kann man so nicht sagen«, murmelte ich. »Es ging ihr schlecht.«

»Aber was dahintersteckte, war ein Fluchtimpuls. Sie wollte sich aus dem Staub machen, und das hat sie getan. Ich musste die Stellung halten, während sie wie in Manns *Zauberberg* auf der Terrasse irgendeines Sanatoriums liegen und die gesammelten Werke von Kawabata lesen durfte. Hat sie mich vorher gefragt? Nein. Bin ich darauf vorbereitet gewesen? Nein. Also.« Er zuckte die Schultern in sarkastischer Gleichgültigkeit.

»Und jetzt willst du dich rächen.«

»Mich rächen? Keine Ahnung. Ich will eher einen Ausgleich. Ich verlange nichts Unmögliches – einfach nur ein paar Tage für mich. Ich könnte schreiben, oder ich entrümpele meinen Kopf und schaffe überhaupt einmal Raum dafür. Oder ich entdecke etwas, worüber ich schreiben kann.« Und dann sah er mich an, als wäre ich vielleicht sein nächstes Sujet.

»Hier?«, fragte ich.

»Warum nicht?«

»Aber«, protestierte ich und wusste selbst nicht, warum, möglicherweise der Logik halber oder aus weiblicher Solidarität oder weil ich, als er seine Geschichte vor mir ausgebreitet hatte, eine wachsende Ungeduld und Verachtung ihm gegenüber empfand, die ich aber weder begreifen noch mir eingestehen konnte, »also, entschuldige bitte, aber als sie, nun ja, als sie versucht hat, sich … als sie weggegangen ist, wenn man das so nennen kann, wusstest du, wohin. Rein körperlich betrachtet. Sie weiß nicht, wo du jetzt bist.«

»Na ja, doch, im Grunde schon.«

»Woher?« Ich war verwirrt. Nach dem Abstecher zur Tankstelle hatte ich sein Handy überprüft, es war immer noch kaputt. Die Hütte hatte keinen Festnetzanschluss – er konnte sie unmöglich angerufen haben.

»Du hast es ihr gesagt.«

Meine Kehle schnürte sich zu, und mein Herz klopfte so stark, dass ich es in den Achseln spürte. Aber ich wollte unbedingt den Schein eines Blickkontakts wahren, und so spielte ich die Überraschte und blinzelte seine Stirn an, als verstünde ich nicht.

»Du hast ihr gestern Abend geschrieben, mit meinem Handy. *Ich brauche Zeit.*«

»Was?« Ich runzelte immer noch die Stirn, mein Kopf ruckte sehr schnell vor und zurück.

»Ich habe meinen Laptop dabei, ich kann sehen, wenn mit meinem Handy eine Nachricht verschickt wird.«

Ich schob die Worte aus meinem Mund: »Nun ja … du warst betrunken – sicher hast du …«

»Nein, du hast das geschrieben. Nicht ich. Das weiß ich mit Sicherheit. Es ist okay«, sagte er und lächelte mich freundlich an. »Sehr interessant.«

»Hat sie geantwortet?«

»O ja. Wir haben ein bisschen gechattet.« Er faltete die Beine wieder auseinander, stellte die Füße aufs Deck, stemmte sich auf die Hacken, hob den Po und reckte die Hüfte vor. »Sie hat gesagt, ich kann ein paar Tage bleiben.«

»Aber willst du das denn?«

»Ja«, sagte er, breitete die Arme aus und hob sie sich über den Kopf. Seine Stimme war von der Streckbewegung gepresst. »Natürlich nur, wenn ich willkommen bin.«

»Hat sie … das mit John …«

»Nein«, sagte er leichthin. »Aber sie ist die Erste, die sich als Lügnerin bezeichnen würde. Von daher – wer weiß.«

Er verschränkte die Finger hinter dem Kopf, sah mich an und grinste ein breites Filmstarlächeln. Seine Zähne und die Unterlippe waren lila vom Rotwein.

»Kann ich vielleicht noch eine Zigarette haben?«

18

Wir setzten einen starken Kaffee auf und tranken ihn mit Sahne und Zucker, um wieder nüchtern zu werden, dann kochten wir das Abendessen und hörten dabei den *Sweeney-Todd*-Soundtrack mit Patti LuPones und Michael Cerveris. Ich war Mrs. Lovett, er war Sweeney. Dass er sich einfach so mit der neuen Lage abgefunden hatte und vor allem mit meinem Täuschungsmanöver, machte mich misstrauisch; wann immer wir uns zufällig berührten, widerstand ich dem Impuls zurückzuzucken. Vlad machte eine Kräuterfrittata, und ich war für den Salat zuständig, und den Teller mit dem Käse und den Oliven richteten wir gemeinsam an. Er war ein Mann, der sich mühelos in einer fremden Küche zurechtfindet, er schnitt, schälte und hackte bereitwillig. Ich war ein bisschen eingeschüchtert, hatte ich doch fast immer nur für John gekocht, dessen kulinarische Beiträge sich darauf beschränkten, gelegentlich Fleisch auf den Grill zu legen. Ungeschickt zerzupfte ich den Kopfsalat, und weil es keine Salatschleuder gab, verbrauchte ich Unmengen an Küchenpapier, um das Wasser von den Blättern zu tupfen. Auf einmal war ich wie gelähmt, mir fiel nicht mehr ein, was sich spontan, aber gut zu einem Salat kombinieren ließe.

Ich versteckte mich im Bad und googelte, bis ich auf ein Rezept für Kopfsalat mit Trauben, Walnüssen und Blauschimmelkäse stieß. Ich zerschnitt die Trauben falsch herum, röstete die Walnusskerne zu stark an und bröselte den Blauschimmelkäse zu klein. Als ich Vladimir verriet, was ich da anmischte, murmelte er etwas davon, wie sehr er diese Vintage-Rezepte aus den frühen Nullerjahren liebe, was ich wie fast alles, was er an dem Nachmittag sagte, ebenso als Bestätigung auffasste wie als Kränkung.

Nach einem Cocktail würde es mir besser gehen; sobald der Kaffee ausgetrunken war, mixte ich uns einen Manhattan. (Der Trick bei einem gelungenen Manhattan sind hochwertige Kirschen, und dass er eiskalt serviert wird; das Getränk darf praktisch halb gefroren sein, sodass der Bourbon die Zunge taub werden lässt.) Wir tranken, während die Frittata im Ofen garte. Unsere Unterhaltung war leichtfüßig und ein wenig bemüht – Vladimir ließ sich immer neue »Themen« einfallen. Glaubst du wirklich, die Welt interessiert sich gerade für die individuelle poetische Stimme? Welche der gefeierten zeitgenössischen Autorinnen und Autoren werden in fünfzig Jahren noch von Bedeutung sein? Ist es möglich, Literatur zu produzieren, die sich nicht mit Identität befasst, ohne damit eine Hegemonie vorauszusetzen?

Wir deckten den Tisch mit Stoffservietten, Weingläsern und einer Kerze ein. Vlad erzählte mir, seine Mutter verwende bis heute Einweggeschirr und Besteck aus Plastik und entsorge beides nach Gebrauch. »Sie glaubt, sie hat das System überlistet«, sagte er. Dass er seine Kindheit erwähnte, fand ich aufregend; ich wollte mehr wissen, mir sein altes Kinderzimmer vorstellen, die Poster, die er an die Wand gehängt, die Bettwäsche, die er sich ausgesucht hatte. Ich fragte nach seinen Freunden, nach den Lehrern, die ihn geprägt hatten.

»Ich war ein typisches russisches Emigrantenkind«, sagte er. »Meine Eltern sind Naturwissenschaftler. Sie wollten, dass aus mir mal ein Ingenieur wird. Ich habe mich bedeckt gehalten und niemandem verraten, dass ich Schriftsteller werden wollte. Als ich meinem Vater erzählte, ich würde Vergleichende Literaturwissenschaften in Yale studieren, redete er einen Monat lang kein Wort mehr mit mir. Sie haben mein Buch wahrscheinlich nicht gelesen, aber sie bewahren es in einer doppelt verglasten Vitrine in einem apricotfarbenen Zimmer auf. Das perfekte Zimmer für einen Mord, so plüschig, dass es garantiert schalldicht wäre. *Florida noir.*«

Ich fragte, ob seine Eltern sich gut mit Cynthia verstünden. »Sie finden, sie hat eine tolle Figur«, antwortete er, und die Endgültigkeit dieser Aussage hielt mich davon ab, weitere Fragen zu stellen.

Draußen vor dem Fenster färbte sich das Licht grau, die Elstern schrien. Zum Essen öffneten wir eine Flasche Sancerre. Nach dem ersten Schluck merkte ich, wie viel Alkohol jetzt schon in mir arbeitete, aber ich leerte mein Glas tapfer und in der Hoffnung auf ein Selbstvertrauen, das sich nicht einstellen wollte, egal, wie viel ich trank. Wir schlangen das Essen schnell hinunter. Er umfasste die Gabel mit der ganzen Hand, und ich wusste nicht, ob ich das abstoßend oder *Tom-Jones*-mäßig charmant finden sollte. Nach dem Essen fragte Vlad, wie Johns Anhörung verlaufen sei, und ich sagte: »Komm, wir schreiben ihm und fragen.« Wie zwei Schulmädchen mit dem Plan, einen ebenso ahnungslosen wie unerreichbaren Schwarm zu kontaktieren, setzten wir uns dicht nebeneinander aufs Sofa und beugten uns über das Handy.

wie ist es heute gelaufen?

Daumen runter

was ist passiert?

Dieselbe Scheiße.
Sie sind meine Empfehlungsschreiben durchgegangen.

Uff.

Kreuzverhör ist nicht Wilomenas Stärke.

Uff.

Das wird teuer.

Ok.

Vielleicht trete ich einfach zurück.

Jetzt?

Bald. Steht viel Geld auf dem Spiel.

Und das wäre ok?

Sid sagt, alles wird gut.

Wenn du zurücktrittst

Ja. Sie hat sich die Beweislage angesehen.
Sieht nicht gut aus für eine Zivilklage

Ich stellte mir vor, wie Sid seine anzüglichen Chats las, Zeugnisse seiner intimen Begegnungen …

hallo?

War das ok für sie?

Was?

Sich die Aussagen durchzulesen

Ja klar

Ok

Sie sagt die haben nichts in der Hand

Ok

Nur im Scheißunisystem

Ja

und wie geht es dir?

Gut

Wo bist du?

...

hallo?

Mir geht's gut

Wann kommst du nach Hause?

...

hallo?

...

was ist los?

...

hallo?

Vladimir hob mein Haar an. Sein Mund war einen Zentimeter von der Haut hinter meinem Ohr entfernt. Er presste die Lippen darauf, weniger ein Kuss, eher ein Darüberwischen. Er schob eine Hand zwischen meine Beine, ich drückte ihn weg. Er nahm meine Hand und zog sie in seinen Schoß. Ich ließ sie schlaff dort liegen und spürte die Bewegung darunter. Ich schämte mich zu Tode, und ich war wütend auf mich selbst. Könnte ich mich noch dümmer anstellen? Zum gefühlt ersten Mal im Leben bekam ich genau das, was ich wollte, was ich mir zusammenfantasiert und erträumt hatte, und nun reagierte ich wie eine alte, frigide Jungfer? Ich versuchte, mich zu entspannen, während er meine Hand in seinen Schoß drückte und mit den Lippen über meinen Hals strich. Ich hatte Todesangst, meine Haut könnte nach Roquefort und Knoblauch stinken, trotzdem gab ich nach und ertastete ihn durch die dünne Baumwollhose. Sein Mund war weich und trocken. Er arbeitete sich hoch bis an mein Ohr, und dann flüsterte er:

»Frau Professorin, ich habe die letzte Hausarbeit nicht abgegeben. Kriege ich jetzt Ärger?«

Alles drehte sich. Ich dachte über den Begriff »abgetörnt« nach, und wie gut er passte, wenn es um Sex ging, denn genauso fühlte ich mich bei seinen Worten. Es war, als hätte jemand einen Hebel umgelegt und meine Erregung ausgeschaltet. Mir wurde kalt, Übelkeit stieg in mir auf. Ich fühlte mich so taub wie ein Leichnam. Ich zog die Hand weg und stand auf.

»Was?«, fragte er. Er grinste, als wäre das Spiel noch nicht vorbei.

»Sorry«, sagte ich, »ich brauche frische Luft.«

Er strich sich die Hose glatt und schlug die Knie übereinander. »Okay.« Er lachte leise – halb verärgert, halb verlegen. Er rieb sich das Kinn, an dem sich die ersten Stoppeln zeigten, und starrte die Wand hinter mir an.

Das Insektengitter war aus der Schiene gerutscht. Ich zwang mich, es ganz langsam anzuheben und zurückzusetzen, weil ich fürchtete, ich könnte es in meiner Hektik herausreißen. Ich machte mir nicht die Mühe, das Verandalicht einzuschalten, sondern tastete nach einem Liegestuhl. Aus dem Gebüsch war ein Rascheln zu hören – nächtliche Nahrungsaufnahme oder ein Kampf oder eine Paarung.

Ich sank in den Stuhl, niedergedrückt von Deprimiertheit und Selbstironie. Natürlich unterlag Vlads Verlangen nach mir (falls er überhaupt so etwas empfand, falls er nicht bloß einem rätselhaften Selbstzerstörungstrieb nachgab) einer Systematik, in der ich die perverse alternde Lehrerin war und er der unbeleckte, naive Junge. Für ihn war ich nur eine abgeschmackte Eskapade. Eine sentimentale Fantasie aus seiner Jugend.

Und da begriff ich, und das war am beschämendsten, dass ich in meinen Fantasien immer seine sexy Kollegin gewesen war, eine attraktive Gleichaltrige. Ich hatte von Leidenschaft geträumt, wortlos, tierisch und unbewusst. Meine Gefühle für Vladimir überstiegen alle Gedanken und anscheinend auch jedes Szenario. Er sollte mich vergessen lassen, wer ich war. Ich weinte vor Enttäuschung, und dann lachte ich mich selbst dafür aus. Im Grunde hatte ich ihn entführt, ich hatte ihn unter Drogen gesetzt und getäuscht, allein, um mein Verlangen zu stillen, und jetzt hatte ich an seiner Wahrnehmung meiner Person etwas auszusetzen? Als hätten Männer, die Frauen ausnutzten, sich jemals Gedanken über die Wahrnehmung dieser Frauen gemacht.

Ein dicker kleiner Waschbär watschelte über das Deck und starrte mich aus schwarzen Stofftieraugen an. Ich erwiderte seinen Blick und wünschte mir, ich könnte mich in einem universellen Säugetierbewusstsein auflösen und mein denkendes Hirn zurücklassen. Die Außenleuchten flammten auf, und Vladimir erschien, in der Hand meine Zigaretten.

Der Waschbär tapste seelenruhig vom Deck und verschwand im Gebüsch. Vlad zündete sich eine Zigarette an und warf mir die Schachtel in den Schoß.

»Hey«, sagte er sanft, »hey, tut mir leid.«

Ich wollte antworten, es sei in Ordnung, er müsse sich nicht entschuldigen, aber ich brachte nichts heraus.

»Ich glaube, ich habe die Situation falsch eingeschätzt«, sagte er. Er wirkte wirklich besorgt, und ganz kurz fragte ich mich, was passieren würde, sollte ich mich beim Fachbereich über ihn beschweren und behaupten, er habe mich in einem wehrlosen Moment missbraucht. Das wäre doch mal eine lustige Wendung. Er war ein Mann seiner Zeit und kannte sich aus, wahrscheinlich würde er sich gesenkten Hauptes entschuldigen, seinen Job kündigen und für immer verschwinden.

Aber die Leute würden sich darüber kaputtlachen, dass dieses Prachtexemplar von einem Mann, zudem verheiratet mit einer konventionell attraktiven Frau, sich an ein postmenopausales Wesen wie mich herangemacht hatte. Ich wäre eine Witzfigur. Ich erinnerte mich daran, wie erbarmungslos wir über Monica Lewinsky geurteilt hatten, einer Affäre mit Bill Clinton unwürdig, aber wenn ich heute die alten Fotos sah, musste ich zugeben, dass sie kurvig, markant und sehr schön gewesen war. Dennoch, zu der Zeit war er der mächtigste Mann der Welt, und wir hatten den Kopf geschüttelt, weil er seine Aufmerksamkeit nicht wenigstens einem Neunzigerjahre-Model oder einem Filmstar geschenkt hatte. In unseren Augen war er schwach und notgeil.

»Alles okay?«, fragte Vladimir, und da erst merkte ich,

dass ich gar nicht geantwortet hatte. Ich versicherte ihm, alles sei in Ordnung.

»Mir tut es leid«, sagte ich. »Ich hätte selbst nicht damit gerechnet.«

»Ich dachte, du willst es so«, sagte er zerknirscht, und ich begriff, dass ein so schöner Mann wie er den eigenen Körper durchaus als etwas betrachtete, womit man andere glücklich machen konnte. Als Geschenk. Und hatte ich ihn nicht, als ich ihn gefesselt hatte, eingepackt und wieder ausgepackt wie ein Geschenk?

»Hast du«, sagte ich und suchte nach den richtigen Worten. »Hast du sie schon mal betrogen?«

»Nein. Ein einziges Mal, ganz zu Anfang. Mit einer Ex, die zufällig in der Stadt war.«

»Warum jetzt?«

Er dämpfte seine Stimme. »Ich habe meine Gründe.« Ich spürte seinen Blick aus halb geschlossenen Augen.

»Ach, hör auf«, sagte ich. »Hab dich nicht so. Nenn mir einen.«

»Ich bin nicht …«, sagte er, aber dann hielt er inne und setzte von Neuem an. »Es hat was damit zu tun, dass ich hier nicht die treibende Kraft bin. Das bist du. Ich finde mich nur in einer Rolle zurecht, die mir zugeteilt wurde. Du hast mich hergebracht, du hast mich in diese Rolle gedrängt. Ich erfülle sie nur dir zuliebe.«

»Musst du nicht. Du kannst jederzeit gehen, ich fahre dich nach Hause.« Seine Worte hatten mich verletzt; als wäre er die Marionette und ich die böse Puppenspielerin. Ich wollte mich entschuldigen. »Tut mir leid wegen gestern Abend. Irgendwie ist das alles aus dem Ruder gelaufen.«

»Nein, es gefällt mir, ich bin froh, dass du mich ausgewählt hast. Sehr interessant.«

Oh, dachte ich, er rationalisierte die Situation also, um weiterhin die Kontrolle zu behalten – über die Erfahrung und über die Rolle, die er spielte. Natürlich besaß er diese Fähigkeit, denn sie zeichnet alle erfolgreichen Menschen aus. Sie sehen sich, egal, wo sie sind, immer auf dem Thron. »Sei bitte nicht so gönnerhaft«, sagte ich.

»Nein, nein«, sagte er. »Bin ich doch gar nicht. Ich mag unsere Gespräche. Ich habe oft an dich gedacht. Manchmal habe ich mir ausgemalt, wie es wäre, dich zu küssen.«

»Und warst du angewidert?« Ich erinnerte mich an einen ehemaligen Kommilitonen aus dem Doktorandenprogramm, männlich und groß und einigermaßen attraktiv, der mir einmal erzählt hatte, er hofiere nur hässliche Frauen, denn ihre Dankbarkeit im Bett sei einfach faszinierend.

»Nein, gar nicht«, sagte er, dann lachte er leise und nahm einen Zug von der Zigarette. Die Wildnis schwieg ganz kurz, ich hörte das Papier knistern.

Ein trockener Windstoß fegte über das Deck, und von Vlads Zigarette stoben Funken in meine Richtung. In dem kurzen Moment der Stille merkte ich, wie müde ich war, und diese Müdigkeit erlaubte es mir, endlich ehrlich zu sein.

»Ich schreibe ein Buch«, sagte ich. »Es ist fast fertig. Ich möchte, während ich hier bin, die Rohfassung beenden.«

»Ich kann gar nicht erwarten, es zu lesen«, sagte er.

»Das musst du nicht sagen. Ich möchte früh aufstehen und arbeiten. Du könntest auch schreiben, wenn du willst. Wir werden beide schreiben. In aller Stille.«

»Okay«, sagte er. »Einverstanden.«

»Ich gehe ins Bett.«

Ich stand auf, zögerte kurz. Ich wollte noch etwas von ihm hören, er sollte mich segnen, verdammen oder verführen, oder vielleicht sollte er mir auch nur eine gute Nacht und angenehme Träume wünschen.

»Soll ich mitkommen?«, fragte er und betrachtete stirnrunzelnd seine Hände.

»Ich weiß nicht, was ich darauf antworten soll«, sagte ich affektiert, und dann riss ich, ich muss es gestehen, die Fliegentür auf und knallte sie hinter mir zu, während Vlad allein mit seiner Zigarette auf dem Deck zurückblieb.

Gegen Mitternacht kam er in mein Bett. Er kroch unter die Decke und umarmte mich. Er streichelte meinen Arm, dann meinen Rücken, schließlich meinen Hintern. Ich bewegte die Hüften und griff nach hinten, drehte mich aber nicht um. Er schob mein Nachthemd hoch und zog mir die Unterwäsche herunter, ich strampelte sie weg. Er küsste mich nicht, stattdessen drückte er den Kopf zwischen meine Schulterblätter. Er zog sich die Pyjamahose herunter und drang in mich ein. Zu meiner Überraschung, Erleichterung und Freude war ich kein bisschen trocken. Sein Schwanz war lang, weniger dick als der Durchschnitt und sehr hart. Ich musste an das Wort *aufgespießt* denken. Wir bewegten uns gemeinsam, ganz ohne die Position zu wechseln oder auch nur einen Arm umzubetten, als würde das – von unserer ursprünglichen Vereinigung abzurücken – den Bann brechen. Gegen Ende langte er um mich herum, und ich kam, sofort und lautlos. Er ließ die Hand liegen, und ich kam noch einmal, ganz ohne Anstrengung, Willenskraft oder Konzentration.

Als er auf den eigenen Höhepunkt zusteuerte, wurden seine Bewegungen intensiver, er klammerte sich an meine Schultern, und ich kam noch einmal, zusammen mit ihm.

Er küsste mich auf die Schulter, ich tätschelte seinen Kopf. Er blieb noch eine Weile ruhig atmend hinter mir liegen, aber ich wusste, er war wach. Ich sagte ihm, er müsse nicht bleiben, und als er merkte, dass ich es ehrlich meinte, bedankte er sich und ging, und zurück blieb ein schweißnasser Abdruck in der Form eines Mannes.

19

Zum zweiten Mal in Folge wachte ich mitten in der Nacht auf, diesmal von umstürzenden Möbeln – genau genommen hörte ich den wackeligen Tisch im Vorraum, an dem sich jeder stieß, und dann gedämpftes, grollendes Fluchen, eindeutig nicht von Vladimir, und das wischende Geräusch von Händen, die einen Lichtschalter suchen.

Jede ländliche Gegend in den USA hat ihren eigenen Styx aus Süchtigen, die Meth oder Opioide nehmen, Halbwesen, die im Strom des Alltags mitschwimmen. Abgemagert und mit erschöpftem, erwartungsvollem Blick, sitzen sie auf den Stufen des Gemischtwarenladens. Sie fahren mit ihrer Großmutter zum Einkaufen oder an den Strand. Sie sind nett und verschlagen, schreckhaft und scheu. Bei uns war noch nie eingebrochen worden, aber ich hatte von Diebstählen in den benachbarten Hütten gehört. Die Ferienhäuser gehörten reichen Leuten, die sich hier manchmal monatelang nicht blicken ließen. Wäre mein Laptop nicht im Wohnzimmer gewesen, hätte ich wahrscheinlich nicht einmal das Bett verlassen. Sollte der Einbrecher sich nehmen, was er wollte; wahrscheinlich brauchte er es dringender als ich.

Aber mein Laptop stand gut sichtbar auf dem Tisch, und darauf befand sich die Datei mit der einzigen Fassung meines Romans. Ich verfluchte mich für meine Dummheit – warum hatte ich nicht daran gedacht, sie auf einem USB-Stick zu speichern oder mir selbst eine Kopie zu mailen? Ich überlegte, Vladimir zu wecken, aber ich fürchtete, der Einbrecher könnte uns hören und mit dem Laptop Reißaus nehmen. Und so holte ich so lautlos wie möglich den großen Regenschirm aus dem Kleiderschrank. Es war lächerlich, aber vielleicht könnte ich den Eindringling, sollte er mich angreifen, damit stechen, oder ich könnte den Schirm öffnen und ihn verwirren. Ich schlich durch den Flur ins Wohnzimmer und schaltete die Deckenlampe ein.

Die Kühlschranktür stand offen, und der Eindringling kniete davor, sodass ich ihn nicht ganz sehen konnte. Ich stieß einen Schrei aus, er fuhr in die Höhe und knallte mit dem Kopf gegen das Gefrierfach.

»Du lieber Gott. Weib!«, rief der Mann, mit dem ich seit dreißig Jahren verheiratet war, und ich ließ den Schirm fallen.

»Ich wollte dich nicht erschrecken«, sagte John, nachdem ich gekreischt, kurz geweint, ihn für den Schrecken, den er mir eingejagt hatte, gründlich ausgeschimpft und ihm anschließend einen Teller mit Frittataresten und ein Glas Wein hingestellt hatte.

»Der Tisch muss aus dem Vorraum weg«, sagte er und rieb sich das Schienbein, um mir zu zeigen, wie weh er sich getan hatte. Ich setzte mich in die andere Sofaecke und stellte mir vor, Vladimir würde mich von hinten umarmen.

»Was tust du hier?« Ich versuchte, freundlich zu klingen, mit einem Lächeln in der Stimme.

»Ich wollte dich sehen. Ich wusste nicht genau, ob du hier bist, aber ich dachte, es ist einen Versuch wert.«

Er sagte, er habe mich vermisst. Er habe mit Sid und Alexis über einen möglichen Rücktritt gesprochen und plötzlich eine heftige Sehnsucht verspürt. Wir hätten zeitgleich am College angefangen und beide dort Karriere gemacht. Wir seien ein Team, und es sei ihm nicht richtig erschienen, die Entscheidung ohne mich zu treffen. Ihm sei klar, dass wir in der letzten Zeit aneinander vorbeigelebt hätten, aber er glaube fest daran, dass unsere Beziehung zu retten sei. Er schlug vor, das College gemeinsam zu verlassen. Er könnte sich um Arbeit in beratender Tätigkeit bemühen, in der Werbung oder in der freien Wirtschaft, in irgendeiner Branche, wo niemand ihn kenne. Wir könnten die beiden Häuser verkaufen und in eine Wohnung in einer neuen Stadt ziehen, ins Museum gehen, zu Lesungen und ins Theater. Ich könnte schreiben, falls ich das wolle, oder weiterhin als Dozentin arbeiten. Oder wir könnten nach Mexiko gehen, wo das Geld ewig reichen würde, und in ein sepiafarbenes Expat-Leben eintauchen, Leinenanzüge und Strohhüte tragen und in der Sonne brutzeln. Nichts halte uns in dieser Stadt der Prüderie und der Pharisäer.

Ich nickte, ihm zuliebe. Er war verwirrt und laut und ungewöhnlich gesprächig. Es war nur eine Frage der Zeit, bis Vlad uns hören und ins Wohnzimmer kommen würde, und was dann passieren würde, wollte ich gar nicht wissen. Je länger er redete, desto frustrierter wurde ich. Es war ja so typisch für John, mit einer Lösung um die Ecke zu kommen, ohne mich vorher auch nur angehört zu haben. Während seines Monologs stellte er keine einzige Frage, ihm war nicht einmal in den Sinn gekommen, ich könnte am College bleiben wollen. Es interessierte ihn nicht, wie ich mir meine Zeit als Rentnerin vorstellte und ob ich sie überhaupt mit ihm verbringen wollte. Wie immer setzte er voraus, dass er eine Entscheidung treffen und ich einfach mitmachen würde.

Ich stand auf und schenkte mir einen Bourbon ein, dann setzte ich mich wieder neben ihn und hörte mir an, wie er über den neuen Faschismus schimpfte, der sich wie ein Krebsgeschwür auf dem Campus ausbreite. Mitten in der Tirade hielt er inne. »Ich will dich«, sagte er, warf sich auf mich und versuchte, mich mit weit geöffnetem Mund zu küssen.

Ich drückte ihn weg und wendete mich ab. »Hör auf«, sagte ich. »Du tauchst mitten in der Nacht unangekündigt hier auf. Was hast du dir dabei gedacht?« Er setzte sich betreten auf und entschuldigte sich, aber seine Haltung hatte etwas Fröhliches, und sein Blick war durchtrieben. Trotz allem hatte er sich seinen Sinn für Humor bewahrt, und ich lächelte widerwillig. Er lehnte sich an mich und rieb seinen Kopf mit dem borstigen Haar an meinem Arm, wie ein Tier, und dabei murmelte er vor sich hin, in einer heiseren, albernen Babystimme, wie ich sie seit Jahren nicht gehört hatte. Als er merkte, dass ich lachen musste, benutzte er zudem seine Hände und packte und kniff mich dort, wo ich kitzlig war und bei der ersten Berührung loskreischen würde. Ich lehnte mich zappelnd zurück. Er fasste es als Ermunterung auf und fing an, mein Nachthemd hochzuschieben. Aber nein, das wollte ich nicht, das ging mir alles zu schnell, ich hatte nach Vlad noch nicht einmal meine

Unterwäsche gewechselt. Ich machte mich los und brüllte, lauter als ich wollte.

Ich hörte Geräusche aus dem Gästezimmer und stemmte John mit den Knien von mir weg, gerade als Vladimir Vladinski, Juniorprofessor und hochgelobter Autor von *unmaßgebliche allgemeingültigkeit*, nackt und mit einer Lampe in der Hand, im Türrahmen auftauchte. Nach dem Kniestoß sprang John auf und stand ratlos vorm Sofa, sah ein paarmal zwischen Vlad und mir hin und her, nahm dann auf dem Bierhallenstuhl Platz (die Kette schlängelte sich immer noch um die Stuhlbeine zu seinen Füßen) und fing an zu lachen.

»Du lieber Gott«, sagte Vlad und verschwand sofort wieder. John lachte weiter und schnappte demonstrativ nach Luft, während ich den Bourbon austrank, mir das Nachthemd glatt strich, das Haar richtete, meine Fingerspitzen anleckte und mir damit über die Haut unter den Unterlidern fuhr, nur für den Fall, dass meine Wimperntusche verlaufen war. Vladimir kam zurück, er trug sein T-Shirt und eine von Johns Pyjamahosen.

»Ist das meine Hose?« John hielt sich kichernd den Bauch. »Ich hatte mich schon gefragt, wo sie ist. Sorry«, sagte er und atmete tief durch, als müsste er sich beruhigen.

Ich fand seine Darbietung einfach nur zynisch. »Genug jetzt«, sagte ich. »Reiß dich zusammen.« Er legte sich eine Hand ans Brustbein, schloss kopfschüttelnd die Augen, öffnete sie wieder und nickte mir in gekünstelter Anerkennung zu. »Nicht schlecht«, sagte er, und zu meiner Überraschung war da eine Spur von Verletztheit in seinem Blick.

Dann drehte er sich zu Vladimir um und fragte: »Was geht, Mann?«

Ich mischte mich hastig ein. »Vladimir wohnt im Gästezimmer, John. Er brauchte Abstand. Wie ich.«

»Oh, okay«, sagte John nickend. »Das erklärt natürlich alles. Also, es erklärt natürlich nicht, warum du nach fremdem Sperma riechst ...«

Er konnte wirklich grob sein. Ich errötete bis in die Haarspitzen. Vladimir sah verwundet aus.

»Ich rieche nicht ...«, fing ich an.

»Bitte.« John hob lächelnd die Hand. »Wer bin ich, darüber zu urteilen.«

»Vlad, ich wusste nicht, dass du hier bist«, fuhr er fort. »Das ist wirklich eine Überraschung. Ehrlich gesagt freut es mich sehr. Ich bin nur noch selten überrascht.« Sein Gesicht war eine boshafte Fratze.

Ich sagte ihm, das sei ausgleichende Gerechtigkeit. Unerwarteterweise war ich getroffen, Groll stieg in mir auf.

»Ausgleichende Gerechtigkeit?« Er schlug die Knie übereinander und stützte das Kinn in die Hand wie Rodins »Denker«. Gott, er war so streitsüchtig und aufgeblasen. »Was soll das heißen?«

»Du und Cynthia.« Ich spürte heiße Tränen auf meinen Wangen und wusste selbst nicht, warum.

»Cynthia und ich?«, fragte er und lachte wieder los, wobei er die Frage in unterschiedlicher Betonung wiederholte. »Cynthia und ich, ich und Cynthia.« Er wackelte mit dem Kopf, sein Doppelkinn blähte sich wie das eines Frosches.

Ich fuhr ihn an, er solle still sein. Am liebsten hätte ich die Kette genommen und ihm um den dicken Hals gewickelt.

»Ich habe euch gesehen.« Das würde ich mir nicht gefallen lassen – er konnte mich nicht einfach als Hysterikerin abtun. Er würde mich nicht als paranoid hinstellen, das würde ich nicht zulassen.

»Oh, liebe Freunde«, sagte er mit tiefer, ernster Stimme, »seid versichert, Cynthia spielt in einer vollkommen anderen Liga.«

»Aber ich habe euch gesehen.« Mein Gesicht war verzerrt, und ich lehnte mich so weit vor, dass ich fast zum Stehen kam.

»Wir stecken unter einer Decke, versteh mich nicht falsch. Aber es ist nichts Körperliches. Ehrlich.« Er hob beide Hände wie ein verhafteter Bandit. »Ehrlich.«

Vladimir blickte zwischen mir und John hin und her. »Ich dachte, du hättest sie *in flagranti* erwischt.«

»Keine Ahnung«, sagte ich und ließ mich mit bebender Unterlippe aufs Sofa zurücksinken.

»Wir schreiben zusammen«, sagte John.

»Ihr *schreibt?*«, fragte ich.

»Ja«, sagte er schnippisch. »Du bist nicht die Einzige, die schreibt.«

»Was denn?« Es war grausam, aber das war mir egal, denn ausnahmsweise fühlte ich mich nicht mehr verpflichtet, ihn zu schonen.

»Ich mag deinen Tonfall nicht.«

»Ich mag *dich* nicht.« Er machte mich wütend, er sprach mit mir wie mit einem Kind.

John sprang auf und stampfte aus dem Zimmer. »Wo willst du hin?«, rief ich ihm nach.

»Ich muss mal pissen«, sagte er über die Schulter und knallte die Badezimmertür hinter sich zu.

Vladimir sah ihm nach, dann drehte er sich zu mir um. »Ich dachte, du hättest sie bei irgendwas erwischt?«

Ich versicherte ihm, so sei es gewesen. Ich erklärte ihm, was ich gesehen hatte und dass er ganz bestimmt dieselben Schlüsse daraus gezogen hätte.

»Du hast mich angelogen.« Er sah gekränkt aus, wie ein kleiner Junge, der beim Spielen ausgeschlossen wird.

»Ich dachte, ob es stimmt oder nicht, wäre für dich nebensächlich?« Ich zitterte. Auf einmal war mir eiskalt. Ich stand vom Sofa auf, schaltete die beiden Heizlüfter ein, drehte sie zueinander und hockte mich dazwischen. Vladimir kam näher und beugte sich über mich.

»Aber ich habe dir geglaubt. Ich hätte nie …«

»Woher willst du wissen, dass er nicht lügt?« Ich bibberte vor Kälte, meine Zähne schlugen aufeinander. Ich drehte die Heizlüfter auf, bis sie brummten.

»Ich lüge nicht«, sagte John, der aus dem Bad zurück war und sich die nassen Hände an der Hose abwischte. »Ich arbeite an einem Versepos und Cynthia an ihrem Memoir. Wir haben einen Schreibclub gegründet. Wir nehmen Drogen, und dann schreiben wir. Es macht großen Spaß.«

Ich sah Vladimir an und suchte nach Worten, die den Frieden wahren würden, nach einer Erklärung, aber noch bevor ich etwas sagen konnte, ging er auf John los und riss ihn zu Boden. Mein Mann kippte um wie eine mit nassem Sand gefüllte Strohpuppe. Das Ungleichgewicht zwischen ihnen war nicht schön anzusehen. John leistete kaum Widerstand, er versuchte lediglich, sich zusammenzukrümmen wie ein Embryo und sein Gesicht mit den Händen zu schützen. Mein Blick blieb an einem Spruch hängen, der in den mittelalterlichen Stuhl geschnitzt war: »Tod den Yuppies«, Schreibschrift mit Dornendeko. Ich erinnerte mich an eine Zeit, in der wir Yuppies verachtet hatten. Was war ein Yuppie anderes als ein junger, berufstätiger Mensch? Was war daran verwerflich? Sie waren egoistisch, hatten Geld und waren blind für die Ungerechtigkeit der Gesellschaft. Sie mochten Nouvelle Cuisine und Fitness. Wo war das Problem?

»Du Schwein«, rief Vlad immer wieder, bis er John niedergerungen hatte. Seine Schienbeine lagen auf Johns Oberschenkeln, seine Hände drückten Johns Oberarme nieder. Ich konnte nicht anders, aber der Anblick von Vlad auf meinem Mann, seiner gespreizten Knie, des über seinen Hintern spannenden Hosenstoffs hatte etwas Erregendes.

»Weißt du, was du da tust?«, fragte Vlad. Er zitterte vor Wut. »Ihr Drogen zu geben? Hast du irgendeine Vorstellung, was das bei ihr anrichten kann? Sie ist eine junge Mutter. Ich habe ein Kind. Genauso gut könntest du ihr einen Kanister Benzin geben, damit sie sich selbst anzündet.«

Er boxte John mit den Fäusten in die Brust, aber es war mehr ein Trommeln als echte Schläge, und dann rutschte er zu Boden und starrte an die Decke.

»Ich gebe ihr keine Drogen, mein Junge«, sagte John. »*Sie* gibt sie *mir*.« Er sah zu mir herüber, um mich wissen zu lassen, dass es stimmte.

Vladimir setzte sich auf und drehte sich zu mir um. »Du musst mich nach Hause fahren«, sagte er, »jetzt.«

Ich fühlte mich sofort bevormundet. Auf einmal erinnerte er mich wieder an einen neuenglischen Prediger, wie zu Beginn unserer Bekanntschaft. Seine Frau war Schriftstellerin und hatte ein Anrecht auf eigene Erfahrungen und Probleme. Wenn sie Drogen nehmen wollte (wahrscheinlich Amphetamine, Adderall möglicherweise, ich war mir nicht sicher), reihte sie sich nur in eine lange Reihe von Autorinnen mit einem komplizierten Verhältnis zu chemischen Substanzen ein. Sie mochte sich gefährden, aber sie war ein eigenständiger Mensch und nicht sein Kind. Hatte nicht Susan Sontag all ihre Bücher unter dem Einfluss von Speed geschrieben, so wie Kerouac und viele andere? Coleridge? Sartre? Graham Greene? Es war ja so typisch männlich, von einer Frau zu verlangen, ein geniales Werk zu produzieren und dabei aber bitte nicht über die Stränge zu schlagen.

»Ich habe getrunken«, sagte ich. »Ich kann dich nicht fahren. Wir müssen warten bis morgen früh.«

»Wahrscheinlich besäuft sie sich jetzt in diesem Moment«, sagte Vlad und stand auf. »Mein Kind ist nicht in Sicherheit.«

»Sie besäuft sich nicht«, sagte John. »Die Drogen liegen in meinem Safe. Sie nimmt immer nur sehr wenig. Sie weiß, dass sie vorsichtig sein muss. Sie gibt sich Mühe«, fügte er hinzu. Mir wurde klar, dass er sich Gedanken gemacht hatte, und das rührte mich.

»Sie hat ein Drogenproblem«, sagte Vlad und tigerte durchs Wohnzimmer. »Du hast ja keine Ahnung. Sie hat dir also das Zeug gegeben?«

»Sie hat es von einem Studenten.«

»Woher willst du wissen, dass sie nicht noch mehr hortet?«

John rollte sich auf alle viere, stützte sich am Sofa ab und stand auf, stellte ein schweres, zittriges Bein nach dem anderen auf den Boden. »Weil wir darüber reden. Weil ich weiß, dass sie sich nichts mehr wünscht, als endlich dieses Buch zu Ende zu schreiben, damit ihr aus der beschissenen Wohnung ausziehen könnt und sich nicht alles immer nur um *dich* dreht.«

Vladimir blieb abrupt stehen und atmete kopfschüttelnd ein. Anscheinend hatte er Cynthia in Johns Schilderung wiedererkannt, denn die Spannung wich aus seinem Körper.

»Wann wäre es denn je um mich gegangen?«, fragte er sanft. Er senkte den Kopf und murmelte etwas, wahrscheinlich war es an Cynthia gerichtet. Anschließend streckte er die Hand aus, immer noch mit gesenktem Kopf. »Gib mir eine Zigarette.«

»Die sind dahinten«, sagte ich und zeigte zur Fensterbank. Mit hängenden Schultern ging er hinüber, als gäbe er sich geschlagen, steckte sich eine Zigarette in den Mund und eine zweite hinters Ohr und stand dann reglos am Fenster. Nach einer ganzen Weile merkte ich, dass er mein und Johns Spiegelbild in der Scheibe betrachtete. Er hob sich das Feuerzeug vors Gesicht.

»Du kannst hier drinnen nicht rauchen«, sagte ich schnell, und er steckte das Feuerzeug wortlos ein.

Er ging zur Terrassentür, blieb mit dem Rücken zu uns stehen und sagte kopfschüttelnd: »Was ist bloß los mit euch.« Er mühte sich vergeblich, die Tür aufzuschieben, und riss sie mit einem Ruck aus der Verankerung. Nun hing sie schief im Rahmen. John und ich tauschten einen Blick. Ich hob die Hand und bedeutete ihm zu schweigen, als wäre Vlad ein wütender Teenager, dessen Verhalten wir am besten einfach ignorierten.

Wir betrachteten seinen Rücken, den Arm, der sich beim Rauchen hob und senkte. Als er fertig war, warf er die Kippe in die mit Wasser gefüllte Kaffeekanne, die wir als Aschenbecher benutzt hatten (ein leises *Plip* in der Stille), und verließ das Deck. Wir hörten den Kies unter einem der Kajaks knirschen, und dann, als er es in den See schob, das Plätschern und Schaukeln von Wasser.

»Zieh dir wenigstens noch eine Rettungsweste an«, rief John ihm nach.

»Du solltest rausgehen und ihn aufhalten. Er sollte nachts nicht Kajak fahren.« Ich stellte mich an die Tür und spähte hinaus, konnte aber in der Dunkelheit keine zwei Meter weit sehen.

»Ach, mach dir keine Sorgen. Was soll schon passieren?« John winkte ab, dann zog er die Augenbrauen hoch wie vor einem guten Witz. »Ziemlich unheilvoll, was?«

Ich schlug ihm an die Brust und sagte ihm, er solle die Klappe halten. Er legte einen Arm um mich, und ich ließ den Kopf an seine Brust sinken wie ein Schwan. So standen wir eine Weile da. Er strich mir mit seiner großen Hand über den Kopf.

Drinnen drehte er am Radio herum, bis er den Jazzsender gefunden hatte. Bei leiser, melodischer Musik sammelte ich das benutzte Geschirr ein und beseitigte endlich die Unordnung vom Abendessen. Ich kochte uns einen Kamillentee, mit dem wir uns an den Tisch setzten. Eine behagliche, melancholische Müdigkeit erfasste uns beide, und als ich merkte, dass ich wegdöste, riss ich das Kinn hoch und sah Johns Kopf auf der Tischplatte liegen. Er war eingeschlafen.

Ich schlich ins Schlafzimmer, nahm Wolldecken und Überbett von der Matratze und zog die Bettwäsche ab. Sie war immer noch nass und kalt von dem, was wir getan hatten. Ich bezog das Bett mit unserer alten, mit großen Katzensilhouetten bedruckten Flanellbettwäsche. Als Kind hatte Sid sie geliebt. Einmal war ich spätabends in ihr Zimmer gekommen und hatte gesehen, wie sie leidenschaftlich ihre Wange an einem der Katzengesichter rieb. Die Vorstellung einer Siebenjährigen von Romantik.

Ich weckte John sanft. »Ich kann im Wohnzimmer schlafen«, murmelte er, aber ich sagte ihm, ich hätte jetzt keine Kraft, das Klappsofa auszuziehen, er solle einfach ins Bett kommen.

Im Schlafzimmer war es eiskalt. Wir robbten zusammen und schoben alle Glieder ineinander. Er stützte das Kinn auf meinen Kopf, ich kuschelte mich an seinen Hals.

Durch unsere verschränkten Arme konnte ich die Uhr auf dem Nachttisch erkennen. Es war schon nach vier.

»Fährst du morgen wieder zur Anhörung ins College?«, fragte ich.

»Das weiß ich noch nicht.«

»Soll ich den Wecker stellen?«

»Nein.«

Er strahlte eine Wärme aus, die bis ins Zentrum meines Nervensystems drang und mich beruhigte. *Zuversicht, heißt es, sei die Vorstadt von der Hölle.*

Ich war fast schon weggedämmert, als es mir wieder einfiel. »Wovon handelt dein Gedicht?«

»Welches?«

»Das Versepos, an dem du gerade arbeitest. Wovon handelt es?«

»Ach«, murmelte er, »von einem modernen Don Quixote. Von einem alten Mann, der sich weigert, die Welt zu sehen, wie sie ist.«

Und aneinandergeschmiegt wie die unschuldigen, im Wald ausgesetzten Geschwister aus dem Märchen schliefen wir ein.

20

Als ich zum ersten Mal wach werde, bin ich von Orange und Rauch umgeben. Vladimir beugt sich über mich, er schreit mich an, aber ich verstehe kein Wort. Farben und Schatten. Er zerrt mich hoch, und ich verstehe, dass ich gehen soll, ich versuche es, aber anscheinend kann mein Gehirn sich meinen Beinen nicht verständlich machen, und so schleift er mich durch Licht, Dunkelheit, Kälte und Hitze an den Strand, legt mich bis zur Taille ins Wasser und läuft wieder los.

Beim zweiten Mal liege ich in einem kotzgelb gestrichenen Raum mit beigen Kunststoffelementen unter der Decke. Mein Körper fühlt einen Schmerz, den ich nicht zulassen kann. Ich versuche, Hallo zu sagen. Aus meiner Kehle dringt nur ein Summen. Etwas, jemand schiebt sich in mein Blickfeld, sagt okay, okay, und verschwindet wieder. Ich versuche, die Augen offen zu halten, aber sie fallen mir zu.

Beim dritten Mal höre ich Sids Stimme. Mom, sagt sie, Mom, da bist du ja. Es klingt gedämpft und erstickt. Ihr Gesicht erscheint, verschwommen und verzerrt, aber sie ist es, keine Frage – blinzle zweimal, wenn du mich hören kannst, Mom –, und ich will sagen, ja, natürlich kann ich dich hören, aber da ist nur ein Krächzen, und Sid japst – einfach zweimal blinzeln, Mom –, also blinzele ich, und sie sagt, ich liebe dich, und meine Augen fallen wieder zu.

21

Die Diagnose lautet Verbrennungen dritten Grades auf zweiundzwanzig Prozent der Körperoberfläche. Vor allem meine Beine sind betroffen, der Hals und die untere Gesichtshälfte. Bei John sind es Verbrennungen dritten Grades auf über dreißig Prozent. Oberkörper, Hinterkopf, Rückseite der Beine, Außenseiten der Arme.

Ich muss noch für zwanzig Tage im Krankenhaus bleiben, die Reha wird vier Monate dauern.

John muss noch für zweiunddreißig Tage im Krankenhaus bleiben, die Reha wird sechs Monate dauern.

Sie flicken uns wieder zusammen, mit der Haut von Leichen.

22

Vladimir kam von der Kajakfahrt zurück, und die Hütte stand in Flammen. Weil er kein Handy hatte, um den Notruf zu wählen, tauchte er einmal im See unter und rannte hinein, um erst mich und dann John ans Wasser zu schleifen, und dann rannte er abermals los und klopfte an die Türen der benachbarten Häuser, bis ihm jemand aufmachte. Viel später habe ich ihn gefragt, wie er entschieden hatte, wen er zuerst retten sollte. Er sagte, er habe gar nichts entschieden, dafür sei keine Zeit geblieben. Aber wenn er jetzt darüber nachdenke, sei ihm möglicherweise durch den Kopf geschossen, dass er mich zuerst retten müsse, und sei es nur, weil ich die Jüngere sei.

23

An dem Tag, als ich vom Krankenhaus in die Rehaklinik verlegt werde, kommen Sid und Alexis und helfen mir, mich in meinem neuen Zimmer einzurichten. Es ist ebenfalls gelb, und ich mache einen Witz über *Die gelbe Tapete*. Ein billiger Witz, zugegeben, aber ich stehe immer noch unter Medikamenten. Wir sitzen, ich auf dem Doppelbett mit der Tagesdecke aus Polyester, Sid im Sessel und Alexis auf der Lehne. Sie hält Sids Hand. Sie sehen aus wie ein Geschäftsmann und seine Frau aus den Fünfzigerjahren, die für ein Foto posieren. »Ich bin schwanger«, sagt Sid. »Von dem Mann im Zug, weißt du noch? Ich habe dir von ihm erzählt.« Alexis drückt ihre Hand. »Freust du dich?«, frage ich Alexis. »Ja«, sagt sie. »Wir wissen nichts über ihn«, fügt Sid hinzu. »Es ist, als gäbe es ihn gar nicht«, ergänzt Alexis.

24

Das Gutachten der Versicherung kommt zu dem Schluss, dass ich die Heizlüfter aus Fahrlässigkeit nicht ausgeschaltet habe.

Mein Laptop wurde bei dem Brand zerstört und mit ihm die einzige Kopie meines Romans.

25

John wollte sich von Sid aus der Reha abholen lassen, aber sie ist so schwanger und so beschäftigt damit, sich vor der Elternzeit in ihren neuen Job einzuarbeiten, dass ich es ihr ausreden kann. Auf meinen Wunsch hin wurden wir in unterschiedlichen Einrichtungen behandelt. Während des Heilungsprozesses wollte ich so anonym sein wie möglich, ich wollte nicht gleichzeitig meinen Körper und meine Beziehung reparieren müssen, und John wollte das ebenfalls nicht, das wusste ich, ohne ihn zu fragen. Wir haben seit dem Krankenhaus keinen Kontakt mehr gehabt, abgesehen von ein paar logistisch notwendigen E-Mails mit Sid in cc. Für den Rest der Zeit fungierte sie als unsere Vermittlerin. Wir schweigen nicht aus Abneigung, sondern um Energie zu sparen. Wir brauchen Zeit für uns allein und müssen uns erst mit der neuen Wirklichkeit unserer Körper abfinden, bevor wir einander gegenübertreten.

Ich bitte Sid, ihm nichts von der Planänderung zu erzählen, denn ich möchte ihn überraschen. In den vergangenen Monaten hat sich eine von Alexis' alten Studienfreundinnen um einen außergerichtlichen Vergleich mit dem Heizlüfterhersteller bemüht, und in der Woche von Johns

Entlassung aus der Reha werde ich die offizielle Höhe des Schadensersatzes erfahren. Es handelt sich, wie es in einem viktorianischen Roman heißen würde, um eine stattliche Summe, die völlig neue Perspektiven eröffnet (Geld ist Energie, sagte ein Investmentbanker einmal zu mir). Ich habe mir überlegt, ihm die Nachricht persönlich zu überbringen; so werden wir etwas zu besprechen haben, sozusagen einen Rahmen für die Heimfahrt. Ich überlege sogar, einen Picknickkorb mit Brathühnchen und Limonade zu packen; wir könnten an einem Park mit vielen Bäumen haltmachen, John könnte mit einer Decke auf den Beinen im Campingstuhl sitzen, und dann könnten wir die gute Nachricht von dem unerwarteten Geldsegen besprechen.

Aber am Tag seiner Entlassung ist es bewölkt, kühl und regnerisch, das letzte Aufseufzen des trostlosen Frühlings in Upstate New York, bevor er dem Sommer weicht. Wahrscheinlich ist es besser so, sage ich mir. Ich habe keine Ahnung, wie es uns miteinander gehen wird, es wäre ein Fehler, uns in eine bestimmte Szenerie zu zwingen, ich möchte, wenn ich mit ihm verhandle, nicht unter dem Druck meiner eigenen Erwartungen stehen, und außerdem weiß ich nicht, was das Geld für uns, für mich, für uns bedeuten wird. Vor einigen Tagen hat der Pflegedienst im Erdgeschoss unseres Hauses ein Krankenbett aufgestellt, denn anscheinend wird John auf absehbare Zeit keine Treppen steigen können. Ich habe Stunden damit verbracht, die Möbel und unseren ganzen Plunder neu zu ordnen, damit es optisch irgendwie ins Zimmer passt. Zwei Monate nach der Reha bin ich immer noch körperlich eingeschränkt; beim Räumen habe ich unsere japanische Shite-Maske zerbrochen und das Glas einiger Bilder, weil ich nicht in der Lage bin, Dinge ordentlich anzuheben und wieder abzusetzen. Am Morgen schiebe ich einen Nachttisch neben das Bett, eines der Beine hinterlässt einen langen weißen Kratzer im Parkett. Ich dekoriere das Tischchen mit einer Lampe und einem Hyazinthenstrauß aus dem Garten, dann lege ich mich eine Stunde hin, um Kräfte zu sammeln.

Die Klinik liegt zwei Fahrstunden nördlich in einer waldigen, ländlichen Gegend, wo den Schildern neben der Straße zufolge hauptsächlich Kommunen, begeisterte Jäger, Exzentriker und Evangelikale leben. Das letzte Stück der Strecke besteht aus einer dreißig Meilen langen Schotterpiste, die durch einen dichten Wald führt. Durch das Grün der Bäume ist die frühlingshafte Flora zu erkennen, deren Farben – gelb, knallrosa, lila, gespenstisch weiß – sich grell und verstörend vom Grau des Tages abheben. Der Eingang besteht aus einem imposanten Tor, der Weg dahinter ist von niedrigen Steinmauern gesäumt. Die Mauern sind von Efeu überwuchert, davor blühen tropfnasse Forsythien. Ganz kurz bin ich neidisch – meine Klinik war in einem Vorortneubau untergebracht –, aber als ich nach ein paar Biegungen den Parkplatz erreiche, bekomme ich Mitleid. Die Anlage selbst ist wenig spektakulär, ein gedrungener Backsteinbau aus den Achtzigerjahren mit unverhältnismäßig kleinen Fenstern in willkürlichen Abständen. Davor stehen ein paar morsche Sitzbänke und ein schiefer, scheinbar ungenutzter, in Vergessenheit geratener Kunststoffpavillon auf abfallendem Untergrund.

Eine junge Frau in einem pastellfarbenen Kittel mit Camouflagemuster führt mich zu Johns Zimmer. »Ein netter Mensch«, sagt sie, und als ich müde witzelnd entgegne, das sage sie bestimmt über alle Patienten, lächelt sie und sagt, ja, aber in seinem Fall meine sie es so. Vor der Tür schließe ich die Augen und atme ein paarmal tief durch; bevor ich anklopfe, muss ich mich sammeln. Bei Sophokles steht Elektra für die Dauer des gesamten Stücks in einem Türrahmen, erkläre ich den Studierenden, wenn wir in meinem Seminar über Literaturverfilmungen die Theben-Trilogie lesen. Sie kann nicht nach Hause, aber hinaus in die Welt kann sie ebenso wenig. Achtet auf Türschwellen, Durchgänge, auf alle Zwischenräume, sage ich ihnen, denn sie sind Orte der Transformation. Die junge Frau im Kittel, die ich kurz vergessen habe, die aber immer noch hinter mir steht, interpretiert mein Zögern falsch. Sie greift um mich herum, klopft an, dreht den Knauf und stößt die Tür auf. »Gehen Sie einfach rein«, sagte sie, »er erwartet Sie.«

Er sitzt neben seinen gepackten Taschen in einem Sessel und liest eine Neuübersetzung von Josep Plas *La vida amarga*. Er hat mindestens zwölf Kilo abgenommen, und es steht ihm gut – er sieht aus wie ein eleganter Patrizier. Bis zu diesem Augenblick war mir gar nicht bewusst, dass ich erwartet hatte, ihn stumpf vor sich hin murmelnd vor dem Fernseher vorzufinden, als Klischee, lächelnd und sabbernd, an Verstand und Seele ermattet. Dass er aufrecht dort sitzt und liest, zudem ein anspruchsvolles Buch; dass er sich zu intellektueller Stringenz zwingt, obwohl er verwundet und geschlagen und von der Welt ausgeschlossen wurde …

»Wo ist Sid?«, fragt er in ruppiger, väterlicher Sorge. »Was tust du hier? Geht es ihr gut?«

Ich beruhige ihn und erkläre ihm alles. »Spätestens zu Hause wären wir uns begegnet«, sage ich.

Er nickt, schweigt kurz, und dann legt er eine Hand auf die gepolsterte Lehne und steht auf. Ich kann sehen, dass sein Hinterkopf vom Nacken bis an den Scheitel kahl ist; anstelle der Haare sitzt dort ein rotviolettes Transplantat. Er bemerkt meinen Blick und verdreht den Kopf. »Das wird verblassen«, sagt er. »Irgendwann könnte ich vielleicht Haare transplantieren lassen, wenigstens wurde mir das so gesagt.«

Später verrät er mir, dass es ihn beunruhigt habe, mich zu sehen; er habe sich die Heimfahrt als spirituelle Reise vorgestellt, eine Reise, die ihn schrittweise mit der alten, ihm fremd gewordenen Welt vertraut machen würde. »Ich hatte mir vorgestellt, wie ich aus dem Auto steige und die Büsche und den Gartenschlauch berühre und wie ich die Hände an die Hauswand lege«, sagt er. »Und dann wäre ich über die Terrasse hineingegangen und hätte dich in der Küche beim Kochen gesehen oder über eine Zeitschrift gebeugt.«

Aber jetzt protestiert er nicht. Er bückt sich langsam und holt eine leuchtend blaue Strickmütze aus dem Sessel. Sie ist modern, hat eine faszinierende Farbe, verdeckt seinen Hinterkopf und betont seine Augen. Nun, da er abgenommen hat, sieht er aus wie ein wettergegerbter europäischer Hafenarbeiter in einem Reiseprospekt.

»Hat deine Tochter mir geschenkt«, sagt er verlegen.

Ich nicke anerkennend. »Können wir los?«, frage ich.

Er bejaht, rührt sich aber nicht vom Fleck, und da erst fällt mir auf, dass sein Arm immer noch auf die Sessellehne gestützt ist. An der Wand lehnt ein Krückstock, knapp außer Reichweite. Ich gehe hin und gebe ihm den Stock, er greift zu, ohne mich anzusehen. »Wir sollten jemanden rufen, der uns mit dem Gepäck hilft«, sage ich.

»Oder du trägst das«, sagt er.

»Unmöglich«, sage ich, woraufhin wir beide so etwas wie ein Lachen ausstoßen. Es ist das Geräusch geteilter Resignation. Ich rufe beim Empfang an, und kurz darauf erscheint ein Teenager mit einem Gepäckwagen. Ich habe Johns freien Arm genommen, den ohne Krückstock, aber weil ich zu große Angst habe, etwas falsch zu machen, verharren wir reglos auf dem Fleck, als posierten wir für einen Maler, und schauen dem Jungen beim Verladen zu. »Sie sind wirklich ein süßes Paar«, sagt er und schiebt den Wagen hinaus. John und ich sehen einander in gespieltem Entsetzen an und folgen ihm in den trüben, mit blauem Teppich ausgelegten Flur.

Die Entlassung dauert fast zwei Stunden. Als wir endlich im Auto sitzen, eingedeckt mit Tabletten, Salben und Ausdrucken mit Anweisungen, haben wir beide Hunger. Wir fahren zum nächstbesten Diner, eine in Chrom verpackte Hommage an die Fünfzigerjahre, mit schweren, laminierten Ringbuchspeisekarten.

Sobald wir sitzen, greift John über den Tisch und berührt den Seidenschal, der die Narben an meinem Hals bedeckt.

Als ich ein Kind war, hing bei uns zu Hause ein Foto meiner Urgroßmutter. Sie sitzt und trägt ein elegantes Kleid mit riesiger Schleife, unter der ihr halbes Gesicht verschwindet. »Siehst du die Schleife?«, fragte meine Mutter, als ich wieder einmal davorstand. »Damals hatten sie noch kein Jodsalz. Die Schleife verdeckt einen riesigen Kropf.« Als ich wissen wollte, wie riesig, sagte sie: »So groß wie eine Kartoffel aus Idaho. Mindestens.«

Dank der vielen Internetvideos habe ich in den zwei Monaten seit meiner Entlassung aus der Reha gelernt, die verschiedensten Materialien zu schleifigen Gebilden zusammenzubinden. Ich habe meinen Hals ohnehin nie gemocht.

»Darf ich mal sehen?«, fragt John, und ich knüpfe die Schleife auf und zeige ihm die Spuren der Verbrennung, die sich bis an mein Kinn hochziehen.

»Das brauchst du nicht zu verstecken«, sagt er. »Ich finde es ganz hübsch.«

Später werden mir seine Worte wieder einfallen und mich dazu ermutigen, den Schal hin und wieder zu Hause zu lassen. Manchmal wird es sich ermächtigend anfühlen, mich den verstohlenen Blicken und niedergeschlagenen Augen auszusetzen, manchmal wie früher, wenn ich ein paar Kilo zugenommen und mich in meine engste Hose gezwängt hatte, egal, wie sehr sie zwickte und kniff, nur, um mich zu bestrafen.

Aber an dem Tag im Diner sage ich: »Nein danke«, und lege mir den Schal schnell wieder um, bevor der Kellner kommt, um die Bestellung aufzunehmen.

Wir teilen uns ein Club Sandwich, einen bunten Salat und eine Portion Süßkartoffelpommes, und dann, weil ich meiner Ankündigung irgendeinen feierlichen Rahmen geben möchte, überrede ich John noch zu einem Stück Kokoskuchen. Als der Kuchen gebracht wird, größer und breiter als ein Kuchenstück eigentlich sein darf, erzähle ich ihm von dem Vergleich. Er hält inne, hört die Zahl, blinzelt und starrt ernst in seinen Kaffeebecher. Ich bin gespannt auf seine Antwort. »Was meinst du?«, frage ich leicht angespannt.

»Ich meine …« Er überlegt. »Ich meine …« Er überlegt wieder, und ich fahre ihn an, dass er doch bitte etwas sagen solle. »Ich meine, ich hätte den Hummer bestellen sollen«, sagt er und stiert traurig in seinen Becher.

Ich stoße einen erstickten Laut aus, halb Stöhnen, halb Lachen, viel lauter als beabsichtigt, sodass die junge Frau an der Kasse sich in Bewegung setzt und ich abwinken muss.

»Sorry«, sagt er und lächelt über den Erfolg, ohne den Blick zu heben. Er tippt die ersten Takte des Flohwalzers gegen den Kuchenteller. »Dann bist du also doch nicht auf ewig an mich gekettet. Du könntest dir eine Wohnung kaufen, ich könnte mir eine Wohnung kaufen, und wir könnten Leute einstellen, die sich um uns kümmern, und so weiter«, sagt er.

Ja. Genau diese Gedanken hatte ich auch. Das Geld würde uns eine Trennung erleichtern. Die ganze Logistik, die vorher so unwägbar erschien, ließe sich an jemanden delegieren, der sich auskennt und dafür bezahlen lässt, ob es nun um den Hausverkauf geht, die Arztrechnungen oder die Immobiliensuche in entlegenen Städten. »Ja, das könnten wir.«

»Auch ich habe Neuigkeiten«, sagt er. »Das College wird mir die Bezüge nicht streichen. Ich werde ehrenhaft entlassen. Wahrscheinlich haben sie ein schlechtes Gewissen.«

Ich beglückwünsche ihn. Wir schweigen einige Minuten lang. Ich zeichne Linien in den abgekratzten Kuchenbelag.

»Dramatische Ironie, oder? Wir haben gebrannt und sind verbrannt. Ziemlich französisch, wie Balzac«, sage ich.

Er grinst. »Ziemlich plump, wenn du mich fragst.«

Ich spüre eine alte, bittere Gereiztheit aufsteigen. »Nun ja, so bedeutend waren wir nie, die Fallhöhe ist also zu vernachlässigen. Außerdem sind wir noch mal davongekommen«, sage ich. »Mehr oder weniger.«

»So darfst du das nicht sehen«, sagt er mit finsterem, ablehnendem Blick. »Davongekommen, nicht davongekommen, Moral und Strafe … Ich bin egal, du bist egal. Sich etwas anderes einzubilden ist doch bloß Marketing. Personenkult. Das weißt du selbst.«

»Ich glaube, das ist momentan keine besonders beliebte Sichtweise.«

»Ich glaube, ich bin momentan auch kein besonders beliebter Kerl.« Er neigt den Kopf zur Seite und spreizt die Hände wie ein Vaudeville-Darsteller.

»Nein, wirklich nicht«, sage ich und male mir ein Apartment für mich allein aus. Jeder Winkel ist von der ungestörten und bewussten Ruhe meiner eigenen Entscheidungen erfüllt. Es gibt ein Samtsofa und ein Bücherregal mit Leiter. Eine Katze vielleicht, oder vielleicht auch nicht, ich hatte nie ein Faible für Haustiere. Dann stelle ich mir John vor, in einer Wohnung mit Ledersesseln aus seinem alten Büro und abgewetzten roten Teppichen von Sid (oder mir). Eine Frau, die ihn letzten Endes nur wegen seines Geldes will. Oder seinetwegen, denke ich beim Blick in sein Gesicht unter der neuen Mütze. Vermutlich hat Sid sie ihm bei einem ihrer schicken Herrenausstatter gekauft. Stört mich die Frau? Eigentlich nicht. Kommt mir eher wie Verschwendung vor, denke ich, diese Energie, dieses Geld, dieses Geld, diese Energie zu teilen, wo es doch vielleicht eine einfachere Lösung gäbe.

Wir verlassen das Restaurant über die Rampe und bleiben stehen, um eine kleine Gruppe zu beobachten, die auf der anderen Straßenseite ein Anti-Evolutionszeichen an eine Plakatwand klebt. Wir fühlen uns wie in einer Szene aus einem Sechzigerjahre-Autorenfilm. Ein hässliches Plakat ragt in den dämmrigen Himmel auf, ein altes Paar steht vor einem blendend silbrigen Gebäude im Nieselregen. Ich stelle mir alles aus der Vogelperspektive vor, wir zwei ganz klein und untergehakt, Johns blaue Mütze ein leuchtendes Fanal.

»Lass uns bloß von hier verschwinden«, sagt er, während auf der Plakatwand eine durchgestrichene Affensilhouette ausgebreitet und glatt gestrichen wird.

Gegen Ende der Fahrt atmet er flacher. Im Auto zu sitzen bereitet ihm Schmerzen. Zu Hause kostet es mich große Kraft, ihm ins Bett zu helfen, wo er sich sofort auf die Seite rollt, an ein Körperkissen klammert und einschläft.

Glauben Sie bitte nicht, ich hätte ein Helfersyndrom und würde nur bei ihm bleiben, weil er mich braucht, sodass ich jetzt eine Aufgabe oder mehr Macht habe oder aus irgendeinem anderen langweiligen Grund. Schon am nächsten Tag meldet sich der Pflegedienst, der sich um ihn kümmern wird, bis er wieder allein zurechtkommt. Ich werde ihm meine Unabhängigkeit und meine Interessen nicht opfern; in der Tat sehe ich mir am darauffolgenden Abend in einem

Kino in Albany die Aufzeichnung einer neuen, viel gepriesenen Oper an. Nein, wenn sich die Dinge fügen, dann auf eine bestimmte Weise; weil ich eine Tür nach der anderen öffne und merke, dass die größte Freiheit manchmal in der Bequemlichkeit liegt.

26

Von einem Teil des Geldes kaufen John und ich eine Wohnung in der Gegend von Washington Heights in Manhattan. Das Grundstück, auf dem die Hütte stand, verkaufen wir, aber wir behalten das Haus; während des Semesters fahre ich für zwei Tage in der Woche nach Upstate und unterrichte, John bleibt dann meistens in der Stadt. In unserem neuen Leben passen wir auf das Baby auf, wenn Sid und Alexis bei der Arbeit sind. Wir unternehmen langsame Spaziergänge durch den Fort Tryon Park, beobachten die vielen Menschenkörper und konzentrieren uns auf ihre Schönheit. Wir gehen zur Krankengymnastik. Wir gehen zum Fitnessstudio im Y an der 92nd Street. Unsere Haut juckt. Wir kaufen uns Abos für Off-Broadway-Theater. Wir schmieren uns gegenseitig verschreibungspflichtige Salbe auf die schwer erreichbaren Stellen. Wir treten dem »Freundeskreis« der Museen bei. Wir besuchen Filmfestivals im Lincoln Center. Wir beschweren uns über Taubheitsgefühle. Wir planen eine Reise nach Ungarn. Wir kommen miteinander aus, zu sehr fürchten wir uns vor dem, was andernfalls passieren würde. Wir unterhalten uns über Kunst und alle möglichen Ideen. Verbrennungen haben Langzeitfolgen. Natürlich tut es manchmal weh, sich zu bewegen.

Vladimir schreibt einen Roman über einen jüngeren Mann, der eine zärtliche Affäre mit einer älteren Frau beginnt. Sie stirbt in einer brennenden Berghütte. Viele der Beschreibungen, Vergleiche und Metaphern haben damit zu tun, dass ihre Haut schlaffer wird. Das Buch wird als gut geschrieben, aber »düster« aufgenommen und verkauft sich schlecht, obwohl es auf der Longlist einiger Literaturpreise landet.

Cynthias Memoir wird durch Mund-zu-Mund-Propaganda zu einem landesweiten Überraschungserfolg, zu einem Bestseller, der den National Book Critics Circle Award gewinnt. Sie erklärt mir, der Begriff »Bestseller« bedeute längst nicht mehr dasselbe wie früher, nun, da die Leute keine Bücher mehr kauften. Vlad erzählt ebenso eifersüchtig wie stolz, dass ihr Verlag wenigstens den Vorschuss wieder hereingeholt habe. Du bist als Nächster dran, Baby, sagt sie großzügig. Es ist, als wäre eine Eisschicht von ihr abgeplatzt, sie ist endlich in Sicherheit, oder wenigstens für den Moment. Sie kaufen sich ein renoviertes Haus im viktorianischen Stil mitten in der Stadt. Als ich in Altersteilzeit gehe, wird Cynthia eine Festanstellung mit Aussicht auf Entfristung angeboten, und sie sagt zu.

John beendet sein Versepos und schickt es an einen großen Lyrikverlag. Es wird gedruckt, aber von den jüngeren Autoren der Szene wegen seines pornografischen Inhalts und seiner fragwürdigen Entstehungsgeschichte abgelehnt. John fängt das Töpfern an. Er mag, wie sich der feuchte Ton an seinen Händen anfühlt, kühl und lindernd.

Nach etwa einem Jahr fange ich wieder zu schreiben an. Nach jeder Sitzung schicke ich mir die Datei in einer E-Mail.

Ich arbeite an einer gründlich recherchierten, fiktionalisierten Lebensgeschichte von Sadie the Goat, einer Piratin aus dem neunzehnten Jahrhundert, die ihr eigenes, in Essig eingelegtes Ohr, das Gallus Mag ihr vor Jahren bei einer Kneipenschlägerei abgebissen hat, in einem Medaillon um den Hals trägt. Ich schreibe jeden Tag, sehr langsam und sehr wenig. Dem ungehemmten Schreibfluss gegenüber bin ich skeptisch geworden. Nicht, dass ich jetzt netter oder dankbarer wäre, aber bescheidener. Es ist eine Art Frieden oder eine Warnung.

Sids Baby ist wunderschön und lächelt die ganze Zeit, eindeutig ein Zeichen von Intelligenz. Der Kleine liegt auf der Spieldecke, und ich lese ihm Shakespeare und Dickinson vor, damit er ein Gespür für ihren Rhythmus entwickelt. Als Mutter überrascht mich Sid; sie ist gelassen, zärtlich, ein Naturtalent. Ich kann mir kein glücklicheres Baby vorstellen, nicht bei diesen Eltern.

So viele Systeme zerstört. So viele Knoten entwirrt, gelöst.

27

Eines Abends, ich bin allein in unserem Haus in Upstate, klingelt es an der Tür. Anscheinend wieder ein neuer Besucher, der mit der hiesigen Sitte, durch den Hintereingang hereinzukommen, nicht vertraut ist. Ich öffne die Tür, davor steht eine Frau Mitte dreißig mit einem zerknüllten Taschentuch in der Hand. Sie stellt sich vor. Ich bitte sie herein und schenke uns beiden ein Glas Wein ein, obwohl ich seit dem Feuer und der Benommenheit, die mit der Genesung und den Medikamenten einherging, kaum noch trinke. Ich wünsche mir nichts mehr als Klarheit.

Wir setzen uns ins Wohnzimmer. John und ich haben die meisten unserer Reiseandenken nach Manhattan mitgenommen, deswegen ist der Raum jetzt nur noch spärlich möbliert. Wenn ich aus der hektischen Stadt hierher zurückkehre (oder zu Besuch komme, ich weiß es nicht genau), möchte ich in der luxuriösen Weite freier Böden und Wände schwelgen.

»Er ist nicht da, oder?«, fragt sie. Nein, sage ich, er ist kaum noch hier, die lange Fahrt ist ihm zu anstrengend. Sie nickt.

»Ich habe ihn seit über zehn Jahren nicht mehr gesehen«,

sagt sie. »Wahrscheinlich würde er mich nicht mal wiedererkennen. Ich habe mich sehr verändert.« Sie sieht traurig an sich hinunter, offenbar ist sie mit ihrem Körper unzufrieden.

Sie ist jung und schön. »Sie sind schön«, sage ich. »Ganz bestimmt würde er Sie wiedererkennen.«

Sie lächelt und fragt, ob ich wisse, wer sie sei.

»Eine der sieben?«, sage ich. »Ihr Name stand auf der Liste.«

»Nein, ich war diejenige, die es losgetreten hat. Ich habe die anderen Frauen kontaktiert und den Brief aufgesetzt.«

»Sie?« Ich spüre eine Enge in der Brust. »Warum?«

Und ich betrachtete sie, diese Frau, die einst so Respekt einflößend und beeindruckend war, ihre verschmorte rote Schlangenhaut, die sich über ihr trauriges, faltiges Gesicht spannte. Einmal habe ich John gefragt, ob sie mich hasst, und da sagte er, sie denke nicht genug an andere Menschen, um sie zu hassen. Ich saß zwischen seinen Beinen, und er erzählte mir, wie begabt ich sei. Begabt wofür?, hätte ich fragen sollen. Damals war ich blind, ich war immer noch dabei, mich von den Demütigungen der Highschool zu erholen, der Geringschätzung meiner Eltern, der Grausamkeit der anmaßenden jungen Männer am College. Ich hatte eine brüchige Selbstachtung und war unfähig, mich mit netten Mädchen meines Alters anzufreunden, während die Professoren meine Vertrauten waren, und sei es nur in meiner Einbildung. Begabt wofür?, hätte ich fragen sollen. Vögeln, blasen, verzweifelt sein, hätte er vielleicht geantwortet.

Ich war Anfang dreißig und saß in einem blaugrauen Kokon aus Langeweile, genauer gesagt in einem ergonomischen

Sessel, vor dem Büro des Senior Vice President einer überregionalen Buchhaltungsfirma. Autos, Reisebuchungen, Kaffeekochen, Meetings, Terminpläne, IT-Abteilung. Am Telefon seinen verärgerten Boss abwimmeln. Ertragen, vielleicht sogar mögen, wenn er sich über meine Schulter beugte, um zu sehen, woran ich gerade arbeitete. Der Duft seines Geschäftsführer-Aftershaves. Auf dem Desktop waren die Websites von Masterstudiengängen gespeichert, aber dann fehlte mir nach jedem langen Tag die Kraft dafür. An den Wochenenden Feiern, Yoga und der Versuch, auf die eine oder andere Weise ein Gespür für mich selbst zu entwickeln. Die Bezahlung war nicht mal besonders gut. Ich hatte nur eine einzige Frage: »Wie hatte ich glauben können, ich wäre zu Höherem berufen?«

Wenn ich daran zurückdenke, in welcher mentalen Verfassung ich am College war, fällt mir das Internetvideo von dem betrunkenen Kleinkind ein: Ein kleines Mädchen in einem kurzen Top, durch das sich der Babyspeck abzeichnet, hangelt sich von einem winzigen Tisch zum nächsten und leert Gläser, die aussehen wie alkoholische Drinks. Sie wirft Stühle um und torkelt, ist außer sich vor Selbstbewusstsein. Sie schmiert sich Essen ins Gesicht. Sie ist begeistert von sich selbst, hat keinen Begriff von dem Chaos, das sie anrichtet, von ihrem Aussehen, den Konsequenzen ihres Handelns.

Er hätte es sehen müssen. Er hätte sehen müssen, wie jung ich innerlich war und dass ich nicht wusste, was ich eigentlich wollte und was gut für mich war. Er hätte mich aus seinem Büro werfen und mir sagen müssen, ich solle kalt duschen, erwachsen werden, mir einen Freund in meinem Alter suchen. Ich war volljährig, aber ich war noch ein Kind. Er hatte mir Komplimente gemacht, mich gelobt und so getan, als hätte ich der Welt etwas anzubieten, aber am Ende merkte ich, er wollte mich einfach nur rumkriegen. Ich hatte ihm geglaubt.

Wenn ich da an meinem Schreibtisch saß und mit Textmarker Quittungen bearbeitete oder in der telefonischen Warteschleife der Rechnungsabteilung hing, fragte ich mich manchmal, ob es andere wie mich gegeben hatte, die nun mit Ende zwanzig, Anfang dreißig durchs Leben stolperten, ihre Zeit vergeudeten, keine Aufgabe fanden. Andere Frauen, die ebenfalls keine Ahnung davon hatten, was sie sich wert sein sollten. Auf einmal spürte ich eine Energie wie seit Jahren nicht mehr, nicht seit der Zeit vor dem College; eine Ahnung, dass ich das Richtige tat und es getan werden musste. Das College hatte mir den Übergang von der Jugend ins Erwachsenenleben erleichtern sollen, doch stattdessen hatte es mich komplett vom Kurs abgebracht. Ich nahm Kontakt zu anderen Ehemaligen auf. Die anderen Frauen zu finden war nicht schwierig. Man hätte uns nicht so achtlos behandeln dürfen. Achtlos. Das war das Wort. In einem Alter, in dem jeder Moment von Bedeutung ist, in dem wir ein Konzept unserer selbst entwickeln sollten, hatte man uns gedankenlos benutzt und entsorgt.

Vielleicht denkt sie so. Oder vielleicht stelle ich mir vor, dass die junge Frau, die mir gegenübersitzt – dort auf dem Sofa, wo Vladimir bei unserer ersten Begegnung saß –, *möglicherweise* so denkt.

»Es hatte psychische Langzeitfolgen«, sagt sie im Verlauf des Abends. »Ich war so jung«, sagt sie. »Ich hatte keine Ahnung, was es bedeutet«, sagt sie, »und ich habe erst viel später begriffen, was es mit mir gemacht hat.«

Ich höre mir alles an. Sie möchte Zeugnis ablegen, und ich gebe ihr gern die Gelegenheit. »Geht es Ihnen besser?«, frage ich.

»Meistens«, sagt sie.

Sie weicht oft vom Thema ab, erzählt von ihren Kommilitoninnen und was aus ihnen geworden ist, denkt laut darüber nach, wie sich die Stadt und die Studierenden seit ihrem Abschluss verändert haben.

Beim Abschied berühre ich sie an der Schulter und sage: »Sie haben noch alles vor sich.« Tränen steigen ihr in die Augen, sie bedankt sich. Es macht mir nichts aus, ihr das zu sagen. Ich glaube es wirklich, und sie muss es von jemandem hören.

Grell, explosiv, stockdunkle Finsternis und blendendes Licht, wie eine Dampfwalze, wie ein Kolibri, in unserem Körper, in der Atmosphäre, in unserem Blutkreislauf, an den Straßenecken, verborgen in Melodien, in Gerüchen, sinkenden Temperaturen und steigendem Tempo. In Zimmern, von denen wir nicht mehr wissen, dass wir sie einst bewohnt haben, in Kleidern, von denen wir nicht mehr wissen, dass wir sie einst getragen haben, in Berührungen, von denen wir nicht mehr wissen, dass wir sie einst gespürt haben.

Oh, die Scham.

Danksagung

Ich danke David Rogers für frühes Lesen und guten Rat. Und auch Anna Stein – ich bin so froh, dass mein Buch und ich den Weg zu dir gefunden haben. Ich danke Lauren Wein für ihr kunstfertiges und einfallsreiches Lektorat und ebensolche Gespräche. Ich danke Julie Flanagan, Lucy Luck, Claire Nozieres, Grace Robinson und Will Watkins. Dank an Ravi Mirchandani und Roshani Moorjani. Und an die Avid-Reader-Kohorte, insbesondere Jessica Chin, Amy Guay, Jordan Rodman und Meredith Villarello.

Ich danke Hannah Cabell und Ryan King, Jennie und Chris Jonas, Janet und Rachel Kleinman sowie Miriam Silverman und Adam Green. Dank an Steve Coats für die szenische Inspiration. Hannah Heller hat mir einen Witz zur freien Verwendung überlassen, und noch vieles mehr. Mein endloser Dank geht an Kallan Dana für wiederholtes Lesen, konstantes Diskutieren, Freundschaft und Lebenshilfe.

Ich danke meinen Eltern. Ruth, meinem Stern, und Archie, meinem Glücksbringer. Und ich danke Adam, meinem Erstleser, umsichtigen Lektor, größten Fürsprecher, besten Publikum und treuesten Freund.